金陵十三钗

THE FLOWERS OF WAR

严歌苓/著

钱 虹/编

江苏文艺出版社

JIANGSU LITERATURE AND ART
PUBLISHING HOUSE

图书在版编目（CIP）数据

金陵十三钗 /（美）严歌苓著. — 南京：江苏文艺出版社，2013.7

ISBN 978-7-5399-6263-4

Ⅰ. ①金… Ⅱ. ①严… Ⅲ. ①长篇小说－中国－当代 Ⅳ. ①I247.5

中国版本图书馆 CIP 数据核字(2013)第 105517 号

书　　　名	金陵十三钗
著　　　者	严歌苓
责 任 编 辑	蔡晓妮
责 任 校 对	李 侨　田倩倩
出 版 发 行	凤凰出版传媒股份有限公司
	江苏文艺出版社
出版社地址	南京市中央路 165 号，邮编：210009
出版社网址	http://www.jswenyi.com
经　　　销	凤凰出版传媒股份有限公司
印　　　刷	江苏凤凰通达印刷有限公司
开　　　本	718×1000 毫米　1/16
印　　　张	18
字　　　数	290 千字
版　　　次	2013 年 7 月第 1 版　2013 年 7 月第 1 次印刷
标 准 书 号	ISBN 978–7–5399–6263–4
定　　　价	29.80 元

（江苏文艺版图书凡印刷、装订错误可随时向承印厂调换）

目录

金陵十三钗

　　我姨妈书娟是被自己的初潮惊醒的，而不是被一九三七年十二月十二日南京城外的炮火声。她沿着昏暗的走廊往厕所跑去，以为那股浓浑的血腥气都来自她十四岁的身体。天还不亮，书娟一手拎着她白棉布睡袍的后摆，一手端着蜡烛，在走廊的石板地上匆匆走过。白色棉布裙摆上的一摊血，五分钟前还在她体内。就在她的宿舍和走廊尽头的厕所中间，蜡烛灭了。她这才真正醒来。突然哑掉的炮声太骇人了。要过很长时间，她才会从历史书里知道，她站在冰一般的地面上，手端铁质烛台的清晨有多么重大悲壮。几十万溃败大军正渡江撤离，一座座钢炮被沉入江水，逃难的人群车泥沙俱下地堵塞了几座城门。就在她楼下的围墙外面，一名下级军官的脸给绷带缠得只露一个鼻尖，正在剥下一个男市民的褴褛长衫，要换掉他身上血污的军服。我姨妈书娟这时听见这骇人的静哑中包容的稠浊人潮。她也是后来才知道，正是那个时刻，人们抱着木盆、八仙桌、樟木箱跳进隆冬的江水，以生命在破城而来的日本军队和滔滔长江之间赌上一局。

　　书娟收拾了自己之后，沿着走廊往回走的时候，不完全清楚她身处的这座美国天主教堂之外是怎样一个疯狂阴惨的末日清晨：成百上千打着膏药旗的坦克和装甲车排成僵直的队阵，进入停止挣扎、渐渐屈就的城市，竟也带着地狱使者般的隆重，以及阴森森的庄严。城门洞开了，入侵者直捣城池深处。一具具尸体被履带轧入地面，血肉之躯眨眼间被印刷在离乱之路上，在沥青底版上定了影。

这时我姨妈只知一种极致的耻辱，就是那注定的女性经血；她朦胧懂得由此她成了引发各种淫邪事物的肉体，并且，这肉体将毫不加区分地为一切淫邪提供沃土与温床，任他们植根发芽，结出后果。我姨妈书娟在这个早晨告别了她混沌的女孩时代。她刚要回到床上，听见窗外爆起吵闹声。楼下是教堂的后院，第一任神父在一百年前栽的几棵美国胡桃树落尽叶子，酷似巨大的根茎倒扎在灰色的冬雾里。吵闹主要是女声，好像不止是一个女人。书娟掀开积着厚尘的窗帘一角，看见胡桃树下的英格曼神父。他尚未梳洗，袍襟下露出起居袍的边角。书娟的室友们窃声打听着消息，都披上棉被挤到窗前。英格曼神父突然向围墙跑去，书娟和七个同屋女孩这才看见两个年轻女人骑坐在墙头上，一个披狐皮披肩，一个穿粉红缎袍，纽扣一个也不扣，任一层层春、夏、秋、冬的各色衣服乍泄出来。女孩们和书娟都明白了，英格曼神父在阻止那两个墙头上的女人往院里跳。

书娟听到走廊里的门打开，另外几个房间的女孩跑下楼去。等书娟跑到后院，墙上已坐着五个女人了。英格曼神父没有阻拦住刚才的两个，连看门的阿顾和烧锅炉的陈乔治也没帮上忙。英格曼神父一看身后的女孩们，对阿顾说："把孩子们带走，别让她看见她们。"他未及剃须的下巴微妙地一摆，指着墙上墙下的女人们。书娟大致明白了局面；这的确是一群不该进入她们视野的女人。女孩们中有一些世故的，悄声说："都是堂子里的。""什么堂子？""窑子嘛！"……

阿多那多神父从胡桃林中的小径上跑来，早早就喊："出去！这里不是国际安全区，不负责收容难民！……"他比英格曼年轻二十多岁，一口纯正扬州话，让争吵恳求的女人们愣了一会才明白发言的是这位凹眼凸鼻的洋僧人。

一个二十六七岁的窑姐说："我们就是进不去安全区才来这里的。"

一个十七八岁的窑姐抢着说："安全区嫌姑奶奶们不干净！"

"来找快活的时候，我们姐妹都是香香肉！……"

书娟让这种陌生词句弄得心跳气紧。阿顾上来拉她，她发现其他女孩已进了楼门，只剩一两张脸从里面探出来。伙夫陈乔治已得令用木棒制止窑姐们的入侵。但他的棒子只在砖墙上敲出敷衍的空响，脸上全是不得已。那个二十六七岁的窑姐突然朝英格曼神父跪了下来，头垂得很低，说："我们的命是不贵重，不值当您搭救，不过我们只求好死。再贱的命，譬如猪狗，也该死个干净利落。"

英格曼神父不动容地说："我对此院内四十四位女学生的家长许诺过，不让她们受到来自任何方面的侵害。依小姐们的身份，我如果收容你们，就是对她们的父母背信弃义。"

阿多那多神父对阿顾咆哮："你只管动手！跟这种女人你客气什么！"

阿顾捉住一个披头散发的窑姐。窑姐突然白眼一翻，往阿顾怀里一倒，癞痢斑驳的貂皮大衣滑散开来，露出里面精光的身体。阿顾老实人一个，吓得"啊呀"一声嚎起来，以为她就此成了一具艳尸。趁这个空当，墙头上的女子们纷纷跳下来。其中一个黑皮粗壮，伸手到墙那边，又拽上来五六个形色各异、神色相仿的年轻窑姐。阿多那多神父一阵绝望：秦淮河上一整条花船都要在这一方净土上登陆了。心里一急，他嘴上也粗起来："你们这种女人怕什么？夹道欢迎日本兵去啊！"

阿顾想从怀里死活不明的女人胳膊里脱身，但女人缠劲很大，怎样也释不开手。英格曼神父看到这香艳的洪水猛兽已不可阻挡，悲哀地垂下眼皮，在胸前慢慢画了个十字。

楼上所有的窗帘都打开了，女孩们看见扫得发青的石板院落给这群红红绿绿的女人弄污了一片。女人们的箱笼、包袱、铺盖也跟着进来了，缝隙里拖出长丝袜和缎发带。

我姨妈此时并不知道，她所见所闻的正是后来被称为最丑恶、最残酷的大屠城中的一个细部。她那时还在黛玉般的小女儿情怀中，感伤自己的身世。我姨妈书娟惊讶地看着阿顾怎样将那蓬头女人逮住，而那女人怎样就软在了阿顾怀抱里，白光一闪，女人的身子妖形毕露，在两片黑貂皮中像流淌出来的一摊肮脏牛奶。我姨妈一下子把她的不幸身世与这不堪入目的图景联系起来：我外婆得知我外公和一个秦淮河青楼女子的隐情之后，做主替他应承了一项讲学计划，促他去了美国。出国不久，外婆怀上了我母亲书妤，又做主留在美国分娩。外婆想以距离和时间来冷却一段艳情，她信心十足：戏子无情，婊子无义。书娟快步回到寝室，已停止怨恨撇下她的父母；楼下十几个俗艳女子已成为她心目中的仇恨靶子。

局面已不可收拾。女人们哭号谩骂，抱树的抱树，装死的装死。一个窑姐叫另一个窑姐扯起一面丝绒斗篷，对神父们说她昨夜逃得太慌，一路不得方便，只好在此失体统一下。说着她已经消失在斗篷后面。阿多那多用英文喊道："动物！动物！"

英格曼神父脸色苍白，对阿多那多说："法比，克制。"法比·阿多那多长在扬州乡下，对付中国人很像当地大户或团丁，把他们都看得贱他几等。英格曼神父又是因为阿多那多沾染的中国乡野习气而把他看得贱他几等。眼看阿顾和陈乔治两人寡不敌众，他对窑姐们说："既然要进入这里，请各位遵守规矩。"

阿多那多用一条江北嗓门喊出英语："神父，放她们进来，还不如放日本兵进来呢！"他对两个中国雇工说："无论如何也得撵出去！"

而英格曼神父看出陈乔治和阿顾已暗中叛变，和窑姐们已里应外合起来。混乱中阿多那多揪住一个正往楼门里窜的年少窑姐。一阵稀里哗啦声响，年少窑姐包袱里倾落出一副麻将牌来。光从那掷地有声的脆润劲，也听出牌是上乘质地。一个黑皮粗胖的窑姐喊："豆蔻，丢一张牌我撕烂你大胯！"叫豆蔻的年少窑姐在阿多那多手里张牙舞爪，尖声尖气地说："求求老爷，行行好，回头一定好好伺候老爷！一个钱不收！"豆蔻还是挣不脱阿多那多，被他往教堂后门拽去。她转向扑到麻将牌上的黑皮窑姐喊："红菱，光顾你那日姐姐的麻将！……"

红菱便兜起麻将朝难解难分的阿多那多与豆蔻冲去。她和阿多那多一人拖住豆蔻一只手，豆蔻成了根绳，任两人拔起河来。

英格曼神父此刻扬起脸，见紫金山方向起来一股浓烟。天又低又暗，教堂钟楼的尖顶被埋在烟雾里。寒流来得迅猛，英格曼神父十指关节如同钉上了锈钉子一样疼痛。他又扬起脸看一眼窗台上的女孩们，对她们严峻地摆了一摆下巴。所有年轻纯净、不谙世故的面孔刹那间回避了。只有一张面孔，还在定定地出神。

这正是我姨妈书娟的面孔。她站在窗前被一阵腹痛钳住了。没人告诉她这样可怕的疼痛会发生。假如不是因为一个妓女，她母亲不会强迫她父亲离开祖国离开南京离开她；她母亲一定会向她讲解，这腹痛是怎么回事。由此她咬牙切齿地恨那个使她家庭支离破碎的妓女。由此她更恨眼前的这一群妓女。看看她们干的好事：竟在一件斗篷后面宽衣解带，大行方便。书娟不理会她敬爱尊重的英格曼神父，是因为她实在太疼痛太仇恨了。她咬碎细牙，恨着恨着恨起了自己。书娟恨自己是因为自己居然也有楼下妓女的身子、内脏以及这滚滚而来的肮脏热血。她已经痛得自持不得，动弹不得，眼睁睁看着那个身段丰硕肤色如铜名叫红菱的窑姐把豆蔻拉出了法比·阿多那多的手。法比·阿多那多干脆上来拉红菱，擒贼先擒王。红菱麻将牌也不要了，梳妆盒也不要了，一心只和阿多那多拼搏。墙外一阵一阵的脚步过去，婴儿"哇哇"地哭喊，静了一早晨的枪声又响了。陈乔治上去帮阿多那多。

红菱的嗓音混杂在墙外的吵闹声中："救命啊！"

她一叫混乱的场面静止了一刹那。红菱指着陈乔治："这个骚人动手动脚！"

陈乔治才二十四岁，脸涨得紫红："哪个动你了？"

"就你个挡炮弹的动老娘了！"红菱拍拍胸脯。

陈乔治恼怒得哑了一刻，反口道："动了又怎的？"他把她往后门外面推："别人动得我动不得？"

英格曼神父说："住口。"他转向阿多那多神父："让她们在仓库里先藏一两天，我和国际安全区交涉一下，再把她们送到那里去。"开始给英格曼神父下跪的窑姐看其他窑姐一眼说："来生一定做牛马报答神父。"说着又跪下来。

"起来吧，神父不耕地，要牛马干什么？"阿多那多说道。

英格曼神父已经往教堂主楼走去。天亮了不少，主楼细高的窗子上，由五彩玻璃拼成的受难圣像显出模糊的轮廓。几声枪响乍起，就要走进楼门的英格曼神父脊梁伸直了一下，又回到原先的微驼姿态。枪声很近，似乎就响在教堂东侧那一小片墓园里。

阿多那多叫阿顾和陈乔治马上把窑姐领进仓库，他自己去墓园查看一下。墓园竖着十几座十字架，下面埋着一百多年来在教堂服务过的神职人员。第一位神父费罗诺的墓被扩修过两次，现在墓室颇大，但修缮得非常简朴。墓园的柏树植得极密，在这无风的清晨，远处枪弹呼啸，高空飞机飞过，甚至车马人群狂乱地过往，都在树梢上呼啸生风。法比·阿多那多没发现任何异常，便折身走回去。教堂顶上的十字架旁边，飘着一面红蓝鲜明的星条旗，荫蔽着旗下中立的美国地界。从十月份开始，英格曼神父每天晚祈前都登上钟楼顶层，看着东边越来越近的火光，祈祷越来越长。

书娟和女孩们下楼来晨祷，正碰上从墓园回来的法比·阿多那多。女孩们也好，阿多那多也好，都绝想不到从某种意义上来说，举着美国国旗的教堂此刻已失去了中立地位，因为它无意中已荫蔽了两位中国士兵。法比·阿多那多去墓园查看时心神、眼神都太慌乱，竟没有细看那个半途而废的防空工事。工事是八月底挖的，水位太高被放弃了。女孩们单调纯净的祈祷声渐渐充斥了星条旗下的空间。两位受伤的中国士兵此刻腿泡在坑道结着冰碴儿的泥水里，被女孩们的祈诵安抚了。

阿多那多等女孩们念完"阿门"，画完十字，对她们说教堂的院子从现在起划分成两半，靠仓库的北角，不允许任何女孩接近。他也会把禁令传给仓库里临时的寄居者们。这时一个女孩以小动作指点了一下阿多那多身后。他回过头，见那个叫红菱的窑姐嘴上叼着烟卷从女孩们的宿舍楼里出来，垂着头，东寻西觅。

阿多那多马上恢复了一副粗人模样，对她吼道："哎，那是你去的地方吗？"

红菱骇一跳，嘴上的烟卷险些掉到地上。她笑着说："看着像个洋老爷，其实是个江北泥巴腿。我们是老乡耶……"

"回你自己的地方去！"阿多那多切断她的思路，"不守规矩，我马上请你们出去！"

"你叫法比吧？"红菱还是嬉皮笑脸。

"你回不回去？"阿多那多拇指指着仓库方向。

"那你帮我来找嘛。"红菱全身一动，身子由上到下起一道浪，"找到我就回去。"

阿多那多看了女孩们一眼，意思是：她还有资格谈条件？

"法比也不问问人家找什么。"红菱一嘟嘴唇。她虽然身段粗笨，但自有一种憨憨的风韵。

"找什么？"法比·阿多那多没好气地问。

"麻将，刚才掉了一副麻将在这里，捡回来缺五个。"

"还有心思玩！"阿多那多说。

"那我们干什么呀？闷死呀？"

他发现女孩们个个兴趣盎然地盯着这个下九流女人，她穿一件宝蓝和黑色杂呈的花旗袍，头发已精心梳过，束了一根宝蓝缎发带。清晨她来时的狼狈，已荡然无存。只有第一排末尾的书娟眼睛看着地面，每一句话从红菱嘴里吐出，书娟都把嘴唇抿得更紧。

阿多那多叫女孩们进餐厅。女孩们明白法比是为她们好，怕红菱的妖形丑态脏了她们的眼睛。她们却慢吞吞地不肯离开，这类女人难得碰上。

这时那位稍年长的窑姐走过来，远远就对红菱光火："你死在那儿干什么？人家给点颜色，你还开染坊了！回来！"她说话声音温厚，一听就是不习惯这样扯开嗓子叫喊。

红菱说："她们叫我来找的，缺牌玩不起来！"

"回来！"

红菱开始往库房方向走。突然刹住脚，指着女孩们："你们趁早还出来噢。"

没人理她。

"你们拿五个子玩不起来，我们缺五张牌也玩不起来。"红菱跟女孩们拉扯起生意来了。女孩们你看看我我看看你。有一个胆大的学她的江北话："……也玩不起来……"一声哄笑，全跑开了。

阿多那多呵斥她们："谁拿了她东西，还给她！"

女孩们七嘴八舌："哪个要她东西？还怕生大疮害脏病呢！"

红菱给这话气着了，追着她们喊："对了，姑娘我一身的杨梅大疮，脓水都流到那些骨牌上，哪个偷我的牌就过给哪个！"

女孩们一声作呕的呻吟。书娟无法想象，她父亲和这样的贱坯子在一块是怎么混的。

年长些的窑姐已到了红菱身边，拖了她就往仓库方向走。红菱上半身和腿脚拧着劲，上半身还留在后面和女孩们骂架叫阵："晓得了吧？那几个麻将牌是姑娘我专门下的饵子，专门过大疮给那些手欠的！……"她嘎嘎地笑起来，突然"哎哟"一声，人往后一抽，然后指着年长窑姐对站在一边看热闹的陈乔治说："她掐我肉哎！"似乎他会护着她，因此她这样娇滴滴告状。

阿多那多问："请问小姐叫什么名字？"

年长的窑姐站下来，回过身。她确定了这个中年神父问的是她，才微微地屈一下膝，上身端得笔直，回答说："叫玉墨。文墨的墨。"

她不是那种艳丽佳人，但十分耐看，也没有自轻自贱、破罐子破摔的态度。女孩们和阿多那多都给她收服了一刹那，忘掉了她是一个身份低下的风尘女人。

"那就拜托玉墨小姐管束一下你的同伴。"

　　玉墨点头，她动作一个不多，话也是一字不多。在我姨妈书娟眼里，她虽然有一点拿捏矫情，但基本上是入得眼的。因此书娟抬脸，好好看了她一眼。从上到下地看，想挑出她哪里贱来。但她没挑出来。玉墨这时眼光也恰巧落在书娟脸上，也是在端详这个十四岁的女孩。我姨妈那个时期的相片不多，一张张全给我看过：一个剪童花头穿校服的少女，单薄干净，校服总是黑白两色，不过我猜那是深海军蓝，上面翻着水手领或白色方领、圆领。我在多年后看到的那些发黄的相片在这个时候还黑白分明。玉墨看到过其中一张。因此，玉墨这个在英文中称为 Courtisan 的女子想，也许她不久就要在我姨妈书娟面前披露真实身份了。

　　玉墨的微微矫情是竭力想纠正人们对她们这类女人的印象，竭力想和红菱之类形成天壤的区别。她在认出书娟后更加娴雅端庄，几乎就是淑女了。她要把背影也树立得姣好无比：一头长波浪，一身素花棉布旗袍，一双黑皮鞋。她扯着红菱进了黑黝黝的仓库，在扑面而来的霉尘中眯起眼，顺手从腋下抽出手帕，掩在鼻子上。她找回娼妓领袖的面目，对正在捡数细软、打盹、踱步取暖、抠鼻子挖耳朵、争嘴拌舌的女子们说："哎哎，刚才听见了吧？有错没错，都是你们的错，你们是在人家矮檐下躲难，缩头做人吧。"阿顾已经跟她们介绍过，这间仓库原先是神学院的阅览室，多年前军阀打仗，神学院跑了半年兵反，之后就停休学了，直到现在也没再开学。女孩们现在暂住的楼房就是当年神学院学生的宿舍。

　　"闷死了！"一个叫喃呢的姑娘说，一面点上从另一个姑娘那儿分来的半支烟卷。

　　"就是啊，"红菱接茬子说，"这院子像一口大棺材，没盖盖子就是了。"

　　"闷死了？"玉墨冷笑一下，"这么多经书呢！"她手一划拉，指着一捆捆皮面和布面的书。大家把房间弄得能暂时落足了，一些破旧沙发和椅子被搬到房子中央；上面搭着五颜六色的包袱布，墙上的画给摘下来，挂上了她们大大小小的镜子。

　　"把这么多经书读下来，我们姐妹就进修道院去吧。"一个叫玉笙的女子说。她正对着光在拔眉毛。

　　"去修道院不错呀，管饭。"红菱说。

　　"你那大肚汉，去做姑子吃舍饭划得来。"

　　"做姑子要有讲扬州话的洋和尚陪，才美呢。"红菱笑嘻嘻地反嘴。

　　"修道院里不叫姑子吧，玉墨？"

"叫什么都一样，都是吃素饭、睡素觉。"

"吃素饭也罢了，素觉难睡哟！红菱……"

说着大家哄起一声大笑，红菱抓起一本书朝那个姑娘身上砍过去。书受了潮，在空中书脊和书页分离了，菲薄的纸页飞得像一屋子白蝙蝠。红菱生性爱闹，追着那个姑娘，一嘴丑话，笑得直揉肉滚滚的肚皮。追着打着，暖和了，也不闷了，一个琵琶从圣经摞起的架子上跌下来，跌断了两根弦。法比·阿多那多朝这里走来。

"够了。"玉墨说。

谁也没够，所以谁也不理她。玉墨看一眼阴沉沉地站在门口的阿多那多，皱眉一笑。窑姐们逐个注意到了阿多那多，一一静下来，有的双手去拢头发，嘴里叼着发卡，有的跳着一只脚，四下找鞋。

"我是最后一次警告你们，再不检点，你们就不再受欢迎。"

他努力想把扬州话说成京文，惹坏了几个爱笑的姑娘。

"从现在开始，你们不准大声喧哗，不准在外面随便走动，不准和女学生们接触……"

"那上厕所怎么办？"

"就一个女厕所，在她们楼上。"

阿多那多一想：这个至关重要的大事竟给疏忽了。他说："我已经叫阿顾帮你们解决这个麻烦了。好在都是暂时的，最多两天，我们就会把你们送到安全区去。"他脑子里却在讨论，是让她们用铅桶，还是让她们用木桶，那么用什么做盖子？"所以我代表英格曼神父，请求你们在这两天里不要放肆，亵渎神灵。"

"真要入修道院了。"红菱说。

"闭上嘴听，我没说完！"阿多那多又忘了仪态，粗声大气吼叫道。

"一天开几餐呐？"豆蔻问道。她正在对着小粉盒上的镜子挤鼻子上一粒粉刺。

"你想一天吃几餐呐？小姐？"阿多那多忍住鄙夷和恼怒问道。

"我们一般都习惯吃四餐，夜里加一餐。"豆蔻一本正经地回答。

"你来这里走亲戚呐？豆蔻？"玉笙说，飞一眼给阿多那多。

红菱说："夜餐简单一点，几种点心，一个汤就行了。"她明白阿多那多要给她们气死了，但她觉得气气他很好玩。她的经验里，男人女人一打一斗，就起了性子了。

喃呢问道:"能参加做礼拜吗?"

红菱拍手乐道:"这有一位要洗心革面的! 神父, 其实她是打听, 做礼拜一人能喝多少红酒。她能把你们的酒坛底子喝通!"

"去你妈的!"喃呢顶她。

阿多那多刚要吼, 谁的脚踢了一下地上的琵琶, 断在空中的两根弦嗡嘤一声。玉墨无地自容, 她对阿多那多做了个不与同伴为伍的姿态, 说:"能够收容我们姐妹, 已经让我们感激不尽。战乱时期, 南京粮价一涨再涨, 姐妹们在此能有口薄粥吃, 就很知足了。"

阿多那多说:"谢谢体谅。"他眼睛向她一瞥, 也没多少好气。薄粥稠粥, 就像她们还有什么选择似的。他对门外说:"阿顾啊, 面包拿进来吧。"

阿顾一直等在门外, 此刻听到招呼, 拎一只布口袋跨进门来。

"也没存多少粮, 只能靠学生们牙缝里省一点下来给大家。"阿顾说着, 解开布口袋。

一声五雷轰顶般的巨响, 女人们全蹲下来, 窗子玻璃咯吱吱直颤, 一泼泼灰尘从摞起的圣经上倾落。又接连来了几记轰响, 阿多那多自己也趴了下来。接下来的几分钟, 所有人都在连续的炮声中畏缩着, 满脸的苍白。

阿多那多想, 难道美国和日本宣战了? 难道挂了美国国旗反而成了炮轰目标? 又过了几分钟, 他判断出来, 炮弹并不是朝教堂而来, 只不过炮阵离得很近罢了。

炮轰一直持续到中午。

女学生们下午被英格曼神父召集到教堂坐待弥撒大厅。她们见六十岁的神父呆呆地站在圣母圣婴像下面, 平静而缺乏活力。她们知道一定发生了什么大事。祈祷是为了她们的国家祈祷, 神父说到"你们从此进入更深灾难的父老兄弟、母亲和姐妹"时, 听上去像治丧。只有我姨妈书娟没有辨出神父的祷词和昨天不同。书娟心不在焉, 在想她的父母此刻在干什么? 那一上午的炮轰, 她的父母在美国也许还像平时一样睡得深沉。我姨妈书娟后来知道炮轰时她父母一直守在无线电旁边, 半天不换一个姿势, 听着那个美国男广播员不关痛痒地报告着日军的每一步得逞。他们一夜没睡, 接下来的一天也不会睡, 因为消息越来越坏:大批中国战俘和百姓被进了南京城的日本兵屠杀了。他们抱头痛哭, 就像此刻书娟和所有女孩们抱头痛哭一样。

神父在半分钟前告诉她们:日本军队占领了她们的总统府。神父说:

"孩子们，这一天是公元一九三七年十二月十三日，是你们民族最不幸的一天。"

她们哭了一阵，突然听见响动，转脸看去，十几个窑姐站在后面，很想打听出了什么事，却又不敢打听。

那天的晚餐只有一个素菜汤，里面连做点缀的碎红肠也没有。意思女孩们都明白，因为吃得格外肃穆。她们不知道自己避在安全区的父母是否安全，更为逃到乡间的家人忐忑。当时父母们把她们留下，一是图美国和宗教对她们的双重保护，再则，也希望她们的学业不至停顿。

这时豆蔻走进餐厅，自己也知道有些不识相，绣花鞋底蹭着老旧的木板地面，讪讪地笑道："有米饭吗？"

女孩们看着她。

"你们天天都吃面包啊？好干啊。"还是没一个人理她。

豆蔻只好自己和自己说下去："不行，土包子一个，吃不来洋面包。"她走到桌前，看看那只汤桶，里面还有一节节断了的通心粉和煮黄的白菜，她厚厚脸皮又是一笑，拿起长柄铜勺。那勺子和勺柄的角度是九十度，盛汤必须得法，如同打井水，直上直下。像豆蔻这样不知要领，汤三番五次倒回桶里。女孩们就像没她这个人，只管吃她们的。

"哪个帮帮忙？"她厚颜地挤出深深的酒窝。

一个女孩说："谁去叫法比·阿多那多神父来？"

"已经去叫了。"另一个女孩说。

豆蔻自找台阶下，撅着嘴说："不帮就不帮。"她颤颤地踮着脚尖，把勺柄直直向桶的上方提，但她胳膊长度有限，举到头顶了，勺子还在桶沿下。她又自我解围说："桌子太高了。"

"自己是个冬瓜，还嫌桌子高。"不知谁插嘴说。

"你才是冬瓜。"豆蔻可是忍够了，手一松，铜勺跌回桶里。

"烂冬瓜。"另一个女孩说。

豆蔻两只细眼立刻鼓起来："有种站出来骂！"

女孩们才不想"有种"，理会她这样的贱坯子已经够抬举她了。因此她们又闷声肃穆地进行晚餐。豆蔻刚想往门口走，又一个女孩说："六月的烂冬瓜。"

"烂得籽啊瓢啊都臭了。"

豆蔻回过身，猝不及防地把碗里的汤朝那个正说话的女孩泼去。豆蔻原本不比这些女孩大多少，不通书理，心智又幼稚几分，只是身体成熟罢了。女孩们憋了满心焦虑烦闷悲伤，此刻可是找到发泄出口了，顿时朝豆蔻扑过来。一个女孩跑过去，关上餐厅的门，脊梁挤在门上。豆蔻原本是反角儿，现在变成了她们的敌人。门是堵住了，但豆蔻清脆的脏话却堵不住，从门缝传出去，阿多那多老远就听见了。伙夫陈乔治嫌他走得慢，对他说："打了有一会了，恐怕已经打出好歹来了！"

果然如此，门打开时，豆蔻满脸是血，头发被揪掉一撮。她手正摸着头上那铜板大的秃疤。陈乔治赶紧过去，要把她从地上扶起来。她手一推，自己爬了起来，嘴还硬得很："老娘我从小挨打，鸡毛掸子在我身上断了几根，怕你们那些嫩拳头？几十个打我一个，什么东西！"

女孩们倒是像受了伤害那样面色苍白，眼含泪珠。四十几个女孩咬定是豆蔻先出口，又先出手。她们所受的伤害多么重？那些脏得发臭，脏得生蛆的污言秽语入侵了她们干干净净的耳朵，她们一直没得到证实的男女脏事终于被豆蔻点破了。

阿多那多叫陈乔治把豆蔻送回仓库。他要去向英格曼神父请愿：马上把这群女人送出去。走到院里，他听见仓库里又是一片哄闹。人生来是有贵贱的，女人尤其如此。如果一个国家的灾难都不能使这些女人庄重起来，她们也只能是比粪土还贱的命了。法比·阿多那多三岁时，父母在传教途中染了瘟疫，几乎同时死去。他由一个中国教徒收养长大，二十岁上投奔了英格曼神父，从此皈依了天主教。后来英格曼送他去美国深造了两年，回到中国便做了英格曼的助理。因此法比·阿多那多可以作为中国人来自省其劣根，又可以作为外国人来侧目审视中国的国民性。面对这群窑姐，他的两种人格身份同时觉醒，因此他优越的同时自卑，嫌恶的同时深感爱莫能助。他像个自家人那样，常在心里说："你就争口气吧！"他又是个外人，冷冷地想："谁也无法救赎你们这样一个民族。"此刻他听着远处不时响起的枪声，也听着窑姐们的嬉闹，摇摇头。才多久啊？她们对枪声就听惯了，听顺耳了。他没有去打扰她们。她们所做的事他懂得：那是行酒令，没有酒，谁输了罚一大口凉水。

法比·阿多那多向主楼走去，一时枪声密集，并有机关枪加入。难道还有中国军队在抵抗？可他知道中国军队昨天天黑前就撤光了。枪声持续了一个多小时，阿多那多与英格曼神父的谈话断断续续，两人都在猜着密集的射击是怎么回事。本来阿多那多是来向英格曼报告女学生和豆蔻冲突的事，打算催促英格曼把妓女们送往安全区。但他一走进英格曼的客厅，就感到神父满心是更加深重的忧患，他要谈的话在此气氛中显得不合时宜，不够分量。英格曼神父正从无线电短波中接收着国外电台对于南京局势的报道，他看了匆匆进来的阿多那多一眼，连让座都免了。沉默地听了半小时嘈杂无比的广播，英格曼神父说："看来是真的——他们在秘密枪决中国士兵。刚才的枪声就是发自江边刑场。连德国人都对此震惊。"

近十点钟，枪声才零落下去。

英格曼神父对阿多那多说："敲钟。"

"神父……"阿多那多不动。

英格曼懂得阿多那多的意思。整个城市生死不明，最好不以任何响动去触碰入侵者的神经。

"上万人刚刚死去了。是放下武器的无辜者，像羔羊一样，被屠宰了。敲钟吧，法比。"英格曼神父说着，慢慢撑起微驼的身体。

女孩们已就寝，听到钟声又穿起衣服，跑下楼来。窑姐们也围在仓库门口，仰脸听着钟声。钟声听上去十分悠扬，又十分不祥，她们不知怎样就相互拉起了手。钟声奇特的感召力使她们恍惚觉得自己丢去了什么。失去了的不止是南京城的大街小巷，不止是她们从未涉足过的总统府。好像失去的也不止是她们最初的童贞。这份失去无可名状。她们觉得钟声别再响下去吧，一下一下把她们掏空了。

英格曼神父站在院子中央。他低沉而简短地把无线电里听到的消息复述一遍。"假如这消息是真的——成千上万的战俘被一举枪杀了，那么，我宁愿相信我们又回到了中世纪。对中国人来说，历史上活埋四十万赵国战俘的丑闻，你们大概不陌生。不要误以为历史前进了许多。"神父停止在这里。他嗓音越来越涩，中文越来越生硬。

英格曼神父领着人们为死难者默哀之后，又让阿多那多带领女孩们唱起安魂曲。窑姐们再回到仓库时，安静了许多。

入夜时分，我姨妈书娟和另一个女孩挤睡一张床上。一夜冷枪不断，成千上万被屠宰的士兵在书娟的概念中还非常模糊，她还不能想象那场面惨到什么程度。她是到大起来之后，才感到这场大型屠杀多么惨绝人寰。

书娟想把自己的初潮讲给同伴听，又感到难以启口。她从女孩已沦落为女人，而这沦落是万恶之源。一阵杂乱的敲门声响起。门是后门，正对她们窗口，已经锁了很多年。

阿顾还没睡，拎着灯笼跑来。阿多那多已站在后门口，对阿顾打了个手势，叫他不要吭声。但灯笼的光显然已从门缝漏出去，门外的人更是死乞白赖，手在槐木镶铁条的门上拍得又急又重，骨头皮肉都要拍烂了似的。

"求求大人，开开门……是埋尸队的……有个中国当兵的还活着，大人不开恩救下他，他还要给鬼子枪毙一回！……"

阿多那多存心用洋泾浜中国话说："请走开，这是美国教堂，不介入中日战事。"

"大人……"这回是一条流血过多、弹痕累累的嗓音了，"求大人救命……"

"请走开吧。非常抱歉。"

埋尸队的人在门外提高了声音："鬼子随时会来！来了他没命，我也没命了！看在上帝面上！我也是个教徒。"

"请马上把他带到国际安全区。"

"路太远，到处都是鬼子，他受伤又重，求求您了！……"

"很抱歉。请不要逼迫本教堂违背中立立场。"

不远处响了两枪。埋尸人说："慈善家，拜托您了！……"然后他的脚步声沿着围墙远去。

这时陈乔治把英格曼神父搀下楼来。神父在楼梯口站住了，然后转过身，慢慢沿来路回去。他不能置门外的中国士兵的生死于度外，更不能不顾教堂里几十个女孩的安危。

法比·阿多那多从阿顾手里接过钥匙，打开锈住的大锁，拉开门，刚刚探身出去，又迅速退回来，同时把门关上。

英格曼神父停在第五阶楼梯，听阿多那多说："不是一个，而是三个！三个中国伤兵！……"

埋尸人的嗓音又响起来："那边有鬼子过来了！骑马的！……"

看来刚才他是假装走开的，假装把伤员撇下，撒手不管。他那招果然灵，阿多那多打开了门。他谎称只有一个伤员，也是怕人多教堂更不肯收留。

"你撒谎！"阿多那多指控，"到了这种时候还是满口谎言！"

阿顾说："既然救人，一个和一百个有什么两样?!"他这是头一次用这样的口气和洋人说话。

"你闭嘴！"阿多那多吼道。

不远的街道上，果然有马蹄声近来。一个粗哑的声音从伙房边巨大煤堆后面传出来："开门！不开门我开枪了！"

这时人们看见两个全副武装的中国军人出现了，一个持手枪一个端步枪。英格曼神父在胸前飞快地画了个十字。两个人都拉开了枪栓，拿长枪的人跟跄一步，人们看见他的下半截裤腿几乎是黑的。那是浸透了的血污。

"把门打开，法比。"英格曼神父说。

法比给个又快又狠的手势，阿顾立刻将钥匙插入锁孔。埋尸队的人说："快些！"

锁孔锈得太厉害，阿顾几番打不开。持长枪的士兵蹿过来，阿多那多肩膀一抽，头颈紧缩，两手向上伸去，不知是去护脑袋还是对挺过来的刺枪告饶。但士兵只是用刺刀别进门闩，用力一撬。刺刀折断了，门闩也松开来。一大团黑糊糊的人影涌了进来。

后门关上不久，一个马队从街口小跑过来。门内人都成了泥胎，定身在各自姿态上，两个武装军人的枪口朝着后门，只要门一开，子弹就会发射。直到马蹄声的回音也散失在夜空里，人们才恢复动作。

英格曼神父首先看见的是两个穿黑马甲胸前贴着长圆形白布的人。他断定这两个人是"埋尸队"队员，被日本人临时雇来的中国劳力。他们身上各倚负着一具血肉模糊的人形，想来便是死里逃生的中国战俘了。另一个战俘还能自行站立，一手抱住左肋，那里也是大片暗色血渍。英格曼神父问他们一共有多少战俘殉难。他们答不上来，说刑场就有好几处，来不及埋的尸首会被烧掉。

"阿顾，立刻去把急救药品拿来，多拿些药棉，让他们带走。"英格曼的意思很明显：此处不留他们这样的客人。

持短枪的人并没有收起进攻的姿势，枪口仍指着英格曼神父："你要他们去哪里？"

"请你放下武器和我说话。"神父威严地说。

持短枪的人三十岁左右，军服虽褴褛，但右胸的口袋别了一支钢笔。他说："很对不住您。"

"你们是要用武器来逼迫我收留你们吗？"英格曼说。

"因为拿着武器说话才有人听。"

法比·阿多那多大声说："干吗不拿着枪叫日本人听你们说话呢？"

英格曼制止道："法比。"他转过头来对持短枪的人说："军官先生，拿武器的人是和我谈不通的。请放下你的武器。"

军官先垂下枪口，当兵的也跟着收了姿势。

陈乔治这时出现了，气喘吁吁地说："刚刚烧了些热水，去洗洗伤口，包扎包扎吧！"他转身向英格曼神父说："怕血淌得太多，救不过来了。先到我屋子里，上上药，把伤裹一下。"

英格曼神父对两个埋尸队的人说："去吧，先把他们的伤治一治再说。"

阿顾一听这话，得了赦令似的上来，帮着埋尸队的两个人往陈乔治屋里抬伤员。陈乔治的屋紧挨伙房，门开在一人高的煤池后面，还算隐蔽。

这一夜女孩们都没睡。她们在天微明时看见窑姐们把几幅旧窗幔洗出来，搭在临时牵起的麻绳上晾晒。那些窗幔要给伤员们当铺盖。

早餐后英格曼神父一身弥撒大袍，法比·阿多那多启动了那辆老旧的"福特"轿车，两人神色匆匆地出门去。直到晚餐前两人才回来，英格曼神父一脸病色，两眼空洞，上楼时两手都抓住楼梯扶手。女孩们在晚自习时间问法比·阿多那多，发生了什么事让英格曼神父如此失态。阿多那多告诉她们，从安全区回来的路上，他和英格曼神父差点挨了日本兵的子弹。女孩们追问，日本兵难道敢对一个美国神父开枪？阿多那多想说什么，大喉结提起又坠下，三番五次，还是摇摇头把话忍了。

书娟和她的女同学们是在两天之后才从窑姐们嘴里知道阿多那多究竟向她们瞒下了什么。阿多那多是在对窑姐们训话时讲出这个事件的。当时窑姐们吵闹抱怨夜里太冷，睡不着觉，要求在仓库里生一个火盆。阿多那多对她们说："还嫌冷？晓不晓得我和英格曼神父为什么差点给日本兵打死吗？"他把事情告诉了她们。他们的车从安全区开回来时，原先走的街道着起大火，只得从小巷绕路。天刚擦黑，六个日本兵正堵住一个十七八岁的女子在剥衣裳，英格曼神父叫阿多那多停车，他刚说了一句英文："看在上帝面上，你们也有姊妹。"日本兵便一梭子打过来。若不是阿多那多车开得快，日本兵就把他们两个眼证给灭除了。我姨妈书娟和她的女同学们假如不与窑姐们再次冲突，也不会从她们口中知道这个事件。冲突是这样引起的：喃呢和玉笙搭伙把她们的便桶往楼上厕所抬的时候，正是女孩们起床的时间。女孩们叫她们先抬下楼，等她们去上课再抬上来。喃呢不满了，说几十斤重一桶粪，抬着上楼下楼是好玩的吗？女孩们便指控她们吃得多拉得多。玉笙回嘴，说全南京的金枝玉叶也好，良家妇女也好，婊子窑姐也好，在日本鬼子那里都一样，都是扒下裤子，两腿一掰，不信呀？去问问英格曼神父，问他前天看见了什么！不然去问问那个假江北佬阿多那多，那个给一帮子日本鬼子搞得哇哇哭的是不是谁家千金！

女孩们知道了这件事，才真正知道什么叫恐怖。恐怖不止于强暴本身，而在于在强暴者面前，女人们无贵无贱，一律平等。对于强暴者，知羞耻者和不知羞耻者全是一样：那最圣洁的和最肮脏的女性私处，都被一视同仁，同样对待。

还需要一些年，我姨妈书娟才真正明白英格曼神父那天从安全区回来的病容是怎么一回事。不完全因为他目睹一场轮奸，也不完全因为他请求安全区收留教堂里避难的中国伤兵和几十个妓女遭到婉言拒绝。安全区负责人告诉英格曼神父：日本兵已几次来安全区搜捕中国军人了。

日本人见了中青年男性平民就逮走去枪毙，相比之下反倒是美国教堂更能提供庇护。至于妓女们，安全区保护不了她们，日本兵搜寻年轻女人的疯狂甚至超过搜捕中国士兵。那天英格曼神父的气息奄奄也不仅因为看见日军的吉普车在一米多高的中国人尸体上翻越；似乎从江边漫卷而来的焚烧战俘的焦臭烟雾也不是他魂飞魄散、万念俱灰的原因。他在一九四八年冬天离开中国时，对去码头送行的书娟和其他女学生说，他非常的失败——作为上帝的使者，作为普通人都失败得很。他还想把乱在一九三七年冬天的心绪理清，说着说着，发现自己更乱了。我猜他的迷乱是感到自己上了当：真有上帝，上帝怎会这样无能？他一定是为他的上帝找了许多借口，其中之一是：上帝把一幅地狱画卷展现给人们，一定有一个重大的启示。而他完全解答不了这启示。

我姨妈书娟和她的同学们很快和伤兵们厮混熟了。伤兵们恢复了一点元气，出太阳时会到院子里坐坐，捉捉虱子。他们把打仗的事讲给女孩们听，虽然是败仗，也让他们在女孩们眼里个个成了大英雄。他们一个一个地讲到战死的战友们，有时突然停顿了，过一会说："记不太清了。"他们惟一不讲自己如何被俘，如何被整连整营地集中起来，静静地等待发落。他们不愿讲日本兵怎样把手指粗的绳子绑在他们的手臂上，而他们一动不动，整整齐齐给绑成一串又一串。他们靠猜想来领会日本人下一步会对他们做什么。那一夜冷极了，他们相依为命，就那样成串地给绑着，坐在潮湿的泥土地上。虽然连打了几天几夜的仗，已疲惫不堪，但伤口像长了利齿一样咬得他们无法入睡。天刚亮日本兵开始了新的调度，要他们排起队伍向江边出发。有人感到了不祥，却还是步伐整齐地随队伍朝江边行军。队伍一望无际，惟一的宽慰是他们和战友们一块行进，即便真是赴刑场也不孤单。伤员们即便想对女孩们讲，也讲不清他们怎么在江边的滩头上一蹲一天，等到了天再次黑下来；一天前还打算决一死战的一群人，竟然在那一刻如此听天由命，任几十挺机关枪对着他们齐鸣。似乎谁嘶喊了一声："兄弟们，上当了！和他们拼吧！"上万人变成一堆抽搐的血肉，是眨眼间的事。伤员中有个叫李全有的上士，他不是被埋尸队从尸体堆里刨出来的。他的逃生是个奇迹：一颗子弹正巧射中了他的右臂，打断了绳索，他拖着断手滚到江水里，又在黎明时分游回满是血水的江岸，遇上了埋尸队。伤兵们不愿对女学生们讲这一段，还因为从戎一生，想都没想过如此窝囊的下场：乖乖地走进自己的坟穴，如此守纪律地一排排应枪声倒下。为此他们红着眼呆呆地想，对日本人那样信任，那样乖顺，是他们失败中最可耻的失败。

英格曼神父从安全区回来的第三天，来到伤员们的住处。他已知道那位口袋插钢笔的军官姓戴，是教导总队的教官，伤最重的叫王浦生，才十七岁。王浦生头上脸上缠满纱布，只有右臂没有挂花。见神父进来，他躺在那里把右手举到太阳穴，行了个军礼。英格曼神父突然改变了嘴里的话。他来时口中排好的第一个句子是："非常抱歉，我们不能够把你们留在这里养伤。"这时他对着敬礼的王浦生一笑，嘴唇开启，话变成了"好些了吗?"他知道这就非常难了。假如预先放牢在舌头尖上的话都会突然改变，他更没法临时调度其他辞客语言。他想说服伤兵们离开教堂，去乡下或山里躲起来。他们可以趁夜晚溜出教堂，粮食和药品他都为他们备足了。而一见王浦生缠满绷带的面孔，整理编辑得极其严谨的说辞刹那间便自己蜕变，变成以下的话："本教堂可以再收留诸位几天。不过，作为普通难民在此避难，诸位必须放弃武器。"

伤员们沉默了，慢慢都把眼睛移向戴教官。

戴教官说："请允许我们留下两颗手榴弹。"

英格曼神父素来的威严又出现了："本教堂只接纳手无寸铁的平民。"

戴教官："这最后的两颗手榴弹不是为了进攻，也不是为了防御。"他看了所有人一眼。

英格曼神父当然明白这两颗手榴弹的用途。他们中的三个人做过俘虏，经历了行刑。用那两颗手榴弹，结局可以明快甚至可以辉煌。对战败了的军人来说，没有比那种永恒的撤退更体面更尊严了。走运的话，还可以拖几个敌人垫背。

英格曼神父说："假如那样，你们便不是手无寸铁啊。"

一个叫李全有的上士说："戴教官，就听神父的吧。"

戴教官沉默了一会，抬起眼睛扫视全体伤员："赞同李全有的举手。"

没人举手。

英格曼神父说："假如手榴弹拉响，日本人会指控本教堂庇护中国武装军人。那么本教堂收留难民的慈善之举，将会变成谎言。"

伤员们一动不动。神父陪着他们沉闷了一刻，转身走出门。他知道他该说的都说了。

下午戴教官和李全有把两支枪，五颗手榴弹，二十发子弹交给了英格曼神父。阿顾和陈乔治拿出几身便服，换下了伤员们的军装。

晚饭后，女孩们想趁晚自习之前的空闲和伤员们聊天，还没走近就听见红菱的扬州话叽里呱啦："我们是土包子，只有玉墨在上海住过，她会跳！……"

然后女孩们听窑姐和伤兵们一块起哄："玉墨！给个面子嘛！……"

书娟挤到女孩们最前面，听那个叫玉墨的窑姐说："人老珠黄了，扭不起来了！"

"早听说藏玉楼的玉墨小姐，今天总算有眼福了！"叫李全有的上士喝彩。

书娟看见玉墨扭动着黄鼠狼似的又长又软的腰肢，跳起舞来。其实书娟知道这叫伦巴的舞在她父母的交际圈里十分普遍，但她认为给玉墨一跳便不堪入目。她认为玉墨动作下流眼神猥亵，就是披着细皮嫩肉的妖怪。她隐约记得半夜给父母吵骂惊醒时听到的名字：赵玉墨。她还记得母亲在父亲生病时说："什么贱货？还寄了参来！我买不起参吗？不写她赵玉墨三个字我就不知道是她了吗？"每回"赵玉墨"三个字从母亲嘴里吐出，都是被母亲一嘴白而齐的牙嚼得碎碎的。书娟此刻不能断定那玉墨就是这扭动如虫的玉墨。看看这个贱货，身子作痒哩，这样狂扭。

玉墨一直垂着眼皮，脸是醉红的，微笑只在两片嘴唇上。她扭到戴教官面前，迅速一飞眼风，又垂下睫毛。玉墨是厉害，一贯淑女，含蓄娇羞不失大方，只在这样的霎时放出耀眼的锋芒，让男人们觉得领略了大家闺秀的风骚。戴教官脸红了。

玉墨扭着，从戴教官身边移开，移到李全有面前。李全有是老粗，觉得女人身子和他只隔两尺距离两身衣裳，浪来浪去，实在让他受洋罪，他嘿嘿傻笑，手足无措。李全有坐在王浦生的床沿上，小小年纪的新兵一眼不眨地盯着玉墨柔软的腰肢和胸脯，忘了手里拿的一把纸牌了。和他玩牌的是豆蔻，回头看一眼把王浦生迷得两眼发直的玉墨，转过脸在他那只好手上打一巴掌。豆蔻不知道隐藏自己的妒忌，她又懒得像玉墨那样学一身本事。王浦生给她一打，回过神来，朝她笑了。这个大孩子一笑两只嘴角全跑到绷带里去了。豆蔻看着爱得心疼。豆蔻比大男孩王浦生还小两岁，才十五，是打花鼓讨饭的淮北人从灾区拐出来的，卖到堂子里去。豆蔻在七岁就是个绝代小美人，属于心不灵口不巧心气也不高的女子，学个发式都懒得费事，打牌输了赌气，赢了逼债，做了一年，客人都是脚夫厨子下等士兵之流。挨了五年打，总算学会了弹琵琶。身上穿的都是姐妹们赏的，没一件合身，还有补丁。妓院妈妈说她："豆蔻啊，你就会吃！"她一点不觉得屈得慌，立刻说："唉，我就会吃。"她惟一长处是和谁对路就巴心巴肝伺候人家。

豆蔻说："你老看她干什么？"

王浦生笑着说："我没看过嘛。"

豆蔻说："等你好了，我带你到最大的舞厅看去。"

王浦生说："说不准我明天死了哩。"

豆蔻手在他嘴上一拍，又在地上吐口唾沫，脚上去踏三下。"浑讲！你死我也死！"

豆蔻这句话让红菱听见了，她大声说："不得了了，我们这里要出个祝英台了！"

这一说大家都静下来。玉笙问："谁呀？"

红菱不说，问王浦生："豆蔻刚才对你说什么了？"

王浦生露在绷带外面那一拳大的面孔赤红发紫，嘴巴越发咧到绷带里去了。豆蔻说："别难为人家啊，人家还是童男子呢！"

大家被豆蔻傻大姐的话逗得大笑。李全有说："豆蔻，你咋知道他是童男子？"

只有玉墨还在跳。她脸颊上的醉意越来越浓。她想着一个男人。这男人是我们家族中唯一和娼妓有染的男性。他堕落不是因为他有那种声色犬马的天性，而恰恰是因为他生性过分纯正，过分规矩。这样的男人一辈子不让他靠近诱惑，他可以正人君子一生。他对于诱惑毫无免疫力，一旦被诱惑又容易认真。他明知和一个妓女相好有多下贱，但他在起誓赌咒之后仍是止不住自己往妓院跑。他和朋友们争论，说马克思也爱过妓女。这个男人是我那个呆里呆气的外公。他认识赵玉墨正是在一个舞场上。他刚从国外留学归来，人们叫他"双料博士"。他和赵玉墨结识是一场误会。

误会由于他没有识别娼妓的眼力。赵玉墨那天优雅至极，带一串雪白的珍珠，拿一本《新月》杂志。赵玉墨也许有心把自己打扮成大户人家的待嫁小姐，还装出一点老小姐落落寡合的样子。双料博士问她肯不肯赏光去喝杯咖啡，赵玉墨点点头，等他上来为她披外衣挂围巾。那天我外婆假如同去，下面我们家族这段丑闻就不会发生了。但双料博士的朋友们说那是"单身汉之夜"，我外婆去过国外，也懂这个洋节目，其中一些不伤大雅的荤内容不能让良家女子消受，她便留在了家里。仅此一夜便让赵玉墨插了足。喝咖啡她把刚读过的东西贩卖给他。他觉得她不时飞来的一两瞥眼风太耀眼了，他给刺激的浑身细汗，喉口发紧，心脏肿胀。我外婆是从不释放雌性能量的女人，并且很看低有这种能量的女人。从传统上说，男人总是去和我外婆等成立婚姻家庭，但从心理和生理都觉得吃亏颇大。成熟一些的男人明白雌性资质多高、天性多风骚的女人一旦结婚全要扼杀她们求欢的肉体渴望。把娼妓的美处结合到一个良家女子身上，那是做梦，而反之，把淑女的气质罩在一个娼妓身上，让她以淑女对外以娼妓对你，是可行的。譬如赵玉墨。她是一个心气极高的女子，至少有一万个心眼子。对付三教九流，她有三教九流的语言、做派。她从小就知道自己投错了胎，应该是大户人家的掌上明珠。难道她比那些掌上明珠少什么吗？她四书五经也读过，琴棋书画都通晓，父母的血脉也不低贱，都是读书知理之辈，不过都是败家子罢了。她是十岁被父亲抵押给做赌头的堂叔的。堂叔死后，堂婶把她卖到花船上。十四岁的玉墨领尽了秦淮河的风头，行酒令全是古诗中的句子，并且她全道得出出处。在她二十五岁这年，她碰上了双料博士。她心计上来了：先不说实话，迷得他认不得家再说。二十五岁的名妓必须打点后路，陪花酒陪不了几盏了。我外公听她讲身世时，两人在一间饭店的房间里。外公刚知道做男人有多妙，正在想，过去的三十六年全白过了。他旁边躺着他的理想：娼妓其内淑女其表。这个时刻，他还不知道赵玉墨是彻头彻尾的、职业的、出色的名娼妓。

赵玉墨这夜豁出去了，连一文钱也不赚。她约双料博士第二天早晨一块吃早饭。她破天荒地起个大早，给妓院妈妈五块大洋，说是她昨晚生意不错，多孝敬妈妈几包烟。和双料博士见面后，她开始讲自己的身世。她掺了一半假话。说自己十九岁还是童身，只陪酒陪舞，直到碰上一个负心汉。负心汉是要娶她的，她这才委身。几年后负心汉不辞而别，她心碎地大病，直病到上个月。她一番倾诉不仅没恶心双料博士，他还海誓山盟地说，他再也不做第二个负心汉。

赵玉墨的真相是我外婆揭露的。她在外公西装内兜里发现了一张旅店经理的名片。她打电话问："胡博士在吗？"经理张口便称她："赵小姐。"外婆机智得很，把"赵小姐"扮下去，"嗯，嗯"地答应，不多说话。经理便说："胡博士说他今天下午四点来，晚一小时，请你在房间等。"

我外婆只用了半天工夫就把赵玉墨的底给抠了。她向我外公摊底牌时，我外公坚决否认赵玉墨是妓女。我外婆动用了胡博士所有的同学朋友，才让他相信南京只有一个赵玉墨，就是秦淮河藏玉楼的名娼。这时已太晚。赵玉墨的心术加房中术让我外公恶魔缠身，他说赵玉墨是人间最美丽最不幸的女子，你们这样歧视她仇恨她，亏你们还是一介知识分子。

我姨妈书娟就是在这段时间零零星星听见赵玉墨这个名字的。

其实让我外公这类书呆子翻然悔悟也省事，就是悲悲伤伤地吞咽苦果，委委屈屈地接受事实。他标榜自身最大的美德是善良；他从不伤害人，尤其是弱者，尤其是已受伤的弱者。我外婆这时真病装病一起来，眼神绝望，娇喘不断，但对我外公的外出不再过问。这就让我外公同情心大大倾斜，碰上赵玉墨小打小闹、使小性子，他已不觉可爱，他烦了。一张出国讲学邀请救了他也救了外婆。我外公届时撒谎已撒油了，让三角关系给磨炼出来了。他跟赵玉墨说讲学重要，薪水也重要，要她忍忍相思折磨。赵玉墨的一万个心眼子都感到了不妙，却无力阻拦。

这时赵玉墨跳得出神入化，其实是在受失败的折磨。她垂着的双眼一抬，目光立刻给对面的眼睛顶回来——书娟一脸黑暗，眼睛简直在剥她的皮。玉墨一下子停住了。刹那间她那么心虚，那么理亏，这个女孩只消看看她，就让她知道书香门第是冒充不了的，淑女是扮不出来的，贵贱是不可混淆的。她多次在胡博士的钱夹里看见这女孩的照片，而见到此刻的女孩，她懂了什么叫"自惭形秽"。她也配相思胡博士那样的男人？连戴教官都不见得拿她当人看。她这一想几乎要发疯了，二十年吃苦学这学那，不甘下贱，又如何？不如就和红菱豆蔻一样，活一时快活一时。

玉墨在人们眼里摇身一变，上流社会的舞姿神态荡然无存，舞得妖气十足，浪荡无比，舞到男人身边，用肩头或胯骨狎昵地挤撞他们一下，跳着跳着，解开狐皮护肩，向戴教官一甩。里面是件厚毛线外套，她也一颗颗解开绒球纽扣，边跳边脱衣。她想：可把那长久以来曲起的肠子伸直了。伸张浪女人的天性太痛快了。她在丘八们的喝彩声中得意忘形，笑得连槽牙也露出了两颗。丘八们觉得变成大嘴美人的玉墨把他们招惹得心里身上都不干不净起来。这时玉墨来到戴教官身边，只穿一层薄绸旗袍的胸脯显出两团圆乎乎的轮廓，戴教官眼睛飞快地往那里跑了几趟，不敢滞留，迅速回到玉墨脸上。玉墨全懂戴教官怎样了，他此刻的触觉全长在目光里。她顺手拉他一把，他便溃不成军，兵败如山倒地依在她怀里。她在众男女的疯狂大笑中搂着他舞下去。那个叫书娟的女孩秀雅无声地骂她"骚婊子，不要脸。"让她骂去，这庄重的院墙外面，人们命都不要了，还要脸做什么？要脸不要脸，日本下流坏都扒你裤子。

人们看着戴教官终于放下素有的矜持，也放浪形骸起来。女孩们不知该如何看待这个局势，有的慢慢走开了，有的跟着起哄。书娟的脸正对着玉墨，她什么也不表示，表情全部去除，似乎对这婊子有一点表示，哪怕是憎恶，都贬低她自己。她高贵就高贵在此，像菩萨看待蛆虫一样见怪不怪。

书娟的淡漠果然刺伤了玉墨。她想到自己机关算尽，怎么可能对付这样一家人？容忍你像蛆一样拱着；蛆也要存活呀，他们高贵地善良地对此容忍。玉墨这下子可真学会了做红菱、做豆蔻了，就破罐子破摔，摔给你看。她把下巴枕在戴教官的肩上，两根胳臂成了菟丝，环绕在戴教官英武的身板上。戴教官的伤臂让她挤疼，却疼得情愿。她突然给戴教官一个知情的诡笑，戴教官脸上挂起赖皮的笑容。她知道他欲火中烧，他答复她：都是你惹的祸呀。

所有窑姐和军人都知道两人的一答一对是什么意思，全都笑得油爆爆的。只有王浦生不明白，拉住豆蔻的手，问她大家在笑什么。豆蔻在他蒙了绷带的耳朵边说："只有你童男子问呆话！"她以为她是悄悄话，其实所有人都听见了，笑声又添出一层油荤。红菱也把李全有拉起。

阿多那多这时出现在门口，用英文说："安静！"

没人知道他说什么，红菱说："神父来啦？请我跳个舞吧！跳跳暖和！"

阿多那多说:"你们国难当头了,知道不知道?"

红菱说:"我们不跳就不国难当头了?"

"这里不是'藏玉楼'、'碧螺苑'。"阿多那多声音粗大得吓人,和扬州掌勺师傅一样的音色。

"哟!神父,你对我们秦淮河的门牌摸得怪清楚的!是不是来过呀?"喃呢说。

我姨妈书娟转身便走。在我写的这个故事发生之后,她对妓女们完全改变了成见。不过她长长的一生中,回忆这一群风尘女子时总会玩味她们的笑声。她们真是会笑啊。人们管她们的营生叫做"卖笑生涯",看来满贴切。光是书娟在那个晚上就领略到她们各色的笑,她觉得应该专为她们不同的笑编一个字典,注释每一个笑的意思、引申义、喻义。或者,把那些笑编成一个色谱,从暖到冷,从暗到亮。她们这些女子语言贫乏,笑却最丰富,该说的都在笑声之中。不过我姨妈能够这样从美学上来认识这群女子还得一个重大事件,就是我正在写的这个事件。我此刻想象当年书娟的背影怎样留在赵玉墨的视野里,那是个傲慢淡然的背影,都不屑于表示鄙夷。书娟是在阿多那多说"安静"这个英文单词时走开的。她走得很慢,走走,轻轻一踢地上的落叶。她想为母亲报复一下这个叫赵玉墨的娼妓。身后响起一阵一阵的笑,直到阿多那多说:"真是'商女不知亡国恨'。"

妓女们愣了一下,红菱的扬州话接道:"隔江犹唱后庭花。"

"红菱不是绣花枕头嘛!"不知哪位窑姐大声调笑,"还会诗呢!"

"我一共就会这两句。"红菱说着,又笑,"人家骂我们的诗,我们要背背,不然挨骂还不晓得。"

喃呢说:"我就不晓得。豆蔻肯定也不晓得。保证你骂她她还给你弹琵琶。"

豆蔻说:"弹你妈!"

书娟已走到住宿楼下面。她没听见玉墨的嗓音。

玉墨盯着书娟单薄的背影走进了楼的门洞,才回过神来,听一屋子男女在吵什么。红菱说:"……又没炭给我们烤火,跳跳蹦蹦暖暖身子,犯什么法了?"

"这是什么时候?啊?"阿多那多说,"还要木炭烤火呢!还要什么?要不要我上街叫几碗小馄饨给你们宵夜?外面血流成河,到处是死尸!"

军人们不声响了,戴教官脸上的红潮已退下去。豆蔻尖叫:"出牌呀!"

人们一哆嗦，像从梦里醒来。

女孩们用她们的形式抗议窑姐们。她们在书娟的组织下，在每晚祈祷前合唱圣经诗篇。女孩中至少有一半学过钢琴，因此不缺风琴手。她们穿着礼拜天的唱诗袍子，个个把小脸绷成石膏塑像，一眼都不朝看热闹的妓女和士兵瞥。

一九三七年十二月中旬，占领南京的日本军队听见火光和血光声中升起的圣经诗篇，歌声清冽透明，一个个音符圆润地滴进地狱般的都市，犹如天堂的泪珠。正在纵火、挥舞屠刀、行施奸淫的侵略者散失的人性突然在此刻收拢一霎。后来他们中的一些人活到战败之后，活到了帝国光荣的梦想幻灭，活到了晚年，还偶然记起这遥远的童真歌声。

英格曼神父起初为歌声不安，恐怕歌声惊动满城疯狂的占领军，使教堂变成更大的目标，但当他走到礼拜堂，看见女孩们天使般的面孔，立即释然了。在这种时候一座毁于武装对抗的大都市，或许能被宽容的歌声安抚。谁会加害这些播送无条件救赎的女孩呢？狼也会在这歌声中立地成佛。

歌声一夜一夜继续。

窑姐们和军人们的狂欢也夜夜继续。英格曼已经放弃幻想：日本军队三番五次从安全区拖出良家女子、女大学生去奸污杀害，一些有门路的人弄来船只，从安全区逃走。相对来说，教堂是安宁和安全的。他只对窑姐们带来的污糟气氛而愤怒，后悔当初对她们心太软。

这天夜里，雨加小雪使气温又往下降了十来度。英格曼神父在生着壁炉的图书室阅读，也觉得寒意侵骨。图书馆的窗子失修，天棚又过高，陈乔治不断来加炭，还是嫌冷。陈乔治再次来添火时，英格曼说该省就省，日军占了炭窑，炭供应不上，安全区已有不少老人病人冻死。他以后就回卧室区夜读了。下半夜时，英格曼神父正准备熄蜡烛就寝，听见图书室有女人嗓音。他想这些女人真像疮痍，不留神已染得到处皆是。他披上鹅绒起居袍，走到图书室门口，看见玉墨、喃呢、红菱正聚在壁炉的余火边，各自手里拿着五彩的内衣，边烤边小声叽咕笑闹。

竟然在这个四壁置满圣书、挂着圣像的地方。

英格曼神父手脚冰凉，两腮肌肉痉挛。他认为这些女人不配听他的愤懑指责，便把法比·阿多那多叫来。

"法比，怎么能让这样的东西进入我的图书室？"

法比·阿多那多拳头都握起来了。他破口大喊："亵渎！你们怎么敢到这里来？这是哪里你们晓得不晓得？"

红菱说："我都冻得长冻疮了！看！"她把蔻丹剥落的赤脚从鞋里抽出，往两位神父面前一杵。见法比避瘟神似的往后一蹴，喃呢咯咯直乐，玉墨用胳臂肘捣捣她。她知道她们这一回闯祸了，从来没见这个不阴不阳的老神父动这么大声色。

"走吧！"她收起手里的文胸，脸烤得滚烫，脊梁冰凉。

"我就不走！这里有火，干吗非冻死我们？"红菱说。

她转过身，背对着老少二神父，赤着的那只脚伸到壁炉前，脚丫子还活泛地张开合起，打哑语似的。

"如果你不立刻离开这里，我马上请你们所有人离开教堂！"阿多那多说。

"怎么个请法？"红菱的大脚趾头勾动一下，又淘气又下贱。

"我可以动用安全区的警察来请你们！"阿多那多威胁。

"哪位警察阿哥？姓什么？警察阿哥都是我老主顾。他们一听姑奶奶在这里生冻疮，马上雪里送炭。"红菱洋洋得意，烤了一只脚丫再烤另一只脚丫。

玉墨上来拽她："别闹了！"

红菱说："请我们出去？容易！给生个大火盆。实在舍不得炭，给点烧酒也行。"

"陈乔治！"英格曼神父发现楼梯拐角伸伸缩缩的人影。那是陈乔治，他原先正往这里来，突然觉得不好介入纠纷，耍了个滑头又转身下楼。

"我看见你了！陈乔治，你过来！"

陈乔治木木登登地走了过来。迅速看一眼屋里屋外，明知故问地说："神父还没休息？"

"我叫你熄火，你没懂吗？"英格曼神父指着壁炉。

"我这就打算来熄火。"陈乔治说。

陈乔治是英格曼神父捡的乞儿，送他去学了几个月厨艺，回来他自己给自己改了个洋名：乔治。

"你明明又加了炭！"英格曼神父说。

红菱眼一挑，笑道："乔治舍不得冻坏姐姐我，对吧？"

陈乔治飞快地瞪她一眼，这一眼让英格曼神父明白，他已在这丰腴的窑姐身上吃到甜头了。

雨霏霏一下两天。所有的衣服都成半潮的，人们从心里泛出一阵阵阴冷。红菱和陈乔治在锅炉后面好了一场，红菱用手帕蘸着唾沫擦着陈乔治脸上蹭的锅灰。"说，酒藏在哪里？"

"说了就把我撵出去做叫花子了。"

"做叫花子我养你。"

"真不能说！……"陈乔治的腮帮给红菱用两个留尖指甲的手指掐住，"别逼人家嘛！"

"还想不想香香肉啦？"

"哎哟！嘴巴子掐出洞来了！"

"掐？我还咬呢！"红菱说着嘴就上来了，一口咬住陈乔治的耳垂。

陈乔治觉得一阵热往下走，又去解红菱的旗袍纽扣。红菱躲他："酒窖在哪儿？"

陈乔治答："你给了我我告诉你。"

"告诉我我就给。"

"你先给。"

"你先讲。"

陈乔治想，反正教堂藏的酒不少，不在乎她偷一两口。他招出了酒窖位置。两人下到菜窖旁边的一间矮窑，红菱用手一摸，里面全是陶酒坛子。她抱了两坛出来，叫陈乔治擦根洋火。红菱说："哎呀，是'女儿红'。"

陈乔治叫她手下留情，酒是望弥撒给教友喝的，因为英格曼神父看不上中国的红葡萄酒，进口红葡萄酒又太贵，他不得已用"女儿红"代替红酒。陈乔治一面劝阻，一面帮红菱往外搬酒坛。

女孩们发现窑姐们这一夜很静。外面零星的枪声显得格外清晰。快入夜时，她们听见窑姐们唱起小调来。是江南人人都熟的"采茶调"。窑姐们和军人们大多数是江南人，江南现在没有了，只剩下他们口中的"采茶调"。开始调子还快活轻佻，慢慢有男人声音加入，拖缓了节拍，音调也不准了。这有点黄腔左调的江南小曲变得像哭一样难听。尽管难听，女孩们听得心酸起来。她们也都是头一次想到"江南没有了啊"。

"采茶调"在一根琵琶弦上弹奏，听去像沿街乞讨。

酷似乞讨的琵琶声不知怎的把王浦生的眼泪先惹了出来。王浦生的眼泪刹那间引出了所有人的眼泪。窑姐们和军人们开始只说聚一块打两圈牌，喝喝酒，几口酒下去，"采茶调"便唱起来了。他们这才发现心里还是有那么些人可牵记，那些人都和江南一块没了。也还是有一些好风景可思念，草屋也好瓦屋也好，半亩水田三分菜园也好，都和江南一块没了。酒是坏东西，勾引起他们一肚子伤心事。

我姨妈书娟这天夜里闹起失眠来。她前天认出玉墨后就想如何替母亲报复这个婊子。也是替自己报仇。书娟把自己的遭遇清算到玉墨头上：不是这婊子她这时一定和父母守在一块。只要和父母相厮守，是生是死她都认了。她悄悄地溜出被窝，套上羊毛长筒袜，登上皮鞋，披上大衣。火盆里炭火还在眨动。她实在没有报复的武器，便把火钳子放在炭火上烧。她想，在那婊子细皮嫩肉的瓜子脸上烧个纪念吧。她抓起烧红的火钳，轻声走出门。

书娟走到潇潇冬雨中，听见低哑的琵琶弹奏着她和她父母都不屑耳闻的"采茶调"。它贫贱俗媚的音符给弹得如此低沉，让书娟感到不伦不类。

她一直往前走，现在站在仓库的门口了。仓库门开了一条缝，里面点着几盏蜡烛。一股酒气从门缝里冒出。书娟只是想，火钳子烧红的一头可别凉掉。雨冰冷冰冷，别浇坏她的凶器，浇灭她的果敢。只要唤出那婊子，下一步就容易了。她突然发现一屋男女都在哭。

"唱啊，怎么没人唱了？"豆蔻从琵琶上抬起脸。

王浦生"哇"的一声大哭起来，嘴角又跑到绷带里不见了。这回是红花绿叶的绷带，王浦生给包扎得像个小姑娘。

豆蔻把琵琶一扔，说："都是它不好！就这一根弦，比瞎子弹三弦要饭还难听。"她说着用袖口抹抹眼睛。

"谁站在外头啊？进来吧。"玉墨说。

外面黑，书娟赶紧往更黑处躲一步，一脚踩在坑洼处，趔趄得把火钳子落在雨水里，有气无力地"嗤"了一声，白烟子倒不小，等玉墨到门外它还在冒。

书娟已经躲到拐角里了。

阿多那多听见一串枪声响在城西。又在枪毙战俘了。他听说枪毙对中国战俘或嫌疑战俘已是最好优待；日本兵们已经腻烦用子弹了。他们的杀戮方式越来越五花八门。每次出去找粮，阿多那多都大汗如洗，两个膝盖虚弱打晃。他感谢上帝，让他长了一张洋面孔。在屠宰场一般的南京城，他这面孔等于盔甲面具。

他再想睡就睡不着了。起身披衣，上下牙磕得声响清脆。他晃晃酒瓶，只有个底子了。跟了英格曼神父十多年，阿多那多还是喝不惯西洋人的酒。夜深时分，他回归本性，呷两口烫热的大曲，佐酒也是中国市井小民的口味：几块兰花豆腐干，半个咸鸭蛋。可惜大曲喝光了。他想起酒窖里的"女儿红"，劲头是差了点，但比洋酒顺嘴顺肠胃多了。他走到院里，看见仓库里的烛光，趴在门缝上，看见一地的陶酒坛。伤兵和窑姐们倚倚搂搂，吭吭唧唧，南京城风化最糟的一隅搬进这里了。

他推开门，在胸口画着十字，声音是模仿英格曼神父的，平直单调，加上头腔胸腔鼻腔共鸣："你们还有什么干不出来的？做弥撒的酒也给你们偷来作乐！"

红菱扭扭地站起身，把身后的陈乔治挡住了："算我借的，行不行？"她一手撸下自己的玉镯，"喏，这个少说能典一百大洋。"她走到阿多那多面前，肚子向前腆，下巴向后瘪，一副小孩子不情愿地把半块糕饼分给别人的憨俏模样。

阿多那多把手往身后一背，根本不去看红菱："你们这样的女人，不必躲在这里啊——吃着教堂的粮，占着教堂的房，你们出去，自有日本人喂你们好酒好肉！"

戴教官两眼通红，从一个当凳子的破木箱上站起来："你说什么？"

玉墨在他肩上使劲一捺。

红菱还是嬉皮笑脸，"干什么呀？明天活着不活着都不晓得，较什么真？"她转向阿多那多，热乎乎一嘴酒气，"对不对？敢担保哪个炮弹不落在这院里，轰隆隆！……什么酒呀，风化呀，狗屁！拿着，去典了它，够我们喝几夜的吧？也够请你神父客了！来来来，还有酒没有？给神父倒上！豆蔻，琵琶呢？"

"我最后一次警告你们……"

红菱打断他："不就是喝喝酒，唱唱歌，想想家吗？"她指着王浦生，"这个孩子伤口都烂了，还不让人想想妈妈呀？"

阿多那多看一眼王浦生。只有他一人闭着眼昏睡，脸色和死了的人没有区别。他的头枕在叫玉笙的窑姐腿上，所有的皮大衣、披肩都盖在他身上。阿多那多走过去，摸摸王浦生的脉搏。烧发得不低。显然是伤口感染了。

"得想法子找个医生来。"阿多那多说。

"所以嘛,乐一个时辰,算一个时辰,都是死过的人,我们就得好好陪他们乐乐……"红菱自己让一个酒嗝给噎了一下。

"闭嘴。"阿多那多说。

"闭就闭。"红菱说。她静了不到两秒钟,又说,"我这人就是没脾气,好讲话,能吃亏。一个玉镯换你几壶酒……"

"闭嘴!"阿多那多大吼。

红菱一抖,左右看看:"我不闭着吗?"

"陈乔治!"阿多那多叫道。

陈乔治藏不下去了,从喃呢和另一个窑姐身后走出来。他想,这碗伙夫饭,恐怕要吃到头了。

"去,拿药包来。快点!"

陈乔治嘴一张。红菱说:"快去!我替你谢谢神父!"

陈乔治跑出去。阿多那多阴沉着脸,仍学着英格曼神父平直单调的语调说:"昨天一个日本军官一口气砍掉十个中国人的头,血把刀刃给烫软了,他才歇下来。"

大家都不做声,过了半分钟,李全有说:"你看见了?"

阿多那多说:"嗯。"

"你还看见什么了?"

"英格曼神父叫我拍照,我手抖,拍不下来……一个池塘里死尸都满了,水通红的,还有小孩子。"

他说完就转身出去了。

红菱说:"喝喝喝,说不定过几天那池塘里是你,是我呢!"

只有豆蔻一人不清楚大家正说什么。她见乔治拿了药包回来,从里面取出消炎药粉。她手脚麻利地把药粉倒在自己的碗里,用食指划拉了几圈,看小半碗酒和药粉混匀了,端到王浦生面前。她又是"乖乖",又是"宝贝"地低声哄着,把药酒给王浦生喝了下去。王浦生睁开眼,老了似的眼皮叠起一摞皱纹。他说:"谢谢你,豆蔻。"

豆蔻说:"不要谢我,娶我吧。"

这回没人笑她。

"我跟你回家种田。"豆蔻说,小孩过家家似的。

"我家没田。"王浦生笑笑。

"你家有什么呀？"

"……我家什么也没有。"

"……那我就天天给你弹琵琶。我弹琵琶，你拉个棍，要饭，给你妈吃。"豆蔻说，心里一片甜美梦境。

"我没妈。"

豆蔻愣一下，双手抱住王浦生，过一会，人们发现她肩膀在动。豆蔻是头一次像大姑娘一样躲着哭。

天快明他们才睡。睡到女孩们开始朗读课文，才醒来。他们醒来发现豆蔻不在了。阿顾说他看见豆蔻在院里走，醉得不轻，支使阿顾去帮她拿三根琵琶弦。她说她的琵琶只剩一根粗弦，难听死了。阿顾哄她等天亮再去帮她拿。她说哪里等得到天亮？天亮了王浦生就走了，听不见她弹琵琶了。阿顾骗她他不识路。她说秦淮河都不认识呀？她指路给阿顾，说琵琶弦搁在她的梳妆台抽屉里。阿顾又骗她，说他太瞌睡，等他睡一个时辰一定帮她去拿琴弦。

等到晚上，豆蔻没回来。阿多那多去安全区请的医生倒是来了。医生说安全区美国女校长惠特琳今天早上救了个十五六岁的小姑娘，给日本兵轮奸后又捅了两刀。小姑娘的名字叫豆蔻。

我根据我姨妈书娟的叙述和资料照片中的豆蔻，设想出豆蔻离开圣玛丽教堂的前前后后。照片有三张：正面的脸、侧面的上半身、另一个侧面。豆蔻有着完美的侧影，即使剃掉了头发，面孔浮肿。想来是哭肿的，也有可能是让日本兵打的。当时她奄奄一息，被日本兵当尸体弃在当街。事发在早上六点多，一大群日本兵自己维持秩序，在一个劫空的杂货铺里排队享用豆蔻。杂货铺里有一个木椅，非常沉重，它便是豆蔻的刑具。日本兵们只穿着遮裆布等着轮到自己。

豆蔻手脚都被绑在椅子扶手上，人给最大限度地撕开。她嘴一刻也不停，不是骂就是啐，日本兵嫌她不给他们清静，便抽她耳光。她静下来不是因为被暴打降服，而是她突然想到了王浦生。她想到昨夜和王浦生私订终身，要弹琵琶讨饭与他和美过活。这一想豆蔻心粉碎了。

豆蔻还想到她对王浦生许的愿：她要有四根弦就弹"春江花月夜""梅花三弄"给他听。她说："我还会唱苏州评弹呢。"她怕王浦生万一闭眼咽气，自己许的愿都落空，便从教堂的墙头翻出去了。豆蔻从小被关在妓院，实际上是个受囚的小奴隶，因此她一上街完全不知东南西北。尤其是遍地狼藉的南京，到处断壁残垣，到处是火焚后的废墟，马车倒在路边，店铺空空荡荡，豆蔻马上后悔了。她转身往回走，发现回教堂的路也忘了。

冬天的早晨迟迟不来，阴霾浓重的清晨五点仍像午夜一般黑。豆蔻再走一阵，越走越乱。假如她没有看见一个给剖开肚子的赤身女人，或许她有一线希望避过后来那一劫。她听见三个日本兵走过来时，便往一条偏街上跑。三个日本兵马上追上来。豆蔻腿脚敏捷，不一会便钻进胡同把追踪者甩了。就在她穿过胡同时，突然被一堆软软的东西绊倒。一摸，竟是一堆露在腹外的五脏。豆蔻的惊叫如同厉鬼。她顿着足，甩着两只冰冷黏湿的手在原地整整叫了半分钟，然后就边跑边叫，嗓音叫得千疮百孔。

豆蔻这一叫就完了。三个已放弃了她的日本兵包围了她。她的叫声吵醒不远处宿营的一个骑兵排，马上也循着花姑娘的惨叫而来。

十五岁的豆蔻被绑在椅子上，只有一个念头：快死吧，快死吧，死了变最恶的鬼，回来掐死咬死这一个个拿她做便盂的野兽、畜生。这些个说畜话胸口长兽毛的东西就这样跑到她的国家来恣意糟践，她只盼着马上死去，化成一缕青烟，那青烟扭转变形，渐渐幻化出青面獠牙，带十根滴血的指甲，并且刀枪不入，行动如风。青面獠牙的复仇女鬼嘎嘎地狞笑，让这些人形野兽望而丧胆……

豆蔻在被救活之后，常常狞笑不止，"嘎嘎嘎嘎"，让临时医院的病友毛骨悚然。

我在一九九四年，一次纪念"南京大屠杀遇难同胞"的图片展览会上，看见了另一张豆蔻不堪入目的照片。这是从日本兵营的档案中查获的，照片中的女孩被捆绑在一把老式木椅上，两腿撕开，正对着镜头，女孩的面孔模糊，大概是她不断挣扎而使镜头无法聚焦。我认为那就是豆蔻，日本兵们对这如花少女施暴之后，又下流地将这个钉在耻辱十字架上的女体摄入镜头。

被医治的豆蔻精神时而错乱，时而正常，她在几种精神状态下都牵记着王浦生。尤其当她癫狂发作，口口声声地叫喊王浦生的名字。在给王浦生进行截肢手术之前，那位叫特里默的美国医生把这情形告诉了王浦生。手术室是临时布置的，就是阿多那多的卧室，因为安全区救护太多伤员，麻醉剂严重缺乏，为王浦生做的截肢手术只能用少量麻醉，手术后半部分，剧烈的疼痛反扑过来。王浦生嘴口咬了一块毛巾，觉得豆蔻的疼痛延伸到他身上。豆蔻下体被撕烂，肋骨被捅断，这些疼痛都延伸到每一锯每一刀每一针上，王浦生松开了牙关，长长地号叫一声。

我姨妈书娟和她的女同学们是从英格曼神父口中得知了豆蔻的可怕遭遇。开始她们发现气氛变得怪异，窑姐们都安静得很。她们向阿多那多打听，是不是小兵王浦生出了事。她们是知道王浦生伤势的。阿多那多只说了一句："是豆蔻出了事。""出了什么事？""……"

她们再追着问下去，阿多那多又露出粗相："瞎问什么？读你们的书去！"这时他们听见英格曼神父说："应该让孩子们知道这件事。"

英格曼神父这时站在她们的教室门口。

接下去，女孩们听英格曼神父以他素有的平直单调的声音，把豆蔻的遭遇讲述一遍。她们全傻了。只有凶险事发生在身边一个熟识者身上，才显出它的实感它的真切和险恶程度。女孩中有些想到豆蔻初来的那两天，她们为了她盛走一碗汤和她发生的那场冲突。想想豆蔻好苦，十五岁的年华已被当猫狗卖了几回。她但凡有一点活路，能甘心下贱吗，谁说婊子无情？她对王浦生就那么一往情深。她们又想到豆蔻一双长冻疮的红手给伤兵们洗绷带，晾绷带，想到豆蔻爬到核桃树上，把一只房檐上掉下的野猫崽子放回去，还想到豆蔻坐在伙房门口替陈乔治剥水发蚕豆……她们竟心疼不已，觉得哪个窑姐换下豆蔻都行，干吗偏偏是十五岁的豆蔻呢？

从那以后，阿多那多把他从外面拍回的照片洗出来给女孩们看。女孩们都用手捂住眼睛，然后从指缝去看那尸横遍野的江洲，烧成炭的尸群，毁成一片瓦砾的街区，一池鲜血的水田……英格曼神父完全改变了对女孩们的教育方针：他要她们看清楚，并且要永远记住。女孩们渐渐地敢于正视这些照片了。

她们的歌声绽放在夜空中，伸展如丝绒，柔软地摩挲着黑色的夜晚，摩挲在那些杀人杀得痉挛的神经上。

刽子手们觉得这样的歌声是在打扰他们。歌声播撒着声声追问，播撒着弱者的正义审判。一些信奉者持着屠刀迷惘了。迷惘可是他们不需要的。

他们转着颈子向夜空里找寻：歌声来自何处？

女孩们唱着，目光渐渐老成，悲怆，和她们的年龄毫不相符。

窑姐们打着牌，突然也把女孩们的歌当小调哼起来。她们打牌不再快活轻松，常为一点小事骂起架来。所有人的刁钻古怪都发作了。豆蔻下场那么惨，她们似乎靠打打架骂骂人才能把恐怖、怨艾、无望发作出去。她们个个暴躁乖戾，一触即发，连一向有淑女涵养的玉墨也犯泼，为打牌输了几文钱和自己师妹玉笙骂街。

戴教官劝了几句，劝不住，觉得无趣至极，心情灰败到极点。前途后路两茫茫，身为军人整天和一帮粉脂女子厮混，倒不如半个月之前战死爽快。他走到院里，雨停了，这个大型屠杀场的夹缝里真静，静得人心惊肉跳。

他慢慢走着，不久发现自己站在墓园里。他来这里做什么？找那些被英格曼神父缴走的武器？他寻找武器做什么？是从这里出去找日本人报仇？或者他对这种一日一日的消磨不耐烦了？他是个军人，在几十万大军溃败之后，在成千上万的战友被枪毙、砍头、活埋之后，还能如此一日一日消磨，不失可耻。

戴教官走了一圈，没有发现哪一处土被翻过。翻土的痕迹也许被雨消灭了。他的目光落在一座座石雕的十字架上。传教的美国人真傻，走了大半个地球，来这里葬身。他们的上帝是个铁路警察，管不了这一段的。可哪一段他也没管好啊。戴教官挂着一个惨笑，站在那不相识的死者墓前，画了个十字。

戴教官回到住处不久，听见教堂里一片嘈杂。阿顾跑来，说一群日本兵在教堂正门外面，要闯进来搜查中国散兵游勇。阿多那多神父正在阻止他们。英格曼神父叫伤员们立刻转移到酒窖里。

十分钟后，五个伤员在酒窖里安顿下来。阿多那多气喘吁吁地钻进来，他额头被刺刀挑破，血流了一脸，白色的教袍领子也染得殷红。他对伤兵们说鬼子已经被他堵出去了，但伤员们暂时不可出来。他掀起一个小盖子，漏进一点灰色的光和灰色的空气。他说这是惟一透气口，希望大家忍耐。

阿多那多刚要出去，戴教官喊住他："枪和手榴弹藏在哪里？"

阿多那多说他不知道。不过他的声音是要他们明白他是知道的，但他不说。

"神父，我们有枪的话，这里面不会再出豆蔻那样的事！"戴教官说。

阿多那多请他放心，有英格曼神父和他，豆蔻那样的事万一发生，也只会在他们两个神父变成尸体之后。

从那个透气口，戴教官可以听到外面的声音。英格曼神父正告诉女孩们，从下午起，教堂不再是安全港，看来日本人有奸细，探听到教堂里藏有中国伤兵。或许奸细们早就注意教堂了——教堂不断扔出的血污棉球以及特里默医生的几次出现在教堂门口的急救车为他们提供了线索。

半夜时分教堂里再次哄乱起来。疯狂的狗叫就在附近。戴教官从透气口听到英格曼神父在大声斥责什么。他一改平直单调的嗓音，中国话的抑扬顿挫全都精确至极：

"已经告诉过你们，这里没有军人，你们居然擅自闯入中立地带，我可以向国际安全区的律师起诉你们！……"

"对不起，我们下午的造访被阁下谢绝了。"一个男人声音说。戴教官判断此人是日本人雇的翻译。

李全有说："出去找把锹，也能拼一家伙！"

戴教官做了一个叫他敛声的手势。他这时听见阿多那多说："神父，我这就去国际安全区，请拉比先生和梅凯律师。"不久听见一声枪响。

"法比！……"英格曼神父叫道。

"没事，神父！——"法比·阿多那多微弱地说。

"你们竟敢向美国神职人员开枪！"英格曼神父咆哮。

李全有听不下去了。他一瘸一拐向窖口摸去，戴教官拉住他。"谁也不准动，动一动军法处置。出去会牵累两位神父。我出去看一下。"

这个时候，玉墨和其他窑姐们都藏在仓库的阁楼上，阁楼也堆满快要风化的报纸、书。她们站在散满老鼠粪的报纸文件堆上，从窄窄的木窗格往外看。院子被日本兵的十几把大电筒照得雪亮，而持电筒者面目隐绰，阴森可怖。

枪声惊醒所有女孩，她们并不知道，枪声就响在院子里，只觉得它太近了。黑暗中她们叫喊："哪里打枪？阿多那多神父！……阿顾！……"

阿多那多捂着中弹的右腿，对女孩们的宿舍喊道："不要出来！……"

她们集中到临院子的屋子，从窗帘缝隙往外看。她们和窑姐们看到的是同一个场面，只是角度不同：首先是躺在阿顾怀里的阿多那多，然后是架在他们周围的刺刀。英格曼神父穿着枣红色鹅绒起居袍，手持一个带玻璃罩的烛台。这是她们如此近距离地看着日本侵略者。因为联想到豆蔻和伤员们，也因为联想到那些照片上的地狱图景，她们此刻眼中的日本占领军便是穿马裤皮靴的恶鬼。

我姨妈书娟在晚年还清楚地记得：那天夜里她赤着两脚站在地板上，却毫不感觉到寒冷。她看见拿着电筒的日本兵仰头向楼上看来。当然是看不见暗处的女同学们。但她们刚才那童音未褪、含苞待放的女性嗓音足以使这群日本男人痴迷。日本男人有着病态的恋童癖，对女童和少女之间的女性怀有不可告人的慕恋。他们的耳鼓被刚才那一声声丝绒般的呼喊抹过去，拂过来，他们在这个血腥时刻心悸魂销。或许这罪恶情操中有万分之一的美妙，假如没有战争，它会是男人心底那永不得抒发的黑暗诗意。但战争使它不同了，那病态诗意在这群日本士兵身心内立刻化为施虐的渴望。一群少女，一群童稚未泯的女孩，西方和东方的男性文化中，都仙化过这样的唱诗班女孩。

这群日本兵就驻扎在几条马路之外，在他们祸害这一带时，常常听到天使一般的唱诗。此刻他们明白了，这便是天使们飘缈的仙地。

日本兵的领头者是一位二十七八岁的中佐，长着日本男人常见的方肩短腿，眉宇间英气逼人，若不是杀人杀得眼神发直，他也不失英俊。他向英格曼神父大声说了一句话，旁边的中国翻译说："即使是国际安全区内，皇军也随时进行例行搜查。"

英格曼神父说："谎言。"他看了翻译一眼，见他无意翻译他的驳斥，便转用英文说，"纯粹是撒谎。"

中佐懂一些英文，把"撒谎"二字听进去了。他上来便给了英格曼神父一个耳光。

"你的部队番号我知道。我会起诉你的。"英格曼克制了以手去捂腮帮的动作，他感觉一颗牙齿被击得松动了。

中佐通过翻译对英格曼神父说："欢迎起诉。你们美国人动不动就拿这个最没用的词给自己壮胆。"

"你侵犯美国地盘，就是侵犯美国国土。"阿多那多说道。

"侵犯美国国土，又怎样呢？"中佐说。他的声音在冷笑，并笑得优越骄狂，但他的脸容僵在那个平和淡漠的神情上。这是个不会笑的面孔，或者他鄙夷笑这一高级灵长类在进化后期生发的面部表情。

"那就是向美国挑衅。"英格曼神父说。

"十月二十三号，炸沉了你们美国保护南京的军舰，这个挑衅更直接吧？贵国做出任何军事反应了吗？"

"但愿你能活着看见美国的反应。"英格曼神父说。

"你威胁大日本皇军？"

"面对十八支刺刀，发出威胁的倒是我？"

中佐通过翻译宣布：他们军务在身，不再费口舌了，搜查马上开始。

英格曼神父举起手："上帝作证，要想搜查，踏着我的尸体过去吧。"他上前一步，胸口蹭在了两把刺刀尖上。其中一把一挑，鹅绒起居袍被划开一个大口子，白花花一片鹅绒飞在煞白的电筒光柱里。

楼上的女孩们都叫起来："英格曼神父！"

陈乔治这时从锅炉后面出来，想看看神父怎样了。日本人从墙头翻越而入时，他正在锅炉房等待与红菱幽会，却缩在暖洋洋的角落里睡着了。枪声把他惊醒之后，他始终躲在暗处观望。陈乔治胸无大志，坚信好死不如赖活着，最近和红菱相好，觉得赖活着也有千般滋味。他看见英格曼被打的刹那，一把提起那把坐变形的旧木凳。尊贵的神父居然挨了一耳掴子，他本能地要去替神父捞回尊严。但他一看十八个鬼子兵荷枪实弹，"赖活着"的信念又强大起来。他心里骂自己是个忘恩负义的东西：神父把他从十三四岁养到现在，供他吃穿，教他认字，发现他实在不是皈依天主的材料，还是不倦地教他读书。神父固然是无趣的人，待他也是嫌恶多于慈爱，但没有神父是没有他陈乔治的。没有人五人六的教堂厨师陈乔治，哪来的如花美眷王红菱呢？想到此，正是英格曼神父胸膛挨了一刺刀的当口。

陈乔治一出现就被一名日本兵擒住。不管两位神父怎样抗议，作证，中佐都命令手下剥去他的衣服。中佐在这个赤裸的中国男青年身上端详，指着他讨饭挨狗咬留在腿上的疤说："枪伤。"

"这是狗咬的。"陈乔治说。

英格曼神父说："他是我十多年前收养的乞儿。"

"是啊，神父也可以收养中国战俘。"

"荒谬。"

中佐脱下白手套，用食指指尖在陈乔治额上轻轻摸一圈。他是想摸出长年戴军帽留下的浅槽。但陈乔治误会他是在挑最好的位置砍他的脑瓜，他本能地往后一缩，头躲了出去。中佐本来没摸出所以然，已经懊恼不已，陈乔治这一躲，他"唰"的一下抽出了军刀。陈乔治双手抱住脑袋就跑。枪声响了，他应声倒下。

这时戴教官走了出来。他一手吊在三角巾里，头上缠着洗不去血迹的旧绷带，站在日本兵面前。

两位神父让一系列突变弄得不知如何反应了。中佐那种会冷笑的字句又出来了。但翻译只是刻板地说："神父，美国的中立地带不再中立了吧？"

英格曼神父镇定地说:"他现在手无寸铁,当然是无辜百姓。"

中佐不理会他,继续自己的思路:"这里面一共窝藏了多少中国军人?"

戴教官开口了:"我是私自翻墙进来的,不干神父的事。你们可以把我带走了。"

"是要我们搜查呢,还是你请你的同伴自己走出来。"中佐通过翻译问戴教官。

英格曼神父此刻走到戴教官面前,对中佐说:"我再警告你一次,这是美国人的地盘,你在美国境内开枪杀人,任意带走无辜的避难者,后果你承担不起!"

"你知道我们的上级怎样推卸后果的吗?他们说:那不过是军队中个人的失控之举,已经对这些个人进行军法惩处了,实际上没人追究过这些'个人之举'。明白了吗,神父?战争中的失控之举每秒钟都在发生。"中佐流畅地说完,又由翻译干巴巴地翻译过去。

英格曼神父哑口无言。他知道日军官方正是这样抵赖所有罪行的。

戴教官说:"神父,对不起,我擅自闯入这里,给您造成不必要的惊扰。"他举起右手,在血污的绷带边行了个军礼。他放下手已明白了,李全有和另外两名伤员已经摸黑从酒窖里出来,正猫在阴影里伺机拼命。他大声说:"我知道教堂提供庇护,是要付出重要代价的。也可能殃及教堂中其他无辜者,所以,我放弃了最后一搏的打算。"

他这话是让李全有听的。李全有果然听懂了,绷紧的全身泄了劲。戴教官是要他懂得,他们赌博式的一拼可能会牵累到四十四个女孩和十几个窑姐。假如进一步激怒日本人,他们可能把教堂夷平,事后再十分方便地找到口实:他们在教堂中遇到中国军人的抵抗而不得已把教堂变成了战斗地点。这样牺牲的将不止是神父们,还会把女孩们暴露给日本人。戴教官明白如果运气好,李全有可能会出其不意地夺下一两支枪,但激怒的日本人会干出什么,他们已从阿多那多拍回的照片上看到了。他们身为军人,不能保护女人们,已经够可悲,还要使她们本来已经危险的处境恶化,便是犯罪。

李全有放下了手臂粗的抵门杠。他们走出来,也许还能换得王浦生一线生机。他们慢慢拖着弹伤累累、残缺不全的身体走了出来。勇猛半生的李全有为自己如此委屈的军旅结局而流出眼泪。

他们一个架住一个,站在了刺刀前面。

英格曼神父说:"凡是解除了武装的人,就是无辜者。本教堂有权利对他们提供庇护……"

中佐打断他:"那是阁下您的解释。"

"我们可以找国际安全委员会的各国委员来仲裁这件事。要带走他们,也必须是仲裁之后。"

"阁下,我对您已经快没有耐性了。"中佐说,他对手下士兵一摆头,"把他们绑起来。"

"我从来没有见过这样野蛮残忍的军队!"英格曼神父说,"你们已杀了几十万南京人,杀人的瘾还没过足吗?"

他见两个日本兵用绳子把中国伤员绑在一起,绳子勒住一个伤员的枪伤,他刚一挣扭,就挨了一枪托。另一个伤员去护他,马上挨了若干枪托。

"看在上帝的面上……"英格曼神父疯了似的,扑向日本兵。起居袍里飞出的雪白鹅绒一路随着他飘,"请制止你的士兵……"他刚靠近就被一把刺刀制止了。刀尖再次戏弄地在他臂膀处划出个裂口。纯白的鹅绒弥漫,英格曼神父周围下着小雪一般。

李全有向中佐冲去。没等人们反应过来,他双手已掐在了中佐的脖子上。日本兵不敢开枪,怕伤着中佐,挺着刺刀过来解救。在士兵们的刺刀插入李全有胸口时,中佐的喉咙几乎被两个虎口掐断。他看着这个不认识的中国军人的脸变形了,五官全凸突出来,牙齿也一颗不落地暴露在嘴唇之外。这样一副面谱随着他手上力量的加强而放大、变色,成了中国庙宇中的护法神。他下属们的几把刺刀在这个中国士兵五脏中搅动,每一阵剧痛都使他两只手在脖子上收紧。中佐的手脚已瘫软下来,知觉在一点点离散。垂死的力量是生命所有力量之最、之总和。

终于,那双手僵固了。那紧盯着他眼睛的眼睛散神了。只有牙齿还暴露在那里:结实的、不齐的、吃惯粗茶淡饭的中国农民的牙齿。这样一副牙齿即便咬住的是一句咒语,也够中佐不快。

中佐调动所有的意志,才使自己站稳在原地。热血从喉咙涌散开来,失去知觉的四肢苏醒了。他知道只要那双虎口再卡得长久一点,长久五秒钟,或许三秒钟,他就和这个中国士兵一同上黄泉之路了。他感到脖子一阵剧痛,好了,知道痛就好。

中佐用沙哑的声音命令他的士兵开始搜查。教堂各隅立刻充满横七竖八的手电光柱。英格曼神父在原地进入了激情而沉默的祷告。阿多那多眼睛慌乱地追随着那串登上女孩们住宿楼的电筒光，嘴里完全是扬州乡野粗话："……哪是人养的？就是一群活畜生！……"

日本兵在二楼宿舍发现一群披着棉被，拿着拖把、鸡毛掸、扫帚的女孩。她们挤成一团，目光如炬，一声不吭。

搜查仓库的三个日本兵没有发现天花板上一个方形木板是活动的。木板那一面，连着一个可以伸缩的折叠楼梯。窑姐们的杏眼、丹凤眼正一眨不眨地瞪着它。她们听着日本兵在仓库里翻腾，叽里呱啦叫喊着什么。她们有的丢下了一双长丝袜，有的遗忘了一只绣鞋或一个绣花纹胸，日本兵正以此为线索苦寻踪迹。所有的书架、木箱被他们气急败坏地挪开，推倒，圣经中的古老灰尘飞扬起来，迷住了一个日本士兵的眼睛。窑姐们隔着一层天花板，听到的就是他叱骂的声音。没有比听不懂的语言发出的凶狠叱骂更可怕了。窑姐们在黑暗中盯着那方形活动板，似乎听得见彼此的心跳声。喃呢用满手的灰土抹了一把脸。玉笙看看她，两手在四周摸摸，然后把带污黑蜘蛛网的尘土满头满脸地抹。玉墨心里发出一个惨笑：难道她们没听说？六十多岁的老太太都成了日本畜生的"花姑娘"。红菱一个人不去看那方形出入口，只在黑暗里发愣，隔一分钟抽噎一下，抽得浑身打冷战。她看着陈乔治怎样从活蹦乱跳到一摊血肉，她脑子转不过这个弯来。她经历无数男人，但在这战乱时刻，朝不保夕的处境中结交的陈乔治，似乎让她生出难得的柔情。她想，天明时世上就再没那个招风耳、未语先笑的陈乔治了。她实在转不过这个弯子。红菱老是听陈乔治说："好死不如赖活。"就这样一个甘心"赖活"，死心塌地、安分守己"赖活"到底的人也无法如愿。红菱木木地想着：可怜我的乔治。

这时谁问了一句："把他们绑走，肯定就要杀吗？"

玉墨说："废话。"

红菱这才一动，像从梦里醒了。搜查库房的日本兵这时离那方形出入口很近，就在它下面，他们的兽语似乎就响在同一个空间里。

红菱发现玉墨手里攥着一件东西，一把做针线的小剪刀，不到巴掌大，但极其锋利。她看见过玉墨用它剪丝线头、剪窗花。早年，她还用它替红菱剪眼睫毛，说剪几回睫毛就长黑长翘了，红菱如今有又黑又翘的眼睫毛，该归功玉墨这把小剪子。它从不离玉墨的身，总和她几件贴身的首饰放在一块。她知道玉墨此时拿出它来要做什么。也许她是为那个出国去的双料博士守身，也许用它为即将永诀的戴教官报仇。只要出其不意，下剪子下对地方，那剪子剪断一条性命，毫不在话下。红菱后悔自己平时不珍惜东西，不像玉墨这样，一把好剪子都当珍宝藏这么多年。

搜查库房的日本兵还在叽里呱啦说着什么。喃呢悄声说："玉墨姐，把你的剪子分我一半。"

玉墨不答理她，剪子硬掰大概能掰成两半，现在谁有这力气？动静弄大了不是引火烧身？人人都在羡慕玉墨那把剪子。哪怕它就算是垂死的兔子那副咬人的牙，也行啊。

玉笙说："不用剪子，用膝盖头，也行。只要没把你两个膝盖捺住，你运足气猛往他那东西上一顶……"

玉墨"嘘"了一声，叫她们别吭气。

玉笙的过房爹是干打手的，她幼时和他学过几拳几腿。她被玉墨无声地呵斥之后，不到一分钟又忘了，又传授起打手家传来。她告诉女伴们，假如手没被缚住，更好办，抓住那东西一捻，就好比捻脆皮核桃。使出吃奶的劲，让他下不出小日本畜生。

玉墨用胳膊肘使劲捣她一下，因为脚下的仓库突然静了。似乎三个日本兵听到了天花板上面的耳语。

她们一动不动地蹲着，坐着，站着，赤手空拳的纤纤素手在使着一股恶狠狠的气力，照玉笙的说法，就像捻碎一个脆皮核桃，果断，发力要猛，凝所有爆发力于五指和掌心，"咔喳喳"……

玉墨手捏的精细小剪子渐渐起了一层湿气，那是她手上的冷汗所致。她从来没像此刻这样钟爱这把小剪刀。她此刻爱它胜于爱胡博士送她的翡翠领针，也胜于早先那个负心汉送她的钻石戒指。她得到小剪刀那年才十一岁。妓院妈妈丢了做女红的剪刀，毒打了她一顿，说是她偷的。后来剪刀找到了，妈妈把它作为赔不是的礼物送给她。玉墨从那时起下决心出人头地，摆脱为一把剪刀受辱的贱命。这剪刀能藏在哪里呢？最后关头到来时，从哪儿拔出它才能让他猝不及防？……

院子里一阵大乱。仓库里三个日本兵跑了出去。

窑姐们这时看见手电筒的光圈中央，是被一个日本兵拖在地上的王浦生。只剩一条腿的小兵王浦生几乎没穿衣服，只穿着各种绷带。地上的雨水积了水洼，那个日本兵像拖木料一样把浑身绷带的王浦生从水洼里拖过去。

红菱说："狗日的！狗都不如！……"

才做了截肢手术的王浦生在地上蜷缩成一团。其实他还没有度过感染的危险期，高烧仍是退退升升。

玉墨额头抵住窗栏，看见戴教官趔趄一下，要去搀扶水洼里的王浦生。但他忘了手臂上绑的绳子牵住另外两个人，拖得两个人都跟他趔趄，险些相互绊倒。

玉墨见英格曼神父走到那个日本兵军官面前，深深低下白发苍苍的头。她听不清他在向他求什么。无非在求他饶了王浦生，他还是个孩子呢，再说还不知能活几天。

王浦生突然发出一声怪叫："我操死你八辈日本祖宗！……"

中佐立刻向翻译转过头。

王浦生接着怪叫："日死你小日本姐姐，小日本妹妹！……"

翻译简单翻译了一句，中佐抽刀就向王浦生劈下去。

玉墨一下子捂住眼睛。几天前豆蔻还傻里傻气地要弹琵琶讨饭和这小兵白头偕老的呀。这时一对小两口一个那样留在阳世，一个这样身首异处。

红菱捺住玉墨瑟瑟发抖的流水肩。

中佐命令手下士兵把剩下的三个中国伤兵推到院子当中，吠叫着："列队！第一排——预备！……"

窑姐们当然不知他喊的是什么口令，只见日本兵四个一排列起队伍，在另一声口令下操起步枪，然后疯人一般狂喊起来。他们一个跃进，刺刀已插在中国伤兵的胸口、腹内。第一排的士兵拔出刺刀，同时将倒下的中国伤兵扶起，第二排刺刀又上来。

玉墨发现自己正"呜呜"大哭。她从窗口退缩，一手死死捏住那把小剪刀，一手抹着澎湃而下的泪水，手上厚厚的尘土，抹得她面目全非。她是爱戴教官的。她是个水性杨花的女人，一颗心能爱好多男人，这五个军人她个个爱，爱得肠断。

公元一九三七年十二月二十一日清晨，死城一般的南京像一个古老的噩梦。一条被日本兵烧毁的街道，漆黑的烟袅袅上升。一个满脸涂着炭灰和父母血迹的孩子，坐在焦土上大哭。孩子的哭声停顿下来，因为他听到有人在唱歌。

离这里三里路的美国圣玛丽教堂里有一群女孩在唱歌。

日本兵的早操队伍从马路上跑过，其中有几个天主教徒，他们想：昨夜死了什么人，这是在为他们唱安魂曲呢。这个支那人的野蛮肮脏城市，也会有这样圣洁的歌喉呢。

唱安魂曲的女孩中，站着我十四岁的姨妈书娟。在这天的清晨，她和她的女同学们梳洗着装完毕，用白色宣纸做了几百朵纸花。她们把简陋的花圈抬到礼拜堂门口，见玉墨带着十二个窑姐已在堂内。是她们帮着阿顾替死去的五个中国军人净身更衣的。她们还用剃刀帮他们刮了脸。王浦生的头和残缺的身体已归为一体，玉墨把自己一条细羊毛披肩围在他脖子的断裂处。她们见女孩们来了，都以长长的凝视和她们打招呼。

只有书娟的目光匆匆错开去。她的那股火辣辣的仇恨不在了，但她心里还在怨恨，在想着世上不值钱、不高贵的生命都耐活得很，比如眼前这群卖笑女人，而高贵者如这些勇士，都是命定夭折，并死得这般惨烈。

她看妓女们全穿着素色衣服，脸色也是白里透青，不施粉黛的缘故。赵玉墨穿一袭黑丝绒旗袍，守寡似的。她的行头倒不少，服丧的行头都带来了。书娟很想剜她一眼，又懒得了。妓女们鬓边一朵白绒线小花，是拆掉一件白绒线衣做的。书娟跟着女同学们把花圈摆置在讲坛下面，又按阿多那多的指挥挂起挽联。在讲坛后面，十字架上的受难耶稣被阿顾赶着油漆了一下。

英格曼神父身穿黑色呢教袍。这是他最隆重的一套服饰，长久不穿而被虫蛀得大洞小眼。他一头银白色的头发梳向脑后，戴着沉重教帽，拄着沉重的教杖走上讲台。

葬礼开始了。

安魂曲的前奏刚刚奏响，书娟就流下眼泪。我姨妈书娟是个不爱流泪的人，她那天流泪连她自己也很意外。她向我多次讲述过这五个中国战士的死亡，讲述这次葬礼，总是讲："我不知到底哭什么，哭那么痛。"老了后书娟成了文豪，可以把一点感觉分析来分析去，分析出一大堆文字，她分析她当时流泪是因为她对人这东西彻底放弃了希望：人怎么没事就要弄出一场战事来打打呢？打不了几天人就不是人了，就退化成动物了。而动物也不吃自己的同类呀。这样的忍受、躲避、担惊受怕，她一眼看不到头。站在女伴中唱起婉约悲悯的安魂曲的书娟，眼睛泪光闪闪，看着讲坛下的五具中国战士遗体。她从头到尾目睹了他们被屠杀的过程。人的残忍真是没有极限，没有止境。天下是没有公理的，否则一群人怎么跑到别人的国家如此撒野？把别人国家的人如此欺负？她哭还因为自己国家的人就这样软弱，从来都是受人欺负。书娟哭得那个痛啊，把冲天冤屈都要哭出来。

上午九点，他们将死者安葬在教堂墓园中。葬礼刚结束，一辆标着红十字的卡车开到教堂门口停下来，下来一位高大的西洋女士。英格曼神父和法比·阿多那多把她迎到礼拜堂大厅，她看了一眼所有的女孩，低声说："孩子们，我为昨天夜里发生的事特地来安慰你们。"

英格曼神父这才想到自己的神思过于恍惚，竟忘了向女孩们介绍这位女士。

"孩子们，这就是惠特琳女士，金陵女子文理学院的教务长。"英格曼神父从大厅的甬道把惠特琳女士领到女孩们面前。

女孩们中间有不少人听说过惠特琳，被她一一拥抱时都胆怯地用英文对她说："幸会，多谢女士来看望我们。"

要过许多年，女孩们才得知这位美国女子在此后不久就患上了精神抑郁症。诱因很可能正是这场惨绝人寰的大屠杀。她们还得知她因为目睹了太多惨不忍睹的地狱场景，在日军占领南京后第三年回到美国，为她日趋严重的抑郁症就医，却已经太晚。她在回国的第二年便自尽了。

从惠特琳生命的终极倒数回去，那是她永别世界前的第三个年头。她高大而健壮，穿一身驼色羊毛大衣，告诉女孩们："中国不会亡，不要难过，擦干眼泪。"她从大衣口袋里拿出一张纸，说这是一张名单，叫到名字的女孩，将随她去安全区。她受这些女孩家长的嘱托，把她们接到她们父母身边去。她们的父母已听说了昨夜教堂里发生的事，认为教堂已不再安全。另一些家长顾虑安全区内过分拥挤，流行病不断发生，难民间也时而为衣食住行而冲突，并且，日本兵常常闯进去，找各种借口作恶。所以他们还是让自己的女儿继续待在教堂。惠特琳念了名单之后，二十一个女孩匆匆整理了行李，随车离开了教堂。

当天晚上，又有三个女孩离去，她们的父母要带她们从江上乘船逃走。

我姨妈书娟站在严重减员的唱诗班里，感到前景叵测。她想去找英格曼神父忏悔。她的忏悔内容是对自己父母的怨恨和诅咒。但她是一直到圣诞夜的大事件发生之后，才把这番延宕的忏悔完成。她忏悔的内容有所改变，主要说的是她那未遂的罪恶——用烧红的火钳子给赵玉墨来一番毁容。假如圣诞夜的大事件不发生，十二位窑姐不被掳走，她或许不会忏悔那次差点成功的毁容报复。书娟很要面子，不愿把自己的家丑讲给任何人听，神父也休想知道她父亲和窑姐的丑事。圣诞夜却出了事，就是我正在写的故事的核心部分。我姨妈书娟在她的一些女同学被父母接走后，心里再次狠狠清算了赵玉墨。但她打算只忏悔一半实情。在她们这类女孩中，假忏悔反正很普遍，这也是我姨妈后来变成彻底的唯物主义者的原因之一。

书娟是在一九三七年十二月二十七日向英格曼神父忏悔的。那是圣诞后的第二天，被日本兵掳走的十二个美艳窑姐芳踪杳然。书娟走到忏悔厢边上，慢慢跪下，开始了她一生中最诚实、最长久的一次忏悔，也是她一生中最后一次忏悔。英格曼神父坐在忏悔厢的厚帘子那一面，发现这位忏悔者一声不吭，已跪下了有十分钟。他长长地吁了口气。一般来说，英格曼神父从不催促忏悔者，也很少插话。他知道有难言之隐的忏悔者催不得，一催就言不由衷。书娟也跟着他长吁一口气。这半个月出了一连串的事，让十四岁的女孩也发出如此苍老的长吁来。仅仅是这教堂之内，这方圆零点三华里的地盘上，暴行丑剧，也是一场接一场地演出。

书娟开口了。她说那天夜里，她躲在仓库门外的黑影里，手捉一把烧红的火钳，想着那烧焦的皮肉冒起青烟，发出"嗞嗞"声响，心里升起魔鬼般的快感。这快感或许离日本野兽砍下王浦生头颅的快感不远了。书娟慢慢地说着，说到她和玉墨的几次对视，她觉得玉墨知道她是情人的女儿。她看出玉墨想和解，哪怕跟她解释几句，但她从来不给她机会，她要她明白不是什么人都配跟胡博士的女儿说话的。直到日本兵把玉墨押上卡车，玉墨向那日本人羞涩一笑，她才明白此生不再会有与她交谈的机会了。玉墨对日本兵那一笑，得多大胆量多少智谋。就在那一刻，书娟想到一个词，假如这个词能剥去自古以来的贬义该多好：笑里藏刀。

英格曼神父没有发言。对于书娟那次未遂的毁容报复，他一个字的评说也没有。他平淡地告诉书娟，她已得到上帝的宽恕了。

我姨妈书娟生怕自己将来会把圣诞夜事件记乱掉，就把它写了下来。她把它写成一篇书信体的记叙文，寄给了她的父母、舅舅、舅妈。我读到过这篇变黄发脆的文章。现在我根据她的文章以小说体来转述一遍。我争取忠实于原稿。

公元一九三七年的十二月二十四日下午，书娟和女同学们在帮阿多那多拆除灵堂。潮冷的空气使淡淡的血腥凝结了。没有圣诞树，也没有礼物，他们将在每行座椅扶手上点一根蜡烛。

窑姐们在伙房预备圣诞晚餐。没了陈乔治，她们只好把每人那一点厨艺拼凑起来。惠特琳女士送来两只鸡、两只腌鹅，玉墨正把大米填入鹅腹内，大致是填圣诞火鸡的做法。天刚刚暗下去，阿顾跑来，说日本人又在前门打门铃。

女孩们和窑姐们正要找地方躲避，院墙上已是一片黄颜色：至少有一百个日本兵爬上了墙头。他们的大佐手捧一盆"圣诞红"，彬彬有礼地在正门外面一遍一遍地打门铃。

英格曼神父打开门上的方孔，对强行造访的大佐说："你们不是不喜欢走正门吗？"

"圣诞快乐，尊敬的神父。"大佐皮靴上的马刺碰出悦耳的"叮当"声来，同时深深一鞠躬。大佐的英文发音很糟，但用词都正确。

英格曼神父看见马路边停一辆装饰考究的马车。"你们想干什么？"

"来恭贺圣诞。"大佐说。

"一两百士兵荷枪来庆祝我们的节日？"英格曼说。

"能不能请阁下开门？"

"开不开门对你们有什么区别？"

"阁下说得一点不错，既然没区别，何妨表示点礼貌。"他戴金丝边眼镜，微笑极其文雅，剥掉一身军装，谁都会认为他是那种在某个银行、某个"株式会社"混得不错的职员。

英格曼神父却调转身走开。

"阁下，激怒我这样的客人是很不明智的！"他文质彬彬地在门外说道。

英格曼神父停下来，回答道："对疯子来说，激怒不激怒他，毫无区别！"

他是绝不会放这群穿黄色军服的疯子们从正门进来的。他刚从前门走回，院子里已经是黄色军服的洪荒。他见刚才那位文雅大佐正骑在墙头上，欲往下跳，他用眼睛死死盯住他。他知道女孩们现在只要一看见这种黄颜色就浑身紧缩。

"这回要搜查谁呢？"阿多那多挡在礼拜堂大厅门口。大厅里有二十一名女孩子。

"要我怎样才能解除你们的误会呢？"大佐说，眉间出现一点儿苦楚，"我们真的是一腔诚意而来。能在这个国家和你们共度圣诞，不能不说是神的旨意。"

英格曼神父盯着他，深陷的眼窝里，灰蓝的目光冷得结冰。

"好的，我接受你们的祝贺，现在你们可以走了。"英格曼神父说完，自己便向大门口走去。美国人逐客或送客，总是自己领着客人往门口走，然后替客人拉开门。

"等等。"大佐说。

英格曼神父停下来，却不转身，背影是"早料到如此"的表情。

"我们的节日庆祝活动都没开始呢。"

"这是一个神圣的节日，不是所有的人都配参加庆贺的。"

"完全正确。"大佐说，"我们司令部今夜要举行隆重庆典，司令长官要我来邀请几位尊贵的客人。"他从旁边一个提公文包的军官手里接过一个大信封，上面印有两个中国字：请柬。

"领情了，不过我是不会接受邀请的。"英格曼神父手也不伸，让那张请柬在他和大佐之间尴尬着。

"阁下误会了，我的长官请的并不是您。"大佐说。

英格曼迅速抬起脸，看着大佐微垂着头，眉眼毕恭毕敬。他一把夺过请柬，打开信封，不祥预感使他患有早期帕金森症的手大幅度抖颤。请柬是发给唱诗班的女孩的。

"无耻！"英格曼神父把请柬扔在地上。

架着木拐的阿多那多捡起它，读了一遍，愣了，再去读。第一遍他不相信自己的眼睛，第二遍他其实一个字也读不进去，满脑子都是"怎么办？完了！完了！……"

"她们都只有十二三岁，从来没离开过父母……全是孩子啊……"阿多那多说，他现在是一副乞妇的声调和表情。

"唱完之后，我保证把她们护送回来。"

"没有商量余地。"英格曼神父说，"邀请被谢拒。"

大佐笑了笑。他身边士兵似乎看懂了他这笑，周围出现一片微妙的声响：枪、刀、肌肉都进入了状态，都就绪了。

"圣诞节，真不想弄得不愉快。"大佐说。

阿多那多看看打算以命相拼的神父，对大佐说："邀请来得太突然了。孩子们都没有准备，总得给她们一些时间，让她们换换衣服。要知道，这样的仪式是必须洗澡洗头，换上大礼服的。"

英格曼神父打断他："你以为他们真是要听唱诗？禽兽需要听唱诗吗？"

阿多那多赶紧用中文说："拖延一小时，是一小时。"

大佐说："拖延是没用的。"他猜出阿多那多的用心了。"电话也不必打了，线路已经被掐断。"

"您总得允许我们向孩子们解释一下，不然这些小姑娘会吓坏。都吓坏了，还怎么唱呢？"阿多那多说。毕竟在中国长大，他的思路曲折一些，也懂得好汉不吃眼前亏的周旋技巧。

英格曼神父这才认为阿多那多是机智的：能拖多久是多久，拖延中或许会发生转机。也许国际安全委员会会派代表来祝贺圣诞。或许某个西方报刊的记者会心血来潮，突然来此地采访。奇迹若发生，也只能发生在延宕的时间里。

大佐和身边拎公文包的军官低声商量了几句，转向英格曼神父："给你半个小时。"

阿多那多见英格曼神父还想讨价还价，迅速向他使了个眼色，同时说："谢谢。不过请大佐先生把您的部队带出去，否则很难消除孩子们的恐惧。"

大佐犹豫一阵，认为阿多那多言之有理，便向一片黄色吼喊一声。眨眼间，日本士兵们撤出门去。

女孩子们听见了院子里的对话。她们见英格曼神父和阿多那多走进大厅，全是满脸苍白。这种魂飞魄散的苍白更让英格曼神父心痛。他说："孩子们，只要我活着，谁也不会伤害你们，祷告吧。"

女孩们慢慢坐到前排椅子上，垂下头，闭上眼。英格曼神父知道她们的静默是一片哭喊求救。

阿多那多说："我去一趟国际安全委员会。"

"来不及了。"

"你在这里和他们周旋，争取拖延到我回来。"

"他们会让你永远也回不来！"

"总比不去强！"

"我跟孩子们一块去。"英格曼神父说，"我尽最大的力量保护她们。"

"没用的！对这些畜生，等于多送一条性命上门去。他们一天杀多少人，南京城一天死多少人？不明不白死你一个美国孤老头儿，太简单了！……"阿多那多大声吵嚷，这是他头一次用村野俗夫的嗓音和他尊贵的英格曼神父说话。

天完全黑了。弥撒大厅里所有的烛火倾斜一下，晃了晃，又稳住。英格曼神父回过头，见玉墨和她十二个姐妹走进门。

"神父，我们去吧。"玉墨说。

阿多那多没好气地说:"去哪里?"

"他们不是要听唱诗吗?"玉墨在烛光里一笑。不是耍俏皮的时候,可她俏皮得如此相宜。

"白天就骗不过去了。反正是晚上,冒充女中学生恐怕还行。"玉墨又说。

她身边十二个窑姐都不说话,红菱还在吸烟,吸一口,眉心使劲一挤,贪馋无比的样子。

"她们天天唱,我们天天听,听会了。"喃呢说。

"调子会,词不会,不过我们的嘴都不笨,依样画葫芦呗。"玉笙说。

英格曼神父看看玉墨,又看看红菱。她们两人的发式已变了,梳成两根辫子,在耳后绾成女学生那样的圈圈,还系了丝绸的蝴蝶结。

红菱把烟头扔在地上,脚狠狠捻灭火星。"没福气做女学生,装装样子,过过瘾。"

阿多那多心里一阵释然:女孩们有救了。但他同时又觉得自己的释然太歹毒,太罪过。尽管是些下九流的贱命,也绝不该做替罪羔羊。

"你们来这里,原本是避难的。"英格曼神父说。

"多谢神父,当时收留我们。不然我们这样的女人,现在不知给祸害成什么了。"玉墨说,"我们活着,反正就是给人祸害,也祸害别人。"玉墨又是那样俏皮,给两个神父飞一眼。她腰板挺得过分僵直,只有窑姐们知道,她贴身内衣里藏了那把小剪刀。

窑姐们把能做暗器的东西全藏掖到身上了:牛排刀、水果刀、发钗。走运的话,一根发钗可以赚他一只眼珠子。什么样的女子她们不会装呢?羊羔一样温驯的女中学生也可以装得惟妙惟肖。然后他们便放下警觉,打算美美地享用她们一场。牛排刀、水果刀、发钗在这当口亮出来。假如走天大的运,扎瞎他眼珠子之后再夺下他的武器,圣诞夜就变成狂欢夜了。

窑姐们穿上白纱衬衫、黑色长裙的唱诗班的大礼服时,门铃又被打响。女孩们发现她们真像一群不谙世事的小姑娘,一人手里拿着一本乐谱以及一本烫金皮面的圣经。

女孩们和窑姐们匆匆看一眼,谁和谁都未来得及道别。

书娟始终看着赵玉墨。她看见玉墨在用手绢擦拭口红。她擦得又狠又猛,然后转脸让红菱看她。红菱接过手绢,放在舌尖上潮了一下,替她擦去为圣诞夜精心描画的柳眉。

女孩们又开始闭目祈祷时，听到阿顾大声喊："等等，就来开门！"然后她们听见沉重的铁门打开。

她们睁开眼，回过头。又是一院了纵横交错的手电筒光柱，从窗帘的缝隙和破洞透进来。

只有书娟一人走到窗子边上，看见十三个白衣黑裙的少女排成两排，被网在光柱里。排在最后的是赵玉墨，她发现大佐走到她身边，本能地一躲，但又侧过脸，朝大佐娇羞地一笑，像个小姑娘犯了个小错误，却明白这一笑就讨到饶了。日本人给她那纯真脸容弄得一晕。他们怎样也不会把她和一个刺客联系到一起了。

天　浴

云摸到草尖尖。草结穗了，草浪稠起来。一波拱一波的。

文秀坐在坡坡上，看跑下坡的老金小成一只地拱子。文秀是老金从知青里拣出来学放马的，跟着来到牧点上一看，帐篷只有一顶，她得跟老金搭伙住。场部人事先讲给文秀：对老金只管放心，老金的东西早给下掉了。几十年前这一带兴打冤家，对头那一伙捉住了十八岁的老金，在他腿当间来了一刀，从此治住了老金的凶猛。跟过老金放马的女知青前后有六七个，没哪个怀过老金的驹子。打冤家那一记劁干净了老金。

文秀仍是仇恨老金。不是老金拣上她，她就伙着几百知青留在奶粉加工厂了。她问过老金为啥抬举她来放马，老金说："你脸长。"

文秀不是丑人，在成都中学就不是。矮瘦一点，身体像个黄蜂，两手往她腰部一卡，她就两截了。上马下马，老金就张着两手赶上来，说："来喽！"一手托文秀屁股，一手掀她胳肢窝，把她抱起。文秀觉出老金两只手真心想去做什么。到马场没多久，几个人在她身上摸过，都是学上马下马的时候。过后文秀自己也悄悄摸一下，好像自己这一来，东西便还了原。

场部放露天电影，放映完，发电机一停，不下十个女知青欢叫："老子日你先人！"那都是被摸了的。几千支手电筒这时一同捺亮，光柱子捅在黑天空里，如同乱竖的干戈。那是男人们得逞了。

跟老金出牧，就没得电影看了。要看就得搂紧老金的腰，同骑一匹马跑二三十里。文秀最不要搂老金的腰，没得电影就没得电影。

坡下是条小浅河，老金把牛皮口袋捺紧在河底，才汲得起水。文秀天天叫身上痒，老金说总有法子给她个澡洗洗。她听见老金边汲水边唱歌。知道是专唱给她听的。老金歌唱得一流，比场部大喇叭里唱得好过两条街去！歌有时像马哭，有时像羊笑，听得文秀打直身体倒在草里，一骨碌顺坡坡滚下去。她觉得老金是唱他自己的心事和梦。

老金唱着已跑得很跟前了，已嗅得到他一身马气。

老金对她笑笑。他胡子都荒完了，有空他会坐在那里摸着拔着。

她睁开一只眼看他："唉老金，咋不唱了？"

老金说："不唱了。要做活路。"

"唱得好要得！"她说。是真话。有时她恨起来：恨跟老金同放马，同住一个帐篷，她就巴望老金死，歌别死。实在不死，她就走；老金别跟她走，光歌跟她走。

"不唱喽。"老金又腼腆地笑了。

文秀讨厌他当门那颗金牙，好好一个笑给它坏了事。不是它老金也不那么凶神恶煞。

老金叫金什么什么，四个字。要有一伙藏人在跟前，你把这名字唤一声，总有十个转头应你。文秀不记它，老金老金，大家方便。老金有四十岁，看着不止。藏族不记生日，搞不好只有三十岁，也搞不好有五十了。老金不像这场子里其他老职工都置几件财产。老金手表也没有，钢笔也没有，家当就是一颗金牙。还是他妈死时留下的。她叫老金一定把它敲下来，一死就敲，别给天葬师敲了去。老金找刀匠镶金牙。刀匠什么都能往刀上镶，也就按镰刀的法子把牙给镶上了。

盛水的牛皮口袋套在马背上，老金轻轻拍着马屁股蛋，马把水驮上了坡。马吃圆的肚子歪到左边又歪到右边，老金跟着步子，两个粗壮的肩头也一下斜这边，一下斜那边。不听老金的故事，哪里也看不出老金比别的男人少什么。尤其老金甩绳子套马的时候，整个人跟着绳悠成一根弧线，马再拉直腿跑，好了得。没见这方圆几百里的马场哪个男人有这么凶的一手。

老金把两大口袋水倒进才挖的长形坑里。坑浅了点，不然能埋口棺材。坑里垫了黑塑料布，是装马料豆的口袋拆成的。

文秀人朝坡下坐着，头转向老金。看一阵问："啥子吗？"

老金说："看嘛。"

他一扯衬衫，背上的那块浸了汗，再给太阳烘干，如同一张贴死的膏药，揭得"啦啦"一声，青烟也冒起了。口袋水倒干，池子里水涨上来。有大半池子。

文秀头也转酸了地看。又问："做啥子吗？"

老金说："莫急嘛。"这是低低地吼。每回上下马，文秀不想老金抱，老金就微露金牙对她这样一吼。它含有与老金庞大的身躯、宽阔的草原脸彻底不对路的娇嗔。还有种牲畜般的温存。

文秀向坡下的马群望着。老金在她近旁坐下，掏出烟叶子，搓了一杆肥大的烟卷，叼到嘴上，一遍一遍点它。文秀听火柴划动，火柴断了。她眯眯眼"活该"地看老金笑。十来根火柴才点着那土炮一样斜出来的烟卷。大太阳里看不见烟头上的火，也看不见什么烟，只见一丝丝影子缭绕在老金脸上。再就是烟臭。随着烟被烧短下去，臭浓上来。

那口池子也升起烟。烟里头，透明的空气变得弯弯曲曲。太阳给黑塑胶吸到水里，水便热了。都不到老金一杆烟工夫。

文秀摸摸水，叫起来："烫了！"

"洗得了。"老金说。

"你呢？"

老金说："洗得了。过会就烫得要不得了。"

老金是不洗的。文秀给老金一抱，就晓得这是个从来不洗的人。

"我要脱了哟。"文秀说。

老金说："脱嘛。"说着把眼瞪着她。

文秀指指坡下的马群："你去打马，那几匹闹麻了。"

老金有点委屈，慢慢地转脸："我不看你。"

文秀往地上一蹲："那我不洗了。"

老金不动。她不舍得不洗，她顶喜欢洗。头一个晚上，她舀一小盆水，搁在自己铺前，吹熄了灯，刚解下裤子，就听老金那头的铺草嗦嗦一阵急响。

她骑着那盆水蹲下，小心用毛巾蘸水，尽量不发出声响。老金那边却死静下来，她感到老金耳朵眼里的毛都竖着。

"洗呀？"老金终于说，以一种很体己的声调。

她没理他，索性放开手脚，水声如一伙鸭子下塘。

老金自己解围地说："嘿嘿，你们成都来的女娃儿，不洗不得过。"

她是从那一刻开始了对老金的仇恨。第二天她摔摔打打在自己铺边上围了块帆布。

老金背对文秀，仰头看天，说："云要移过来喽。"

文秀衣服脱得差不多了，说："你不准转脸啊。"

说着她跨进池子，先让热水激得咝咝直吸气。跟着就舒服地傻笑起来。她跪在池子里，用巴掌大的毛巾往身上搠水。

老金硬是没动，没转脸。他坐的位置低，转脸也不能把文秀看全。文秀还是不放松地盯着他后脑勺，一面开始往身上搓香皂。她在抓香皂之前把手甩干：手上水太多香皂要化掉。是妈教她的。文秀爸是个裁缝，会省顾客的布料，妈嫁给他就没买过布料。

"老金，又唱嘛！"文秀洗得心情好了。

"云遮过来喽。"

老金颈子跟着云从天的一边往另一边拐，很在理地就拐到了文秀这边。他看见她白粉的肩膀上搁着一颗焦黑的小脸。在池里的白身子晃晃着，如同投在水里被水摇乱的白月亮。

文秀尖叫一声："狗日老金！"同时将洗污的水"哗"地一把朝老金泼去。老金忙把脸转回，身子坐规矩，抹下帽子揩脸上的水。

"眼要烂！"文秀骂道。

"没看到。"老金说，又揩干鼻尖、嘴唇上的水。

"看到眼要烂！"

"没看到。"

隔一会，文秀打算穿了。坡底下跑来两个赶犇牛去屠宰场的男人。都跟老金熟，便叫起来："老金！老金！蹲在那儿做啥子？"

老金大声吼："不准过来！"

两个男人说："老金蹲着在尿尿吧？"说着把胯下坐的犇牛拔个弯子，朝这边上来了。

"不准过来！"他回头凶狠地对文秀说："穿快当些！"

男人们这时已发现了抱紧身子蹲在那里的文秀，却仍装着是冲老金来。"老金，别个说你蹲倒屙尿，跟婆娘一样，今天给我们撞到了！……"

老金一把扯过地上的步枪，枪口对两人比着。两人还试着往前，枪就响了。其中一头犛牛腾起空来，掉头往坡下跑，身子朝一侧偏斜。它给打秃一只犄角，平衡和方向感都失了。

给牛甩在地上的那位叫起来："敢打枪哟——龟儿老金！"

老金朝枪头上啊一口唾沫，撩起衣襟擦着硝烟的熏染，不吱声，没一点表情，就跟他什么也没干过一样。然后他往枪肚里填了另一颗子弹，对那个还愣着不知前进后退的家伙说："又来嘛。"

那人忙调转犛牛的头。在牛背上他喊："老金，你龟儿等着！"

"等着——老子锤子都莫得，怕你个球！"老金大声说，两手用力拍着自己裆部，拍得结实，"噼里啪啦"，裤子上灰尘被拍起一大阵。

文秀笑起来。她觉得老金的无畏是真的——没了那致命的东西，也就没人能致他命了。

到十月这天晚上，文秀跟老金放马整整半年。就是说她毕业了，可以去领一个女知青牧马小组去出牧了。她一早醒来，头拱出自己的小营帐问老金："你说他们今天会不会来接我回场部？"

老金刚进帐篷，臂弯上抱了一堆柴，上面滚一层白霜。

"嗯？"老金说。

"六个月了嘛。说好六个月我就能回场部的！今天刚好一百八十天——我数到过的！"

老金手腕一松，柴都到了地上。他穿一件自己改过的军用皮大衣，两个袖筒给剪掉了，猿人般的长臂打肩处露出来，同时显得灵巧和笨拙。他看着文秀。

"要走哇？"

"要走？"文秀说："该到我走了喽！"说着她快活地一扭尖溜溜的下巴颏子，头缩进帆布帘。

她开始翻衣服包袱，从两套一模一样的；日套衫里挑出一套，对光看看，看它有多少被火星溅出的眼眼。不行，又去看那一件，也不好多少。叹口气，还是穿上了。系上纱巾，再好好梳个头，不会太邋遢。她走出来，老金已把茶锅里的奶茶烧响了。

文秀打招呼道："吃了没有？"

"在煮。"老金指一指火上。

他看着收拾打扮过的她，眼跟着她走，手一下一下撅断柴枝。她这时将一块碎成三角形的镜子递到他手上，他忙站起身，替她举着。不用她说，他就跟着她心思将镜子升高降低。

文秀这样子在领口打着纱巾，梳着五股辫子等了一个礼拜，场部该来接她那人始终没来。第八天，老金说："要往别处走走了，大雨把小河给改了，马莫得水喝，人也莫得水喝。"

文秀马上尖声闹起来："又搬、又搬！场部派人来接我，更找不到了！"她瞪着老金，小圆眼睛鼓起两大泡泪。那意思好像在说：场部人都死绝，等七天也等不来个人毛，都是你老金的错！

接下去的日子，老金不再提搬迁的事。他每天把马赶远些，去找不大旱的草场。文秀不再跟着出牧，天天等在帐篷门口。一天，她等到一个人。那是个用马车驮货到各个牧点去卖的供销员。他告诉文秀：从半年前，军马场的知青就开始迁返内城了。先走的是家里有靠山的，后走的是在场部人缘好的。女知青走得差不多了，女知青们个个都有个好人缘在场部。

文秀听得嘴张在那里。

"你咋个不走？"供销员揭短似的问道，"都走喽，急了老子也不干了，也打回成都喽！"他两个膝盖顶住文秀两个膝盖。

文秀朝他眨巴眨巴眼。供销员显然是个转业军人，一副逛过天下的眼神。这场子里的好交椅都给转业军人坐去了。

"像你这样的，"供销员说："在场部打些门路担心怕太容易哟！"他笑着不讲下去了。然后嘴唇就上了文秀的脸、颈子、胸口。

供销员在文秀身上揣呀揉，褥单下的铺草也给揉烂了。文秀要回成都，娘老子帮不上她，只有靠她自己打门路。供销员是她要走的头一个门路。

天傍黑老金回来，进帐篷便听到帆布帘里面的草响。帆布下，老金能看见两只底朝天的男人鞋。老金不知他自己以完全不变的姿势已站了一个多小时，直站到帐篷里外全黑透。

供销员趿着鞋走出来，没看见老金，径直朝亮着月光的帐篷门口走去。套着货车的牛醒了盹，供销员爬上车，打开一个半导体收音机，一路唱地走了。

文秀铺上一丝人声也没有。她还活着，只是死了一样躺着，在黑暗中迟钝地转动眼珠。"老金。老金是你吧？"

老金"嗯"了一声，踏动几步，表示他一切如常。

"老金，有水莫得？"

老金找来一口奶茶。文秀头从帆布帘下伸出，月光刚好照上去，老金一看，那头脸都被汗湿完了，像只刚娩出的羊羔。她嘴凑过来，老金上前扶一把，将她头托住。她轻微皱起眉，头要摆脱老金的掌心。

"莫得水呀？"她带点谴责腔调。

老金又"嗯"一声，快步走出帐篷。他找过自己的骑马一跨上去，脚发狠一磕。

他在十里之外找到一条小河，是他给文秀汲水洗澡的那条。他将两只扁圆的军用水壶灌得不能再满。回到帐篷，月亮早就高了。文秀还在帆布帘那边。

"快喝！水来喽！"老金几乎是快活地吆喝。

他将一只水壶递给文秀。很快，听见水"唵吐吐，唵吐吐"地被倒进了小盆。之后文秀又伸出手来要第二壶。

老金说："打来给你喝的。"

她不言语，伸手将壶带子拉住，拖进帘内。水声又听得见了。她又在洗。她不洗不得过，尤其今天。一会儿，她披衣出来，端了那小盆水，走出帐篷，走得很远，把盆水泼出去。

老金觉得她走路的样子不好看了。

"老金，"她递过一只水壶："还有点水，你喝不喝？"

老金说："你喝。"

她一句也不多谦让，从衣服口袋里拿出个苹果，将壶嘴仔细对准它。水流得细，她一只手均匀地转动苹果，搓洗它。她抬起眼，发现老金看着她。她笑一下。她开始"咔嚓咔嚓"吃那只苹果。它是供销员给她的。她双手捧着它啃，其实大可不必用双手，它很小。

文秀从此不再跟老金出牧。每天老金回来，总看见帆布帘下有双男人的大鞋。有次一只鞋被甩在了帘子外，险些就到帐篷中央的火塘边了。老金掂起火钳子，夹住那鞋，丢在火里面。鞋面的皮革被烧得吱溜溜的，立刻泌出星点的油珠子。然后它扭动着，冒上来黏稠的烟子，渐渐发了灰白。一帐篷都是它的瘟臭。老金认识这鞋，场里能穿这鞋烧包的没几个。场党委有一位，人事处有两位。就这些了。

前些天文秀对老金说："这些来找我的人都是关紧的哟。"

老金问:"好关紧?"

"关紧得很。都是批文件的。回成都莫得几个关紧的人给你盖章子,批文件,门儿都莫得!"她看着老金,眼神却不知在哪里。她语气是很掏心腑的,那样子像老金闷慌了,去跟牲口们推心置腹说一番似的。

老金便也像懂事却不懂人语的牲口一样茫茫然地看着她。由于多日不出牧,她那被暴日烈火烤出的脸壳在褪去;壳的龟裂缝隙里,露出粉嫩的皮肉。她一面讲话,一面用手指甲飞快地在脸上抠着。尖细的指甲渐渐剥出一个豁口。顺豁口剥下去,便出来野蚕豆花一样大小的新肉。

"我太晚了——那些女知青几年前就这样在场部打开门路,现在她们在成都工作都找到了,想想嘛,一个女娃儿,莫得钱,莫得势,还不就剩这点老本?"她说着,两只眼皮往上一撩,天经地义得很。她还告诉他:睡这个不睡那个是不行的;那些没睡上的就会堵门路。

老金点点头,一面在大腿上搓出更壮的一杆烟来。文秀什么话都跟他讲。她说那些睡过她的男人都是她的便通门道了。她对他讲不是因为特别在意他的看法。相反,是因为他不会有看法。牲口会有什么看法?

这时帆布帘呼啦啦一阵子响。男人在找他的第二只鞋,嘴里左一个"狗日",右一个"狗日"。老金脊背对着帘子,坐着,吸他的烟卷,使劲吸,肺都吸扁了。

那人就是不肯钻出来,不肯让老金就着马灯的黄光把他百分之百地认清。他在场部是个太关紧的人物,忙得很,来时连句客套话都不给文秀,上来就办正事。来都是瞎着灯火,他从来没看清过文秀长什么样。

文秀被他支出来对付老金。

"老金,有莫得看到一只鞋?"文秀问。

"哪个的?"老金的。

"你管是哪个的!看到莫得嘛!"文秀高起声,走到他对过。她头发从脸两边披挂下来,身上裹一件大衣,上面露块胸,下面露一截腿杆。火塘的火光跳到她脸上,她瘦得两只眼塌出两个大洞。

"问你!"她又求又逼地再高一声。

老金只管吸烟,胸膛给鼓满又吸扁,像扯风箱。

"牲口啊?啥个不懂人话来你?!"文秀"忽"地一下蹲到他面前,大衣下摆被架空,能露不能露的都露出来。似乎在牲口面前,人没什么不能露的,人的廉耻是多余。

老金听着那位关紧人物赤一只脚从他背后溜走。

文秀仍披着大衣，光着腿杆子在帐篷里团团转。她摇摇这只水壶，空的；那只，还是空。他们在这涸了水的地方已驻扎一个多月，每天靠老金从十里外汲回两壶水。从这天起，水断了。

如此断了五天水。喝，有奶，还有酥油茶。来找文秀的男人不再是每天一个，有时是俩，或是仨。老金夜里听见一个才走，下一个就跟着进来。门路摸得熟透；老金在门口搁了干刺藜，巴望能锥出某人一身眼子，而他们都轻巧地绕开了它。最要紧的是，在上文秀铺之前，他们的鞋都好好地藏起了。

清早，文秀差不多只剩一口气了。她一夜没睡，弄不清一个接一个摸黑进来的男人是谁。最后一个总算走了，她爬起来。老金在自己铺上看她撕开步子移到他铺边上，对他叫道："老金，几天莫得一滴点儿水！"

老金见她两眼红艳艳的，眼珠上是血团网。他还嗅到她身上一股不可思议的气味。如此的断水使她没了最后的尊严和理性。

老金慢慢地开始穿衣。喉咙里发出咕哝。一条结满汗茧，又吸满尘土的裤子变得很硬，大致是它自己站在铺边上。他将它拖过来，开始穿。不知是他穿它，还是它穿他。

文秀踱步到熄了的火塘边，眼瞅着那截烧得拧起的皮鞋底，不明白它是什么。她对老金扯直嗓门叫："搞啥子名堂——穿那么慢?!"

老金忽地停了动作。

文秀像意识到什么不妙，把更难听一句吆喝衔在嘴里，瞪着他。

老金走到她面前，对她说："你在卖，晓得不?"

文秀还瞪着他。过一会她眼睛狐骚地一眯："说啥子喽?"

"你是个卖货。"他又说。

"那也没你份。"她说。

立冬那天，文秀在医院躺着。她刚打掉胎，赤着的腿下铺着两寸厚的马粪纸，搪血用的。老金一直守在病房外面，等人招呼他进去。却没有一个招呼他进去。护士们公然叫文秀"破鞋"，"怀野娃娃的"。正如住外科病房的那个男知青，人都公然叫他"张三趾"。说是他一次枪走火打没了三根脚趾头。张三趾伤好之后就要回成都了，因此他把家当都换成了冬虫夏草，回成都那都是钱，带起来也轻便。所有人都明白，他存心往脚上开枪的，把自己制成个残废，马也骑不得了，只有回成都。

　　老金守到第三天，张三趾走过来，坐到同一条板凳上。他递给老金一根纸烟，就进了文秀病房。

　　半根烟下去，老金才觉出不对。他忽地站起身，去推那病房门。门却从里头锁了。老金扯开腿，将自己镶铜头的靴子照门上甩去。他"畜牲畜牲"地咆哮引得全体护士都跑了来。很快的，各病房的床全空了，连下肢截瘫的都推着轮椅挤在走廊朝文秀门口望。

　　老金被几个护士掐住，嘴里仍在"畜牲畜牲！"只是一声又一声嘶哑。

　　张三趾出来了，人给他闪开道。他一甩油腻的头发，俨然是个颇帅的二流子。他对人群说："干啥子？干啥子？要进去把队排好嘛！"他指指文秀的房门，然后又指指老金："老金排头一个，我证明！"

　　老金抬起那铜头靴子朝张三趾仅剩两趾的那只脚跺去。张三趾发出一声马嘶。

　　护士们吆人群散开，同时相互间大声讨论："弄头公驴子来，她恐怕也要！"

　　"血都淌完了，还在勾引男人上她床！"

　　老金静静坐回那板凳。

　　半夜，起了风雪。老金给冻醒，见文秀房门开着，她床上却空了。他等了一会，她没回。老金找到外面，慌得人都冷了。他在公路边找到她，她倒在地上，雪糊了她一头白。她说她想去找口水来；她实在想水，她要好生洗一洗。

　　老金将她抱起来，贴着身子抱的。她脸肿得透明，却还是好看的。那黄蜂一样的小身体小得可怜了，在老金两只大巴掌中瑟瑟发抖。老金抱着文秀，在风雪里站了一会。他不将她抱回病房，而是朝马厩走。那里挂着他的马。风急时，他便把脊梁对风，倒着走。文秀渐渐合上眼，不一会，她感到什么东西很暖地落在她脸上。她吃惊极了，她从没想到他会有泪，会为她落。

　　第二天天放晴。场子上的草都衰成白色。柞树也被剥尽了叶子，繁密的枝子上挂着晶亮的冰凌。

　　老金坐在柞树下，看着文秀在不远处摆弄枪。她已对他宣布，她今天要实现自己的计划。那是从张三趾那儿学来的。老金看她将那杆枪的准星儿抵在右眼边，枪嘴子对准自己的脚。老金烟卷叼在嘴上，已熄了。他等枪响。

文秀尚未痊愈的身影又细又小，辫子散了一根。不知怎的，她回头看着他。

他不言语，没表情，唇间土炮一样斜出的那杆熄灭的烟卷也一动不动。

他见她笑一下，把枪摆在地上。

"我怕打不准！"她说，"自己打自己好难——舍不得打自己！"她嗓音是散的。

他表示同意地点一下头。

她又笑一下，把枪口抵住脚，下巴翘起，眼睛闭上："这样好些——哎，我一倒你就送我到医院，噢？"她说。

老金说："要得。"

"我要开枪了——唉，你要证明我是枪走火打到自己的，噢？"

老金又说："要得嘛。"

她脸跟雪一样白，嘴唇都咬成蓝的了，枪还没响。她再次对老金说："老金，你把脸转过去，不要看我嘛！"

老金一把拉下帽子，脸扣在里头了。帽子外头静得出奇，他撩起帽子一看，她在雪地上坐成一小团，枪在一步之外躺着。

她满脸是泪，对老金说："老金，求求你，帮我一下吧！我就是舍不得打自己……"

"老金，求求你……你行个好，我就能回成都了！冬天要来了，我最怕这里的冬天！他们一个都不帮我，你帮我嘛！只有你能帮我了！……"她忽然扑过来，抱住老金，嘴贴在他充满几十年旱烟苦味的嘴上。

老金将自己从她手臂中松了绑，去拾那支步枪，她得救似的、信赖地，几乎是深情脉脉地看着他。

老金端枪退后几步，再退后几步。

文秀站直，正面迎着枪口。

忽然地，她请老金等等，她去编结那根散掉的辫子。她眼一直看着老金，像在照相。她淡然地再次笑了。

他顿时明白了。从她的举动和神色中，他明白了她永诀的超然。他突然明白了她要他做什么。

老金把枪端在肩上。枪口渐渐抬起。她一动不动，完全像在照相。

枪响了。文秀飘飘地倒下去，嘴里是一声女人最满足时刻的呢喃。老金在搁下枪的同时，心里清楚得很，他决不用补第二枪。

太阳到天当中时，老金将文秀净白净白的身子放进那长方的浅池。里面是雪水，他把它先烧化，烧温热，热到她最感舒适的程度。

她合着眼，身体在浓白的水雾中像寺庙壁画中的仙子。

老金此时也脱净了衣服。他仔细看一眼不齐全的自己，又看看安静的文秀。他把枪口倒过来，顶着自己的胸，枪栓上有根绳，拴着块石头。他脚一踹那石头，它滚下坡去，血滚热地涌出他的胸。

他爬两步，便也没进那池子。他抱起文秀。要不了多久风雪就把他们埋干净了。

老金感到自己是齐全的。

白 蛇

官方版本
——一封给周恩来总理的信

敬爱的总理：

首先让我们共同敬祝伟大领袖毛主席万寿无疆。

您于百忙之中请您的秘书打电话过问前舞蹈家孙丽坤的病情，我们全省八千万人民深深感动。这表明我们日理万机、为我们社会主义祖国革命与建设日夜操劳的总理始终把人民的甘苦放在心头。对于前著名舞蹈家孙丽坤的案子，我们省宣传文教系统并无直接干涉。对于被关押、审查、定罪，以至她患精神分裂症的过程，我们在接到您的秘书来电后，本着您对国家重要人才保护的精神，派专人去省歌舞剧院进行了调查，以下是调查经过：

孙丽坤，女，现年34岁，曾为省歌舞剧院主要演员。一九五八年、一九五九年曾赴捷克斯洛伐克，参加国际歌舞节，并获得银奖。一九六二年，她在全国舞剧汇演中获独舞一等奖。一九六三年，她所自编自演的舞剧《白蛇传》被北京电影制片厂拍摄成电影。同时《白蛇传》在全国十七个大城市的巡回演出引起极大轰动。她为了观察模仿蛇之动态，曾与一位印度驯蛇艺人交谈并饲养蛇类；所独创的"蛇步"引起舞蹈学者的极大重视，也在广大观众中风靡一时。一九六六年，孙丽坤被革命群众冲击。根据各方面调查和孙本人长达四百余页的反省书，孙于一九六九年被定案为资产阶级腐朽分子、国际特务嫌疑、反革命美女蛇，同时被正式关押审查（孙被关押在省歌舞剧院的一间布景仓库，生活待遇并不十分苛刻）。

一九六九年之后，孙的案情被多次复审，革命群众专政机构并没有对孙有任何粗暴行为。自清理阶级队伍以来，对于孙的人身自由之剥夺，是革命群众一致通过的措施。此中当然不乏群众运动的过激行为和领导班子的失控。

根据孙丽坤专案人员揭发，孙的精神失常始于一九七一年十二月。在此之前，看守人员常见一个二十多岁的男青年进入孙的拘留室，并持有一份"中央宣传部特别专案组"的介绍信，自称为特派员，专程来调查孙的案情。该青年气势凌人，身着将校呢军大衣，看去颇有来头。此人每天下午三点准时进入孙的房间，五点准时离开，如此持续一个月。据看守人员说，此期间并无任何异常迹象。青年态度冷静，有理有节，孙本人的作风也有所改善。有人听见她半夜摸黑进行舞蹈练习，精神面貌大有转变。据说青年在某天驾一辆军用三轮摩托车，要求带走孙丽坤到省委某接待室进一步谈话。他拒绝透露谈话的目的，声称连省里最高领导也无权过问此案。由于他持有的介绍信和证件确凿，专政队同意放行孙丽坤，但时限为六小时，男青年于当晚十点准时将孙丽坤送回拘留室。几天后，孙突然精神失常。男青年从此不再出现。孙于新年除夕傍晚被送往省人民医院精神病科。第二周孙被转入 C 市歌乐山医院，该院为省内最权威的精神专科研究机构。经治疗，孙的病情已逐步稳定。我们向医院工作人员调查，据说曾有一位男青年来探望孙丽坤，但孙拒绝见面。有关此青年以及孙的患病原因，我们正在进一步调查。

我们将及时向总理汇报孙丽坤的健康状况，敬请总理放心。

最后，我们代表全省八千万人民向敬爱的总理致以崇高的革命敬礼！希望总理为全国人民和伟大的共产主义事业多多保重！为中国和世界革命多多保重！

S省革委会宣教部

一九七二年二月三十一日

（内部参阅·秘字 00710016）

民 间 版 本

实际上那个红极一时的孙丽坤是个国际大破鞋。她过去叫一个翻译帮她写信给她的捷克姘头，说她跟他的"情谊之花永远盛开不谢"；她和他"天涯若比邻"。那个翻译后来把这些信抄成大字报，贴在大马路上。

演《白蛇传》那些年，大城小城她走了 17 个，个个城市都有男人跟着她。她那水蛇腰三两下就把男人缠上了床。睡过孙丽坤的男人都说她有一百二十节脊椎骨，她想往你身上怎样缠，她就怎样缠。她浑身没一块骨头长老实的，随她心思游动，所以她跟没骨头一样。

实际上她就是看上去高；她那个尖下颏子一抬就把她抬高两寸。大会小会斗争她，她也不放下那个下巴颏。她漂亮就在那个下巴和颈子上。那样一转，这样一绕，谁都不在她眼里。斗争会来了一万人，八千人是专程来看她那蛇颈子的。一万人里头，有九千人把她的《白蛇传》看过三遍。这些人从前说：我们 S 省出三样名产：榨菜、五粮液、孙丽坤。

实际孙丽坤一发胖就成了个普通女人。给关进歌舞剧院的布景仓库不到半年，孙丽坤就跟马路上所有的中年妇女一模一样了：一个茧蛹腰、两个瓠子奶，屁股也是大大方方撅起上面能开一桌饭。脸还是美人脸，就是横过来了；眼睫毛扫来扫去扫得人心痒，两个眼珠子已经黑的不黑白的不白。

歌舞剧院的布景仓库在二楼，下面是一堵围墙，站上墙能看见孙丽坤的床，床下没有传闻中的那条大花蛇，只有个大花便盆。墙外是个烂场院，扒了旧房，新房还没盖，砖瓦摆了一地，场院上是些不干活的建筑工在砖头搭成的八仙桌上打"拱猪"，唱"美丽的姑娘见过千千万，只有你最好看；招风耳朵柿饼脸，绿豆眼睛鸡脚杆！"

孙丽坤晓得他们是唱给她听的，逗她开开心。她给关在这里头有两年了，只有大便可以向看守她的专政队员请示，批准后可以走到门外，到长走廊那头的厕所去。小便就在便盆里，天天晚上早上她拎着大花便盆去倒。从走廊这头到那头共十来米，专政队员拿根大棒跟在她后面。专政队员都是女娃，歌舞剧院学员班的学员，几年造反舞跳得宽肩粗腿大嗓门。男娃不能专政孙丽坤的，男娃只有被孙丽坤专政。女娃过去把孙丽坤当成"祖师爷"，进她的单独练功房（里面挂着她跟周总理的合影），进她的化妆间女娃们都曾恭敬得像进祖宗祠。如此的恭敬，自然是要变成仇恨的。所以让这些女娃舞着大棒看押孙丽坤孙祖宗是顶牢靠不过的。

孙丽坤上的那个厕所只有一个茅坑，其他茅坑都不下水。通畅的茅坑正面对着门，专政队的女娃不准许孙丽坤蹲茅坑时关门。女娃们总是一条粗腿架在门框上，大棒子斜对角杵着，这样造型门上就弄出一个"×"形封条。

孙丽坤起初那样同看守女娃眼瞪眼蹲一小时也蹲不出任何结果，她求女娃们背过脸去。她真是流着眼泪求过她们："你们不背过脸去，我就是憋死也解不下来！"女娃们绝不心软。过去看你高雅傲慢，看你不食人间烟火不屑人屎，现在就是要看你原形毕露，跟千千万万大众一样蹲茅坑。孙丽坤学会若无其事地跟女娃们脸对脸蹲茅坑是一九七〇年夏天的事。她已经蹲得舒舒服服了，一边蹲茅坑一边往地上吐口水，像所有中国人民一样。

一九七〇年夏天，孙丽坤开始对自己的身份习惯了，不再为一大串不好听的罪名羞惭得活不下去。还是那一大群建筑工在楼下唱歌打牌，偶尔政治学习或磨皮擦痒地垒几块砖。晚上他们就在砖垒的铺上铺开草席，喝七角一瓶的庐柑酒，呐喊着行酒令："你妈偷人——八个、八个！……"一个早上，他们看见二楼那扇窗子开了。他们从此再不用爬上墙头从窗缝去偷看胖胖的美女蛇。

窗子上的美妇人圆白得像要吐丝的春蚕。老少建筑工们头一回这样近地看这个全省名产孙丽坤，都像吓着了一声不敢出，歌也不唱了，都把脸转开，砌砖的砌砖，拌洋灰的拌洋灰。后来天天早上孙丽坤都在这窗口刷牙。牙刷没几根毛了，刷在她嘴里的声音听上去生疼。小伙子老伙子们现在敢脸对她了，龇出黄牙白牙对她放肆地笑。他们一边看她一边喊："看到莫得？她那两根膀子好白哟，粉蒸肉一样！"他们不敢直接跟她讲话。这么多年这女人在天上他们在地下；就是现在脸对脸了，他们也还不敢确定她跟他们在一个人间。

孙丽坤听见他们大声谈论她，争辩有关她的各种谣传，好像她只是一张画，随他们怎样讲她，让他们讲死讲活也拿他们无可奈何。他们争得要动粗了，一个说："她就是跟蛇住一块嘛，大字报上写的！是条大花蟒！蛇睡床下，她睡床上！……"另一个说："是条白蟒，是条白蟒！"他们就"白蟒、花蟒"地争，争一会看她一眼，却丝毫不指望她的赞同与否定。最后她插了嘴："花蟒，才乖呢！"

争论一下子哑下来。原来这不是个画中人。最后一点令他们拿不准的距离感没了，最后一点敬畏也没了。原来她就是菜市场无数个胖胖的中年妇女中的一个，买一分钱的葱也要啰唆，二两肉也要去校秤的那类。老少爷们怪失望。也看清她头发好久没洗，起了饼，脸巴子上留着枕席压出的一大片麻印。大家还看清她穿件普通的淡蓝衬衫，又窄又旧，在她发了胖的身子上裹粽子。褂子上还有一滴蚊子血。原来这个美人蛇孙丽坤一顿也要吃一海碗面条，面太辣她也要不雅观地张着嘴"稀溜稀溜"，吃完面她那天生的洁白细牙缝里也卡些红海椒皮皮，绿韭菜叶叶。大家怪失望。

有个晚上，几个小伙子上了那堵围墙，想看看孙丽坤在这种欲望和蚊子一块嗡嗡袭人的晚上怎样独守空帐。窗子"砰唥"一声从里面推开了，孙丽坤一副老娘架势叉着腰，身上那件汗背心在蒙灰尘的灯光里显得又默又皱。

"啥子好看？跟我说，我也跟你们一块看！"她毒辣地笑道。

她身上的汗背心实在不成话，给洗得清汤寡水了，坍塌在她皮肉上，灯光一照还蒙蒙透亮，凸处凹处一目了然。

几个小伙子浑身赤裸只穿条三角裤，反而比她害羞，蛤蟆落水似的连成串栽下墙去。

"看啥子嘛？"孙丽坤乘胜地追着他们喊，笑得更泼更毒辣。

"莫得啥子看头！"一个小伙子装老油条，回头调笑。

"是没啥子看头——你妈有的我都有。"她说。

这回斗嘴小伙子们输个精光。听她这样回复，他们眼珠子也斗起鸡来，跟许仙撩开帐子看见白娘子现原形一样。他们没料到两年牢监关下来，一个如仙如梦的女子会变得对自己的自尊和廉耻如此慷慨无畏。

三伏天，孙丽坤就穿着那件汗背心，打一把大破蒲扇，天天靠在窗口。建筑工嗑瓜子，就也给她些瓜子嗑；他们抽烟，她便也向他们讨来抽。她烟瘾很快养上来了，比建筑工抽得还凶。没人再供得起她，她说那就把你们丢在地上的烟锅巴拣来给我抽嘛。小伙子们便把烟锅巴拣来，集成一堆，撕块大字报大标语包成一个包，递给她。都知道她工资停发了，银行也冻结了，但凡关押起来的牛鬼蛇神都是这待遇。

有一天一个小伙子捧着一包烟锅巴对孙丽坤说："别人说你脚杆能搁到脑壳上，搁一个我看看。"

她抱着膀子想了一会，说："不搁呢？"

"不搁莫得烟锅巴。拣一个烟锅巴磕一下头嘞，你以为便宜？"

她又想了一会。突然她抓起脚后跟朝天上举起，两腿撕成个"一"字，她那条碎花粉红内裤就不再是内裤了。这时人都停下打牌，行酒令，一齐朝这窗口竖起脖子，像一群等饲料的鹅。那么一条笔直粗壮如白蟒的腿，众目之下赫赫然竖将起来。建筑工倒一时想不出这条腿的意味。因为它有太多太暧昧的意味。他们想延续那个意味，便七嘴八舌要求她把另外那条腿也玩给他们看看。著名舞蹈家孙丽坤在笼子般的铁栅栏内，成了一只马戏团的猴子，当着满身淫汗的老少男人玩起两条曾经著名的腿；两条美丽绝伦，已变得茁实丰肥的大腿，就这样轮番展示了它们无尽、深长的意味。展示中，建筑工们看到了那个他们看不见的图景：这样充沛着力量的腿如白蟒那样盘缠在他们的肉体上，盘缠在那个捷克老毛子舞蹈家那毛茸茸的赤裸肉体上。这样的两条腿来他十个老毛子也缠得住。

孙丽坤放下腿，一个肩斜抵在窗框上，长眼毛盖掉一半眼珠，伸出一个巴掌来接递给她的烟锅巴。小伙子站在墙头上，手刚刚能碰到她的指头尖。他看她一向苍白的脸这一刻潮红起来，或是烟锅巴或是展示大腿给了她快感。她嘴唇上一圈茸毛沁出汗，眉毛眼睛都毛茸茸的。据说这美人蛇不是个纯种汉族，不知是回族还是羌族血液掺进了她。建筑工离她近得连她下眼皮上一颗红痣也看清了。后来他把这颗痣讲给同伙听，上年纪的一个建筑工说，那痣是坏东西，它让这女子一生离不得男人；她两条腿之间不得清闲。

建筑工们渐渐拎了水桶到窗下来洗澡。他们的白短裤濡湿就变成一层皮肉。他们边冲澡边唱："姑娘你好像豆腐渣，美丽眼睛人人都害怕它。"

十月里来了个很不同的人。二十出头，不高，也不矮，脸皮光生生的不黑不白，两根剑眉画向太阳穴。他穿一身旧黄呢子军装，多年前挂领章和肩章的地方是方方的几块簇新，色泽比其他地方深些。这证明他那身将校呢军装是真的；这男青年的优越感也是真的。是个"干崽"①。那身呢军装宽大沉重，青年微微驼背似乎在扛着它。正是由于军装的大和他身子的小，才显出他一股独特的倜傥。青年步态很大，走路时将两手背在身后，头略低，好像很老的那种老将军：前头有人开路，后面跟了个小跑步的警卫兵。

他凭吊古战场那样站在烂场院上。所有下流俏皮的歌都断在那些嘴里，所有纸牌都粘在那些手上。建筑工一声不吭一动不动地看着这个穿黄毛料子的年轻人。有种不合时宜、不伦不类的氛围在这青年的形象和气质中。他眼神中的一点嘲笑和侮辱，使所有人都觉得他有来头。他有双女性的清朗眼睛，羞涩在黑眼珠上，残酷在白眼珠上。他在看孙丽坤时用黑眼珠，看建筑工们用白眼珠。

这样一个青年在烂场院上走，踢着半截砖或一块当席子用的大字报——它是几十层不同的内容层层摞摞的重叠，糊得比皮革还厚还结实。青年就那样站在孙丽坤窗子下，姿势很伟大。建筑工觉得青年的姿势让他们想起一首不淫荡的歌——《毛主席走遍祖国大地》。

孙丽坤看见这青年就把一支刚卷好的烟搁下了。那是她一早上的心血，剥出了几十个指甲盖大的烟锅巴，用一页写作废了的"认罪书"卷的。她当然舍不得把它彻底丢弃，只把它暂时往衬衫口袋里一揣，等这青年走了她再抽。为什么当着这么个二十郎当的男娃她不愿抽那样自制的恶形恶状的纸烟，她现在顾不得去想，要到夜深人静的时候再去想。要到许多年后再去想。曾经她有过的那些男人都是好看的，是靠他们的好看挣钱凭他们的好看吃饭的。他们都是她的舞蹈搭档，都有岩石雕刻般的腿和肩膀，都有空洞的却炯炯发光的眼睛。而这一位根本还没成形，还有一大截子去成长才能成形。

青年把两手背在身后，腿叉得很开，直直朝她望过去。他眼睛里的羞涩和他嘴角的轻侮在相互顶撞，相互背叛。他望了孙丽坤几分钟，背着手大步离去。

烂场院上粗鄙下流的活力恢复了。建筑工们又开始为孙丽坤拣烟锅巴。拣到那青年丢在地上的很长一截烟锅巴，有人惊呼："大中华！"它被青年的铁蹄给踏进浮泥里去了，手指头要刨一阵它才出土。

---

① "干崽"即高干子弟。

第二天那青年又出现了。建筑工们开始叫他"毛料子"。他还是一副匆匆路过的样子。这天孙丽坤没穿那件邋邋透顶的劳动布春秋衫，换了一件海蓝毛衣，尽管袖口脱了针脚，嘟噜出一堆烂毛线，毕竟给了她身体粗略的一点曲线。

青年骑了一辆车，飞鸽跑车，通体锃亮油黑，半点红绿装饰都没有。建筑工们让这辆跑车羡慕呆了，惋惜这么骏一匹马没备漂亮鞍子；换了他们，准让它披红挂绿，给它缠上二斤塑料彩线！青年一只脚支在地上，另一只脚跨在车上。人们注意到他那宽大的裤腿怎样给掖进牛皮矮靴，那清秀中便露出匪气来。青年抬手将帽檐一推，露出下面漆黑的头发。他们想如此美发长在男人头上是种奢侈。它不该是男人的头发。他戴着雪白的线手套，用雪白的手指一顶帽檐，气派十足，一个乳臭未干的首长。那个食指推帽檐的姿态从此就长进了孙丽坤的眼睛，只要她把眼一闭，那姿势就一遍遍重复它自己，重复得孙丽坤筋疲力尽。

青年这天和孙丽坤目光相碰了。如同曲折狭窄的山路上两对车灯相碰一样，都预感到有翻下公路坠入深渊的危险，但他俩互不相让，都不熄灯，坠入深渊就坠入深渊。建筑工们在他俩对视的几秒钟里看见美人蛇死而不僵蠢蠢欲动。她两个眼又在充电了。

一个三十来岁的建筑工一边对着沙坑撒尿，一边唱："管他麻不麻，只要有'欧米茄'。"

青年开口了，对撒尿的建筑工说："畜牲。"他声音软和，字正腔圆的北京话。

人都使劲在想北京话的"畜牲"是什么意思；人都懂它的意思却是不懂这听上去很卫生的北京腔。

"说哪个畜牲哟？"建筑工说。

"没说您，您不如畜牲。"青年平静冷淡。跟中央人民广播电台的广播员一样，每个字都吐得清洁整齐。早晚都刷牙的口齿才吐得出如此干净的字眼，才有这样纯粹的抑扬顿挫。

三十来岁的建筑工猫腰掬一大把沙石，对青年作出投手榴弹状。青年一动不动，单薄的眼皮窄起来。

"你试试。"青年说。

建筑工重新抓了更大一把沙石。尿濡湿的沙石更有热度和分量。他重新拉开投射姿势，却微妙地向后撤退。

"你要敢动明天这儿就没你了。你试试。"青年说。

不为人知的版本（之一）

孙丽坤快要忘掉那个被建筑工叫做毛料子的青年了。她有点慌，有点怕。她怕一忘掉他她眼下再没什么好事情让她去想。忘掉他她心里就没一块好地方了。过去，她心里净是好地方，如今一块块的都没了。不是她丢了它们就是它们丢了她。她的心里没那么大的地方，爱她的男人太多，她搁置不下他们全部，只有不断地丢掉。她不知道男人们被她丢掉后会对她干些什么，会说她些什么。知道她也不会跟他们计较。男人们爱她的美丽，爱她的风骚而毒辣的眼神，爱她舞动的胸脯，爱她的长颈子尖下巴流水一样的肩膀。爱她的和周恩来总理的合影。除了她自身，他们全爱。她自身是什么？若是没了舞蹈，她有没有自身？她从来没想过这个问题。她用舞蹈去活着。活着，而不去思考"活着"。她的手指尖足趾尖眉毛丝头发梢都灌满感觉，而脑子却是空的，远远跟在感觉后面。

她的心里尽是好地方。都没了。最辉煌的那些先没有了：领袖们怎样迈着八字步走到她面前，以他们暖和而干燥的手握住她的手，或倚老卖老地拉拉她的辫子，摸摸她的颈项，她全忘了。她怎样从国际列车上走下来，胸前别着奖章，少先队员冲上来一个兵团，给她献皱纹纸做的花，她忘得没了影子。她心里还剩些不太好的地方：她的自行车怎样被撞倒，她怎样摔得半个脸都是泥水，爬起来仗着雨衣和泥水的掩护和人比着骂："日死你先人！"比着用最形象最别致的词重复那桩先人为繁衍后人必须做的事。有个声音轻轻冒出来："她是孙丽坤！"回头望去，她看见一个十来岁的小女孩。小女孩如同眼看一尊佛像在面前坍塌那样，眼睛里充满坍塌的虔诚。小女孩是孙丽坤最后忘却的。

就在孙丽坤终于忘掉了青年的那个初冬的早晨，看守她的女娃进来了，手上的大棒给她端成了三八枪。

"孙丽坤，有人找你。放老实点——上面来的！"

她正让一根自制的烟卷熏得满脸涕泪，这时顾不上听女看守的训诫，一巴掌推开窗子，对建筑工喊："狗日的！……"

建筑工们看见她的红鼻子斜眼睛马上咕啊咕地笑起来。他们在给她卷烟时，往烟锅巴里掺了熏蚊子药。

"孙丽坤，严肃点！北京派人来调查你！"看守女娃用大棒叩叩被白蚁蛀空的地板。

"调——查嘛！"她说，音调拖得像个心满意足的呵欠。

"中央来的！"

"来——嘛！"她把脸搁在洗脸毛巾里应道。毛巾让污秽弄得坚硬，张牙舞爪悬在一根铁丝上。她"呼噜噜"地擤一把鼻涕，又用那铮铮如铁的毛巾好好在脸上锉了一锉。抬起头，她不动了。

那个青年背着手站在她面前。他背后是层层叠叠的败了色的舞台布景。他带一点嫌弃，又带一点怜惜地背着手看她从那污糟糟的毛巾中升起脸。她顿时感到自己这三十四岁的脸从未像此刻这样赤裸。她突然意识到他就站在《白蛇传》的断桥下，青灰色的桥石已负着厚厚的黯淡历史。

她不知咕噜了一句什么话，抑或道歉，抑或托辞，转身走进另一块布景搁置的小角落。完全是一个意外的下台动作。这种意外在孙丽坤的舞台历史中只发生过一次。那次她一上台就发觉少穿一层衬裙，追光打下来，她便是近乎裸体。她当时就那么一个即兴转身下了舞台。而此刻她并不知道自己即兴"下台"的动机是什么。一个如此的青年，出现在她如此荒凉的舞台上。如此一个意外，一个她无法认清却暗中存在的天大差错使她不得不猝然离开"舞台"，把那青年留在整个时间空间的"冷场"中。她此刻的猝然下台连她自己都意外之极。她进了一个他目光不能所及的角落，不是为了更衣修发，而是要彻底换一番精神容貌。她知道自己的精神容貌是丑陋不堪的，如同一具裸露的丑陋不堪的肉体。她站在角落的阴影中，茫目顾盼，寻找不出一个合宜的神态和面容。站了许久了，冷场不能再拖延下去。屋里的寂静已像催场的锣钹一样吵闹。她听得见青年在冷场中的困惑与恼火，听得见他在这冷场中打量整个舞台布局：窗台上已熄灭的烟卷，是用报纸卷的；那根斜贯空间的铁床上耷拉着枯藤般的乳罩内裤袜子，结痂的剩饭和那只大花便盆。她听得见他那貌似不动声色的打量。

她走出角落重新登场时非常地不同了。一种神秘的、不可视的更换就在那片阴暗中完成。她仍穿着海蓝色毛衣，袖口一堆缠不清的脱线；它仍是惨不忍睹地绷出她早已自由散漫的一对乳房。她仍穿着那条裤子，膝部向前凸着，给了她一副永久性的屈膝姿态。她却与猝然下台前不是一个人了。她那个已宽厚起来的下巴颏再次游动起来，画出优美的弧度。她的脸仍是那种潮湿阴暗里沤出的白色，神情中却出现了她固有的美丽。她原有的美丽像一种疼痛那样再次出现在她修长的脖颈上，她躲闪这疼痛而小心举着头颅。她肌肤之下，形骸深部，都蛇似的柔软和缠绵，蛇一般的冷艳孤傲已复苏。

青年为自己找好了座，为自己点上了烟，看她摇身一变地走出来。他下意识站起身。

看守女娃提一只竹壳子暖瓶进来，满脸通红地对青年说：水是鲜开水，茶是副团长拿来的；我们省出三样名产：榨菜、五粮液、乐山绿茶。首长见笑，茶缸洗了多少遭也洗不脱这层老茶泥。女娃赔着罪过给青年沏了茶。他说，别叫我首长，我们都是来自五湖四海。我姓徐。

女娃很乖地一偏头，徐首长。

徐群山。群众的群，祖国山河的山，他说。声音不壮，和他人一样，翩翩然的。

女娃看了走出角落的孙丽坤一眼，实在弄不清哪儿出了差错让她又好看起来。

就剩下他和她两人时，他一根指头一根指头地拔下白手套，露出流畅之极的手指线条。她从来没见过男性长这样修长无节的手指。楼下建筑工唱："……居委会为我们来放哨，党支部为我们扯皮条……"他和她都没转脸。一块土疙瘩射进窗口，落在桌上，没什么恶意地散碎了一桌。他只回头看看那一桌面的泥渣，她便也去看。她通常爱盘腿坐在桌上乘凉，与建筑工搭讪打诨，互掷东西。

她起身关上窗，掸净桌面。其间他问她答，讲了些等于不讲的场面话。她回到椅子上坐下，他问起她得国际奖是哪年。一九五八年，她回答。她看他在听她做简单陈述时手指尖动作。那指尖上轻微的烦躁让她不知怎样才能把这段背熟的"罪状"讲得生动些。他手指尖的焦灼让她感到他的满腹心事；他对一切的淡淡嫌恶和吹毛求疵。她说到她和那个老毛子男舞蹈家的艳遇时，他正将雪白的手套往桌上搁。他忽然变了卦，将它们拿直，微蹙眉头地定在那里，似乎不知该拿它们怎么办。

她眼睛看着他的眼睛。她再一次想，一定是哪里出了天大的差错。从来没有男性有这样的眼睛，这样来看她。

"别叫我首长，直呼其名吧。"他用圆润的京腔打断她的陈述，抑或忏悔，也打断她的审视。"叫我徐群山。"他递给她一根烟。她一时没听懂这么一口文明话。长如此一副手指，讲如此一口文明话。

她不知道再说什么。轮上他来审视她了。

官方版本（之二）

省文教宣传部负责同志：

　　四月八日收到下达的文件后（秘字00710016），我院立即召开了党员干部会议进行了传达。大家为我们敬爱的总理在呕心沥血操劳国家大事的同时，对一个普通演员如此深切关怀而万分感动。会后我们立即展开对徐群山的调查。大家一致反映，对这个自称"中央特派员"的人从一开始就有怀疑。尤其是执行看守任务的女专政队员们，一再表示她们对此人来历的警惕。她们向党组织表决心，一定尽全力提供徐某的细节，协助查清孙丽坤的病因。她们所提供的线索如下：

　　十一月二十日，徐某首次进入孙的房间，与其单独相处长达二小时零十分。据反映有人听见不正常的声音从室内传出。

　　此后徐某每天下午与孙单独相会二至二个半小时。显然此间两人发生了不正常的男女关系。

　　十二月二十六日，徐某驾一辆军用摩托带走孙，其间两人单独相处长达六七小时。据查证，徐与孙在省委招待所奸宿，进行了至少五小时的腐化活动。

　　十二月二十八日，领导小组一致通过决议：对孙进行妇科检查。孙本人一再拒绝，专政队女队员们不得不以强行手段将孙押解到省人民医院妇产科。检查结果为：处女膜重度破损。但是否与徐某有性关系，此次检查无法确定。

　　此致崇高的革命敬礼！

省歌舞剧院革命领导小组
一九七二年四月十日

民间版本（之二）

其实这一群看守孙丽坤的女娃是在事出之后才想出所有蹊跷来的。她们是在徐群山失踪之后，才来仔细回想他整个来龙去脉的。她们在后来的回忆中，争先恐后地说是自己最先洞察到徐群山的"狐狸尾巴"。说从最初她们就觉出他的鬼祟，他有什么不可告人的目的，他那种本质的、原则的气质误差，那种与时代完全脱节的神貌，那种文明。最后这句她们没说出口，因为文明是个定义太模糊的词，模糊得含有一丝褒义。她们同时瞒下了一个最真实的体验：她们被他的那股文明气息魅惑过，彻底地不可饶恕地魅惑过。事出之后，她们才真正去想徐群山那不近情理的斯文。他不属于她们的社会，她们的时代。我们轰轰烈烈的伟大的时代，她们说。他要么属于历史，要么属于未来。不过这一切都是事发之后她们倒吸一口冷气悟出的。那时已出了事：孙丽坤被谁也无法看清的东西一声不响地折磨一阵，那个岁末的清晨，她精神失常了。

在孙丽坤被送进重庆歌乐山精神病院之后，女娃们才想起所有的不合常规，不合逻辑。她们抽着冷气说从一开始就觉得孙丽坤落进一个诱陷，她们那是在说谎。若她们果真是在最初就意识到徐群山的诱陷，说明她们是跟孙丽坤一块陷进去的，只是带着警觉亦同时带着甘愿。什么都已太晚的时候，她们在心底下默默供认了这一点。她们还默默供认徐群山从形到神的异样风范给她们每个人的那种荒谬的内心感染，使她们突然收敛起一向引以为骄傲的粗胳膊粗腿大嗓门。

结局是不难意料的。歌舞剧院领导跟一层层上级沟通，最后确定没有徐群山这个人。从孙丽坤的精神失常过程也不难看出事情的逻辑：徐群山骗取了孙丽坤的感情和肉体，紧接着这份感情和这具肉体又被糟蹋了，如粪土一般丢弃了。对真实情形，孙丽坤本人一言不发。问她，哄她，她都又惨又傻地笑一笑。大家于是认为，那是心碎完了的人才笑得出来的一种笑。

女娃们拼凑着她们对整个事件的记忆，添许多旁白和想当然，说徐群山一来便和孙丽坤做起那事，门关得严丝合缝，门上的缝缝也盖上了《人民日报》。拿发卡把门缝戳开，第二天缝上又糊了层《红旗》杂志。她们都没提一个细节：徐群山每回来都从口袋抽出一条金色箔纸包的巧克力给当班的女娃，然后说："不必守在这里。"女娃们从来没见过这样贵重的巧克力，它象征着等级。她们听说芭蕾舞女王乌兰诺娃一天就吃一小块巧克力，别的什么也不吃；她必定吃的是一模一样的贵重的巧克力。

"其实很简单嘛，"女娃中那个讲话最有头绪、一贯执笔写大字报的小个子发言了，"孙丽坤就是个作风很乱的人嘛。没男人她过不得。你们都看到了？莫得男人她就跟楼下盖房子小工过嘴瘾。徐群山一勾引当然就把她勾引上了。惨就惨在孙丽坤这回动真心了。你们想嘛，名也莫得了，家也莫得了，架子就更莫得了。自然不像她原来跟人家逗逗好耍，要感情。这回孙丽坤什么都给出去了，给了个玩弄她的人。简单得很嘛。"

歌舞剧院的年轻领导人听小个子这么一总结，皱起眉点一阵头。过一会那个跳舞跳跛了腿的副团长说："周总理他老人家的秘书又有信来了，说歌乐山疯人院治不好孙丽坤的话，就把她送到上海去。看看财务处能拨多少经费，给孙丽坤打两套毛料衣服，至少'毛涤'，扯好点的料子。再给她烫个头。现在不是有理发店搞地下活动，给烫头了吗？孙丽坤现在这副人不人鬼不鬼的样子怎么见人？丢的不止是我们剧院二百多张脸，丢的是全省八千万人民的脸！万一总理的秘书去上海医院看她，还以为我们虐待了她。还要说我们糟践人才呢！"

后来听说总理的秘书真的去了上海，见了已基本康复的孙丽坤。孙丽坤给了张照片到省报，报上登了出来。她眼神再也不像从前那样风骚毒辣，笑容不卑不亢，似乎比得病前还正常。

据说她身边常有个探望者，抑或陪伴者，是个女孩子。医生护士只知道她是孙丽坤曾经的舞迷。

不为人知的版本（之二）

一九六三年五月九日　星期六　晴

我和同学五点半就跑到剧场门口，售票窗口挂了个"满"字大木牌，太失望了。其实除了我以外，她们都看过一遍了。我看过五遍，真好看！

一辆轿车开过来，停在剧场门口。我们都打算走了，一看车上下来的是演员。她们的南方话特逗！我觉得特好听。我们就站在台阶上看他们又说又笑又比画地走进剧场。我认出演许仙的那个演员，没想到他鼻子那么大！

最后下车的是白蛇。我们全都不说话了，盯着她看。她比其他女演员高，背挺得都有点向后仰了。她穿一条黑色宽大的灯笼裤，一个印度红毛衫，领子都快翻到肩膀上了。她真漂亮。真奇怪，怎么会有这么漂亮的一个人?!（写到这里，我脸红了，烫极了！）她长长的脖子一直祖露到胸口，那样的造型应该是石膏像！她的胸脯真美，像个受难的女英雄，高高地挺起。我真的想上去碰一碰她的……看看是不是塑像。我对自己有这种想法很害怕。

对了，她的皮鞋没系鞋襻儿，金属的纽襻随着她每一步发出"叮叮"的很轻的碰击声。本来这声音是不该被听到的，可是所有人都太静了，都看她看傻了。

我这些天的日记怎么总在写这件事呢？我一直喜欢舞蹈，可自从见了她的舞蹈，我觉得我不是喜欢舞蹈，而是喜欢产生舞蹈的这个人体。我是不是很奇怪呢？谁能告诉我，我这样是不是正常？

妈总说我不是个很正常的孩子。她说这话好像是夸奖我似的。我多希望我是正常的，跟别人一样，不然多孤立啊！多可怕呀！

不过小梅、李莉她们呢？她们看见白蛇不也是目瞪口呆的吗？我敢打赌她们跟我一样迷上了她，想去碰碰她的身体，就是她们不会承认，我也不跟她们去承认。我得把这本日记锁上，谁也别想看。

看看我自己已经发育的身体，我想到白蛇的。我的身体多可怜啊。我会长得像她那样吗？

一九六三年五月十六日　星期六　雨

我和李莉她们到最后也没等到退票。这是最后一场演出了，非进去不可！

白蛇忽然出现在我们面前。她已经化好了脸，长睫毛跟羽毛扇似的！她像在接谁。等了两分钟，她看看表，就要进去了，跑上来一个男的，两人使劲握手。不知道谁领的头，我们七八个人一块嚷起来："白蛇阿姨，带我们进去吧！……"我们翻来覆去就这么冲着她嚷。她根本不搭理我们。快要走进剧场了，她回过头对我们笑起来说："我只能带你们一个人。"她的南方话特好听，把"一个"说成"一锅"。她看看我们七八张脸，指着我说："你刚才乖，没有喊，我就带你进去嘛。"

我的朋友全都成了叛徒，嚷嚷："她看了五遍了！"

她领我到后台。我看一下手表，她眼睛瞪大地说："这么小个男娃娃戴手表啊！"

我说："我不是男娃娃。"

她把我使劲看着，说："那你头发这么短啊？游泳头是不是？"然后她就让我自己找地方看戏，她要换衣服了。我躲在侧幕条后面看了一会儿，被人轰走。终于在观众席最后一排找到一个空座。台上正演到青蛇和白蛇开仗。青蛇向白蛇求婚，两人定好比一场武，青蛇胜了，他就娶白蛇；白蛇胜了，青蛇就变成女的，一辈子服侍白蛇。青蛇败了，舞台上灯一黑，再亮的时候，青蛇已经变成了个女的。变成女的之后，青蛇那么忠诚勇敢，对白蛇那么体贴入微。要是她不变成个女的呢？……那不就没有许仙这个笨蛋什么事了！我真讨厌许仙！没有他白蛇也不会受那么多磨难。没这个可恶的许仙，白蛇和青蛇肯定过得特好。咳，我真瞎操心！

明天起，我再也不去想白蛇。我怎么连做梦也会梦到她？我怎么回事呢？马上要考试了。我得记住，我是共产主义接班人。我必须做一个正常健康的接班人。

不为人知的版本（之三）

徐群山以两根手指从大衣口袋里夹出一盒烟，中华牌。他以尖削的小指挑开封条，然后银色的锡箔纸。他忽然降低了脸闻了一下香烟。孙丽坤接过他递来的一根烟，见他捺燃了打火机，慌忙把脸凑过去，很近地向他猛一抬眼睛。

他说起她的舞蹈。"我很小就看过你跳舞。"他不说好还是孬。他说那是好多年前的事了，她插嘴说那是哪辈子的事了。他好长时间不讲话，然后说，她还是那样子，没变。

她说，变喽。

他说，你真没变。第一眼我就认出你来了。他心想，尽管你什么都没了：地位，形象，青春，自尊。他说，我一眼就认出你了，那天在你窗下。他笑起来，微微咳嗽。

她一下迷恋上他咳嗽的样子：一只手握成空拳轻轻抵在嘴唇上。那种本质中的羸弱和柔情泄露了一瞬，就在那咳嗽中。已经想不起来，这年头谁还会这样清雅地咳嗽。

"你要调查我啥子嘛？"

"现在我还不能告诉你。"

"我都不晓得自己有啥子给人家调查的。"她略撅起嘴。多年前男性对她这副娇憨模样很买账的。她看不出他对此的反应。"有啥子好调查吗？"她把身子重心移到一条腿的支点上，伸出另一条腿，绷紧脚尖。腿在他眼前升高，一时间不再像腿。它似乎在无限延伸，长而柔韧。一种不可思议的生命在那腿上苏醒舒展。这有灵有肉的腿使那不成形状的裤子蓦然消逝了一般。她悠然地说，我能有什么值得你们调查呢？一个跳舞的，十多岁就进了舞蹈学校。写封信要跑到宿舍走廊上十几回，逮到谁问谁：什么什么字怎么写？文化都莫得，我有什么反动思想？写反省书认罪书翻烂了一本字典。不写那些，我还真学不到那么多文化。她就这样看着腿在空中游动，说着。我比人家都苦，十多岁了我睡觉还把一条腿绑在床架上。人家两条腿撕成"三点一刻"，我撕成"十点十分"。你看，那些苦都长到它里头了，不会消退了，她看着腿说。像母亲看自己漂亮却残缺的孩子。

你为什么没结婚？他忽然问。

还没结嘛。她答，不求甚解地看他一眼。见他不讲话，她又接着刚才的话尾絮叨下去。我哪有童年，少年；我的童年就是一块糖分五次吃。没钱，也怕胖。

你就没爱上过一个人？

恐怕有过吧。她低头看着自己另一条腿，又说，我不晓得。你要我交待这些呀？

他说随便谈谈，不一定要像审问和被审。我不是来审讯你的。他也去看她的另一条腿。它有了它自己的想法和意愿，弹动几下，又跷动几下，出现了一个哑语般的暗示。他看傻了。她看见他看傻了。

我真不晓得。她笑起来，露出细密整齐的牙齿，天生的晶莹。

他一动不动的手指上，已是第三根烟了。烟像庙里供香一样烧它自己的，他几乎不去吸，烧下白白一大截一大截的灰落在他手底下那个土陶的小碟里。它是她用来盛辣酱的。酱干了，剩一些深红的疤痕。到处能看见一个无心绪活着的人的无心绪。

"看了你的材料。"他说。

"看了我写的那些？四百多张纸？他们给你看的？"她脸红了，红色深起来。两腿的表情消失殆尽。

他说是。他没说，那四百张纸老是讲的同一回事，一次比一次讲得详尽。人们要她讲所有细节。她跟那个捷克舞蹈家仅仅三天的腐化堕落经过，谁先解裤腰带的。人们认为这很有必要追究，因为谁先解裤腰带关系到哪个国家先逾越国境的国际政治大事。由于孙丽坤一再地想不起谁先谁后，所以她被一关两年，人们这样告诉年轻的徐首长。中苏边境一干起仗来，孙丽坤就更严重了，有国际特务之嫌了。于是解裤腰与否就远不止事情本身那点罪过了。

她说："祖国人民派我代表中国人民，他代表捷克人民嘛。我俩编排了一个双人舞嘛。三天三夜都在练舞，不晓得咋个就……这种事情，咋个说得清？你说得清不？"

孙丽坤说到此抬起头，闯了大祸却完全无辜。她看着这个年轻的徐首长，充满无世故者的苦恼。

徐群山在离开她之后一再想起她这副样儿。可以断定这个感觉成熟到极点的女子智力还停留在孩童阶段。她的情感是在她知觉之外的，是自由散漫惯了的。她谈到一次次艳遇就像谈一次次演出：全身心投入，每场虽有即兴发挥，大部分却是规定动作。她不意识到她已舞蹈化了她的整个现实生活，她整个的物质存在，她自己的情感、欲望、舞蹈。舞蹈只有直觉和暗示，是超于语言的语言。先民们在有语言之前便有了舞蹈，因它的不可捉摸而含有最基本的准确。他在孙丽坤灌满舞蹈的身体中发掘出那已被忘却的准确。他为这发掘激动并感动。在那超于言语的准确面前，一切智慧，一切定义了的情感都嫌太笨重太具体了。那直觉和暗示形成了这个舞蹈的肉体。一具无论怎样走形、歪曲都含有准确表白的肉体。徐群山知道所有人都会爱这个肉体，但他们的爱对于它太具体笨重了。它的不具体使他们从来不可掌握它，爱便成了复仇。徐群山这一瞬间看清了他童年对她迷恋的究竟是什么。徐群山爱这肉体，他不去追究它的暗示，因为那种最基本的准确言语就在这暗示中，不可被追究。

不为人知的版本（之四）

一九七〇年三月三十一日

早晨起来时，炕早凉了。水缸里只有一层沉淀的黄泥。我喝这黄泥浆有半年了。他妈的够了。

得去挑水。村里人从开始就没帮我挑过水，他们帮那两个太原来的女学生挑水暗算着哪天能把她俩挑进他们的窑里，挑到他们的炕上。他们可不想挑我。我在他们看起来是个怪物。生产队长叫我去修梯田的时候眼里一点儿"意思"都没有。这可真饶了我。还得把头发再剪短些，队长，大队干部就更没我什么"意思"了。怎么行了我这么大个方便。

我拒绝修梯田去。根本上说，我拒绝"修地球"。我得想法儿弄个肝大脾大淋巴大的医生证明。

还是得起床，还是得吃。吃了两块昨天的冷红薯，从里到外地冷。翻衣服穿，翻出我大哥给我的那身将校呢军装。我把它穿上，扣上帽子，在洞里晃悠两圈。不行，还得挑水去。

出门碰上李小莲，劈头盖脸的，问我什么时候走。参军去啦？特种兵吧？瞅你这身军装也不是一般的兵！

我说明天就走。

她要能混上这么身军装她非在全村子游行庆祝。她说你小子可真能保密。当了"五好战士"别忘了照个大相片给咱寄回来。

我说那还有错。

她说你一参军就剩下我和张萍两个知青了。

我心想我不走也只剩你两人。队长、书记请吃猪头肉喝二锅头的时候他们那炕桌上从来就剩你两人。

挑两个半桶的泥浆回到窑洞，碰上上工的人都跟我说当兵好啊，一当就当毛料子兵。

就这么简单？把《红旗》杂志的封皮儿套在我存的那些电影杂志外面，我读的就是《红旗》杂志；把《毛选》的封皮套在《悲惨世界》外面，《悲惨世界》就是《毛选》，毛料子军装一下就把我套成一个高人一等、挨人羡慕的毛料子特种兵。不好下台了。明天脱下这身军装，谎言是不能脱掉的。

我得走。让他们看着我穿着毛料军装从这村里永远走掉。

我得回北京。让谎言收场。

一九六九年四月二日

收拾行李。真像是壮士一去不复返。全村的人都上我这儿来拾破烂。边拾边说当兵多带劲儿。

东西全给他们拾去，只剩书和杂志。我可不想这帮人拿《悲惨世界》去上茅房、糊窗户、剪鞋样。我可不想那张褪色的白蛇剧照给他们贴到土墙上叫它"妖精"。我得把它们带走。从十二岁起，我走到哪儿就把白蛇带到哪儿。

火车开到定襄上来许多人。我坚决不睁眼，让乡亲们认为我睡死过去了。还是有人踢我说，大兄弟你看这位大嫂撅着八月大肚子。

第一次听人叫我大兄弟。跟《红旗》杂志、《毛选》一样，外皮儿是关键，瓤子不论。我十九岁，第一次觉得自己身上原来有模棱两可的性别。原来从小酷爱剪短发，酷爱哥哥们穿剩的衣服是被大多数人看成不正常起码不寻常的，好极了。一个纯粹的女孩子又傻又乏味。

原来我在熟人中被看成女孩子。在陌生人中被当成男孩；原来我的不男不女使我在"修地球"的一年中，生活方便许多，也安全许多、尊严许多。这声"大兄弟"给我打开了一扇陌生而新奇的门。那门通向无限的可能性。

我是否顺着这些可能性摸索下去？有没有超然于雌雄性恋之上的生命？在有着子宫和卵巢的身躯中，是不是别无选择？……

我轻蔑女孩子的肤浅。

我鄙夷男孩子的粗俗。

无聊的我。怪物的我。把位子让给理所当然的大肚子大嫂子；我对她那妊娠斑布满的脸一阵凶猛的恶心。

只好又翻翻随身行李中的书。那页白蛇的插页停在我眼下。她总被这样不客气地瞅着。你在哪里？……

不为人知的版本（之五）

孙丽坤这天下午两点钟打开灯。冬天的布景仓库黯淡得任何物质都失去了阴影。她把灯线牵到合适的高度，让灯光忠实地将她的身形投射在一面粉墙的布景上。没有镜子，她只能用灯光投影来端详自己。她这样做已近一个月，眼看自己的身体细下去，轮廓清晰起来。又是苗条超拔的她了。每天半夜她偷摸起床，偷摸地练习舞蹈。这时她从投影上看见舞蹈完全地回到了她身体上。所有的冗赘已被削去，她的意志如刀一般再次雕刻了她自身。她缓缓起舞，行了几步蛇步。粉墙上一条漫长冬眠后的春蛇在苏醒，舒展出新鲜和生命。

活到三十四岁，她第一次感到和一个男子在一起，最舒适的不是肉体，是内心。那种舒适带一点伤痛，带一点永远够不着的焦虑，带一点绝望。

徐群山每天来此地一小时或两小时。她已渐渐明白他的调查是另一回事。或者是它中途变了性质，不再是调查本身。他和她交谈三言两语，便坐在那张桌上，背抵窗子。窗外已没有"美丽的姑娘见过千千万"之类的调情。那歌声不再唱给一个紧闭的窗子和又变得望尘莫及的女人。他就坐在那里，点上一根烟，看她脱下棉衣，一层层脱得形体毕露。看得渐渐动弹，渐渐起舞。他一再申明，这是他调查的重要组成部分。

她的直觉懂得整个事情的另一个性质。她感到他是来搭救她的，以她无法看透的手段。如同青蛇搭救盗仙草的白蛇。她也看不透这个青年男子的冷静和礼貌。她有时觉得这塞满布景的仓库组成了一个剧，清俊的年轻人亦是个剧中人物。她的直觉不能穿透他严谨的礼貌，穿透他的真实使命。对于他是否在作弄她，或在迷恋她，她没数，只觉得他太不同了。她已经不能没有他，不管他是谁，不管他存在的目的是不是为了折磨她，斯文地一点点在毁灭她。

她直截了当地问过他，你家里有谁？父母，姐妹，兄弟？

他也直截了当，说：都有过。我是家里老小。我两个哥哥都是哈军工的优等生。姐姐妹妹不值得提。我什么都有，钱，权力，书，奉承。我有手枪你信不信？你说什么吧，我都有。我会弹钢琴和吹长笛。我把我家钢琴键子后面的毡子全撕了，听起来很古老。我喜欢读《资本论》和拜伦。毛主席诗写得不错。他的一些不着边际的批文最妙，充满人格的力量。特幽默。你现在知道我是谁了？窗外来光使他方正的军大衣肩膀盛气凌人。

"你二十岁？"

"二十岁。"他一笑，"早晨八九点钟的太阳。"

"这么年轻怎么当中央特派员？"她尽量不表示狐疑地问。

"脑子不年轻。"他弹弹烟灰。

"有很多很多女朋友吧？"

"有很少很少女朋友。"

她总是一边舞一边谈。半辈子她都这样谈话，不然她觉得她的话完全不连贯。她脱得只剩一层尼龙紧身衣，到处有窟窿。她颈子和腿盘成环，形成不可思议的螺旋。屋内所有的布景在冬季霉潮中发出气息来。绘景前涂在帆布上的猪血渐被潮湿溶解，从尘封的历史，从忘却和遗弃的阴暗里游出腥味。徐群山和孙丽坤都唤着这股复苏的血腥，并不想追究它的来源。气味不止这些，还有滚热发黏的体温的气息，以及舞蹈者的脚汗气味。

这些浓浑的气味使盘环的肉体逐渐演变，化为逼真的美人蛇。徐群山看到这里，总被激情和惊讶呛得微微咳嗽；那样以一只轻握的拳头抵住嘴唇，很斯文地咳着以掩饰那内脏的震动。

她说，哪天你走了，就再也不来了吧？

他说明天就是最后一天。

调查完了？她问。

他说，完了。他眼珠清澈而无底，如同最深的井。她收住了姿态，浑身坍塌地站立着。

明天是最后一天，她重复，我比你大好多岁，她没头没脑地说。

他的皮靴"咯噔"一声着地，走到她面前，抬起手。她不知他抬手干什么，直觉让她把自己整个肉体送上去。他却拉住她的手，说明天见。他飘摆着呢子大衣阔步走了，像某个剧中某个少年统帅。

她整整一夜都在温习他的手留给她的丝绸感觉，那柔软凉滑的丝绸感觉。她从来没触碰过这样小巧纤细的男性的手。那手背，那手掌，那流动的手指。她确信他会弹钢琴，会吹奏长笛，有那样的手！明天是最后一天。末日来了。

她一夜未睡想着她的末日。从没见过比徐群山更男子气的男子，也从未见过比他更温婉的男子。她却知道末日就是末日，自己一点指望也没有。她想起他每一瞥目光，每一蹙眉头，每一个偶尔的笑。她怎么会够得上这样一个人？过去没了，未来也没了，只有一堆岁数一堆罪名。

她爱上了这个穿将校呢军装的青年，在末日的除夕。她直觉早已感到他不止他本身那些层次。他的表层已经很不凡了，那么优越、少年得志、儒雅的猖狂。他那两根又黑又长、难得动容的眉毛，还有他那双常会烦乱的手。她冥冥中知觉他不止这些，不止他本身。他来此不只要搞什么案情调查。他另有使命。可能仅仅为了接近她。他却从来不像任何她经历的男人那样，浑身散发刺鼻的欲望。名叫徐群山的青年从来、从来不像他们那样。

最后的这天下午，她照着自己的影子。影子只有十九岁。影子不像五官和脸容，会褪色。在这个灰色潮湿的冬季的下午，她要好好收拾一番自己，好好度这个末日。她在这一个月里消瘦了。她消瘦得看守她的女娃们也不安起来，开始嘀嘀咕咕地议论，她一天天蜕变，一天天恢复原形，连她自己在看着这个完美的投影时也有些惊惧：它是她十九岁留下的投影，高高束起的发髻，与她昂起的下巴形成工整的对称。

三点整，门叩响了。孙丽坤说，进来嘛。徐群山没穿马靴，也没穿呢大衣，人一下子单薄了许多。他穿双灯芯绒的布鞋，无声无息地走近她。

她庄重得打抖，脸色煞白。她上身是件印度红的毛衫，领子几乎担到肩膀上。它很旧了，某些部位有虫蛀的洞眼。她为自己刻意地收拾打扮发窘。她的岁数全在表层，她一点也没瞒什么。像印度红的毛衫，略略的破旧使它格外可人。

"坐吧。"他说。貌似平常地用脚钩过椅子，使椅子跟椅子之间有一个正常距离。令人自尊的分寸。

她坐下来，有些无力。

"你明天真不来了?"她问。

他笑笑。笑她这话问得极蠢。笑她好绝望好绝望的脸。

她说，你要是天天来，我给关在这里一生一世，也没意见的。

他没答话，也没觉得她说这话不知天高地厚，无耻。他就看他的香烟在她脸前缭绕。沉思和沉默在这一会非常的美味。

她也不吱声了，也看着那蓝灰色的烟。看着两人的思绪在烟里翻来覆去。无望也显得美味。她知道这沉默结束，一切都结束了。他和她，结束就在这沉默的那一头。

这样的静，连他们散散乱乱的思绪情绪都能被听见。烟的翻滚也有了声响。

铺天盖地的布景散发出猪血回暖的腥气。舞蹈者痛苦的舞步就在脚汗的浅浅臭味里。徐群山忽然开口了。

"我很小就看过你跳舞。"

孙丽坤吓一跳，为什么他又来讲这个。

"那时我才十一二岁。"

她想，他都讲过这些了，为什么又来讲。

"跟走火入魔差不多。"他说着，像笑话儿时的愚蠢游戏那样笑一下，借着笑叹了口气。

她在想，他为什么又讲起这个。

然后他就又进入一段沉默，眼皮垂下。敏感冷傲的单眼皮。他那冷冷的情调让她爱得满心作痛。

沉默一点一点绷紧，像根弦，要断了。

她突然说，你带我走吧。眼泪在她眼圈里形成个闪亮的环，转来转去。你带我走吧。她身子向前倾，两个支在膝盖上的手捧住她尖削的下巴。她把自己弄得很低，向他仰起脸。那姿态是个女奴。她上仰的小小秀丽的脑袋像一颗雌蛇的头，由于吃力地仰起，那没有一根碎发的脑门上聚起一组又细又密的皱纹。

徐群山的布鞋悠悠晃着，说："我是要带你走。"

她没问去哪里，去干什么。她在想，不会有好结果的。她在他平淡的神态里已找到了她要找的，她一直在找的东西。阴谋？他清瘦光洁的脸那么年轻，某种阴谋却使它僵硬，毫无生气。

他说他已经和歌舞剧院的领导们打了招呼。

他说他们已经同意了。她眼睛松弛了，不想再看透那个阴谋。她正在把那难以驯服的坚硬的毛巾从铁丝上扯落，包起那个秃得相当彻底的牙刷和一把黑塑料梳子。黑梳子的齿缝里是灰白的泥垢。她把这些东西塞进一个皮包。二十年前买的一只包。谁都会在这时涌上一阵爱怜：这是个什么都不讲究的女人，除了舞蹈，她什么都不和这个人间计较。

"不必带那些东西，都准备好了。"徐群山说。

她小孩子一样信赖地茫然地又把旧毛巾秃牙刷扯出来，以讨好卖乖的神态看着他。她在想：都准备好了。准备好了？

果然没有人阻拦他们。看守的女娃在楼下捧着个大茶缸子吃从街上面摊买来的面，吃得一脑门的汗。她见年轻的徐首长领着孙丽坤过来，机灵地闪开路。徐群山一手插在裤袋里，另一只手随意而神气地摆动。怎么看他都是个首长。他以那只摆动的手一挥，指向停在垃圾箱边上的一辆摩托车，说：上去吧。

她迈进跨斗，坐下来，他将那件呢大衣扔给她。那一扔的随便和准确说明了那份已成为自然的关切。

摩托车启动的轰鸣声中，跑来七八个女娃，都认为孙丽坤这回给逮走可不是业余的了。

冬天的黄昏，麻雀一排一排呆立在电线上。人们缩头缩脑地走着。成千上万的自行车蒙着灰尘在大路小路上灰溜溜地前进。她不知道这是几月几号，星期几。她看见澡堂门口站着排队的人，三个十八九岁的女兵在无声息地谈笑。徐群山从小路驶到大路，又驶到环城路上。城市像个画错的棋盘。他带着她，没有出路。他也陷进自己设置的迷魂阵。

他大声对她说，你很久没到外面来了！

她明白他在带她兜风。她也明白他在下最后的决心向她亮底牌。

她跟他说：看那个卖茶蛋的老太太！我在舞蹈学校的时候她就在这卖茶蛋。那时茶蛋五分一个，还没有臭的！那个糖果店原来是个修鞋铺！这家裁缝店原先没这么大！

幽暗的城市景观和在风中灌进她的眼睛。风一点不硬，像城市一样陈旧。贴在各种墙壁上的大字报到处绽裂，整个城市由此而显得褴褛。

她知道他在拿出决策来之前要让她逛够。

在一个小油灯前，他停下车。如此的小油灯组成了这个城市夜晚唯一的繁华。小油灯下往往是些白天从来不见的食品。小油灯从几个世纪前燃过来；不管战争与和平，不管谁上了政治舞台谁狼狈谢幕，不管孙丽坤辉煌还是孙丽坤落魄，它都一样稳稳地亮在那儿，映照着那些不知来路的物品。商贩和顾客也都没有来路。

小油灯下，她竟然看见几串指头粗的香蕉。好多年没见香蕉了。她瞪大眼半张嘴见徐群山从口袋里搜出钞票。硬币。他把小油灯下的东西扫荡了。她看见他不耐烦地、轻蔑地等待贩子点数那堆数也数不清的钱。每一个香蕉值她三天的伙食费。

香蕉带着腐烂前的酒糟味，里面竟还是香甜的。他催促她吃，她挑了一个最有形状的剥开给他。他嫌弃似的笑笑，三两口把它塞进嘴。从口袋掏出雪白的一方手帕擦擦手指，像是他刚碰过脏东西。他将手帕扔给孙丽坤，跨到摩托座位上。她爱他这一系列动作的每一个环节。

在通往郊区的公路上驶了十分钟，摩托车停在一个招待所院子里。她曾经常来此地。它保存着一些领袖们和伟人们住过的房间。有些领袖成了国家和人民的敌人，有些带一堆罪状死去，这些房间便尴尬地空在那里，直到人们将它重新粉刷，除净它所有尴尬的历史。

一小时之后，孙丽坤在浴缸里泡澡。她很久没洗过真正的澡，最多是就着一桶水用洗脸毛巾搓一搓身上的泥垢。她浑身泡酥，心一直向上浮。她已泡得微微头痛，有一点恶心。她还是不肯起水。听得见他在客厅翻报纸的声音。他坐在官派十足的淡蓝色巨大沙发里读报，偶然清一清嗓子，或掀开杯盖呷一口茶。她听见一个服务员进来送开水。她觉得她连他翻报和呷茶的声音都爱。声音引起她从来没有的渴望，去和一个人结合去永久结合过生活的渴望。她知道这渴望的卑贱，以及它被粉碎的前景。她全身的毛孔都含有那直觉。只待证明的是，一切将怎样被粉碎。这样一个情形——他在客厅里读报，她在一墙之隔的浴缸里昏昏欲睡——这情形形成了一个最温情的生活局面，她不能想象世上还有比它更饱和的温情。

她从浴缸里跨出来。很久没照镜子了，她不太敢看自己在镜子中陌生的脸。她乖觉地穿好衣服，一面梳着湿头发。早已想好，她要好好来度她和他的末日。

徐群山从报纸上抬起脸，看见她洗得太彻底的脸孔如同新长出的嫩肉，动一动它就要破裂。她一下一下梳着头发，等着他下一步指示。

茶几上放着铜色的香蕉，古董一样珍贵。旁边有个录音机。他说他找到了一盘《白蛇传》中的一段音乐。一支媚态的二胡独奏，呜啊呜地慢慢哭了起来。音质不好，音乐不干不净，真的像哭。

她翘起下巴，听。就像照镜子，她不太敢听它。是白蛇哭的那段独舞。许仙被化了蛇的白娘子吓死之后，白蛇盘绕在他的尸体上，想以自己的体温将他暖回来。

"我很小就看你跳这段舞。"徐群山从录音机上抬起脸。他坐在沙发边缘上，两脚一前一后，不是惯常的架着二郎腿。

她觉他这个坐姿古怪、荒谬，像穿了太窄的裙子。她下意识地拿起茶几上的半盒烟，又胆怯地把它搁回去。她看见什么东西非常沉重又非常荒谬，就在他黑而长的眉梢上。

徐群山拍一拍他身边的沙发，问她敢不敢坐到那里去。他在开她玩笑，其实半点玩笑也没有。他拍沙发的邀请随意、自在、无所谓。好像说，你要真敢，那就是自找。只有她那舞蹈者的直觉知道他之不随意、不自在，他的吃力和僵硬。

她坐下去，却没把分量沉下去。她两条腿强有力地控制着她的下陷。它们绷直，呈出每块肌肉的形状。他的手，伸过来了，抚摸她的头发，指尖上带着清洁的凉意。那凉意像鲜绿的薄荷一样清洁，延到她刚在澡盆中新生的肌肤上，她长而易折的脖子。

孙丽坤向他转过脸。这一瞬人和畜都一律平等；老和幼、男和女都绝对平等。无声地，她用人和畜平等的无词无字的语言告诉他，她是他的。

她比他年长许多，这样一个事实也在那人畜平等的无言中消失了。

将来她回忆起来，会清楚地记得，是她自己解开第一颗纽扣的。她脱下年代悠久的印度红毛衫，给出去她肉铸的舞蹈者雕塑。

任她去否认去拒绝看清真相，真相还是渐渐显形了。真相在逼过来，在质感起来，近得可触。她的半生半世中，没有任何事物存在真相——舞蹈的真切在于缺乏真相。

她却怎样也避不开了，怎样不想看清它都不行了。太晚。满舞台的误差，没有机会挽回。冥冥之中她知觉的那个原则的差错已在她的识破中。

她这三十余天三十余个夜晚，每分每秒砌起的梦幻砖石，她竟不可依靠上去。那夜夜练舞，那自律节制，那只图博得一份欢心的垒砌。竟是不可倚上去。

徐群山清凉的手指把她整个人体当成细薄的瓷器来抚摸。指尖的轻侮和烦躁没了。每个椭圆剔透的指甲仔细地掠过她的肌肤，生怕从她绢一样的质地上钩出丝头。

她闻着将校呢军装淡到乌有的樟脑味和"大中华"烟味。毛料的微妙粗糙，微妙的刺痛感使她舒适。她可以在那貌似坚实粗糙的肩膀上延续她的沉溺。她一再阻止直觉向她告密。

一切却都在逐渐清晰。一切已经不能收拾。

她揭下那顶呢军帽。揭下这场戏最后的面具。她手指插进他浓密的黑发。那么长而俊美的鬓角，要是真的长在一个男孩子脸上该多妙。

徐群山看见她的醒悟。看见泪水怎样从她心里飞快涨潮。

她的手停在他英武的鬓角上。她都明白了。他知道她全明白了。但不能道破。谁也不能。道破他俩就一无所有。她就一无所有。

梦要做完的。

三十四岁女人渴极了的身体任徐群山赏析、把玩、收藏。

眼泪从她眼角流出，濡湿徐群山那该属于美男子的鬓发。

"我很小的时候就特别迷你。"他尽量不露声色。把角色演完吧，"十一二岁那年。"

她听这句话已经听得要疯了。没有这句话，整幕丑剧是不是没有主题？没有这句话，整张无心而经意编织的网是不是就没有缘起？从泪水里看去，那张男孩气的俊秀面容中仅有一点点邪恶和狰狞。她已给了出去。她顾不上作呕。只为一切结束前，只为末日完美地逝去前一切就露出谜底而悲伤。

官方版本（之三）

S省革委会保卫部：

经过北京市公安局全体同志的努力，尤其是户籍部门全体同志的连续奋战，在短短两个月时间内，查出：宣武区有一名徐群山，六十五岁，退休小学教员。海淀区有一名徐群山，八岁，男，玉泉路第二小学二年级学生。东城区有一名赵群山和一名乔群山，均为十八岁，男，从未离开过北京。西城区有一名徐群珊，我们对其做了较详细的调查。徐之父亲徐东森为我国重要国防科学家之一，所从事的研究项目为国家一级秘密。徐东森于一九六九年偕妻子李茹思迁入三线，负责一项保密科研项目。徐群珊于一九六八年底插队山西，一九七〇年被病退回北京，随后便出没无定。据说徐组织过腐朽的地下音乐会，演出西方资产阶级音乐作品。徐涉足的地下读书俱乐部也被街道居委会勒令解散，因为所读的书全是《安娜·卡列尼娜》、《包法利夫人》之类的黄色淫秽书籍。徐的同伙中有因私刻公章、盗用军用车辆而被捕者，但因是青少年犯罪，我们主张以教育监督为主，交与街道委员会及群众专政组织看管。至于徐本人是否直接参与到以上犯罪活动中，我们还在做进一步调查。徐于一九七〇年底去S省西昌一带，探望在三线搞国防科研的父母，对于此后徐的活动，了解者甚少。根据所掌握的情况分析，我们的结论为：徐群珊与诈骗者徐群山无关，因为徐群珊是女性。

我们一定继续加强革命警惕性，牢记伟大领袖毛主席的教导："念念不忘无产阶级专政"，深入调查，争取尽快将诈骗犯"徐群山"捉拿归案，以维护我们伟大的社会主义祖国的革命秩序。

此致崇高的革命敬礼！

北京市公安局

民间版本（之三）

据说住一百六十号病床的那个中年女人老早是蛮有名气的演员，跳舞的。人们眉来眼去，说，哦，跳舞的。叫什么？姓孙吧？好像是。拍过电影的！哦，拍过电影的。没听说过。现在跳舞有名的就茅惠芳、薛菁华。

据说她天天天不亮就爬到楼顶平台上，把脚放到头顶。难为她了，这么一把岁数。

据说，有天早上值班护士哇啦哇啦朝楼顶上喊："一六〇床，下来下来，有人找！"

这位叫一六〇床的女人跑下来，面色马上白掉。护士指给她看那个坐在她床上的一个女孩。也不算什么女孩了，有二十好几了。姓孙的是外地人，从来没有亲眷朋友来看她，从来也不跟病房里的人多搭讪。来一个人探她病，她激动得面孔也白掉！她叫她"珊珊"，她叫她"孙姐"。那是后来人家听到她俩这样叫的。

最早一六〇床是蛮怕她的样子。女孩子长得不太好看，头发短得不男不女，走路扛着方肩膀，穿一件深蓝毛料列宁装。这个年头还有人穿列宁装？不是古代人吗？料子不错的，是刚解放英国人布行里的那种哔叽。

这个叫珊珊的女孩就天天来看她，常常同她到楼后面那块草地上，摊开一块塑料台布，摆出火腿罐头、凤尾鱼，两个人一人坐一块砖头，在太阳下吃。这种好东西很多年都没见过喽。两人亲热得不得了，在院子里散步常常勾肩搭背，要么手牵手。

这个叫珊珊的女孩子来了两三个礼拜，闲话就有了。说她们俩相互看的时候，眼光不对，像男人女人那样的眼光；笑也笑得不对，讲话声音也不对。有一回一六〇床在睡午觉，这个叫珊珊的来了，轻手轻脚坐在床旁边，一直盯牢她看，像有毛病一样，不知羞耻。

据说同屋子的七个女病友都怕起来，都不敢在她面前换衣裳。

有一天晚上，大家到医院礼堂去看电影，芭蕾舞《白毛女》。她们俩看到一小半立起来就走了，椅子给翻得啪啪响。珊珊嘴里咕噜着北京话："什么玩意儿。"她那"儿儿"的舌头听上去蛮横，还傲慢。据说两人手挽手出了礼堂，去了那片停尸房旁边的树林子。她们两人常去那个树林子。这件事引起大家注意了。

终于有人觉悟了：这个珊珊说不定男扮女装！两个人到小树林子里面搞腐化去了！

这天三个护士带着六七个基本康复的女精神病人，把珊珊劫到女厕所里。据说六七个女人在护士指使下，以疯卖疯，有的撕衣有的扒裤有的浑身乱抓，抓摸出的结果是：叫珊珊的人是个确切无误的女人。

再往后大家对她们俩丧失了兴趣。再亲密、再钻小树林都没看头了。女人和女人有什么看头？

一九七四年冬天，一辆红旗轿车接走了一六〇床的舞蹈家。很久以后护士们才贼头贼脑地咬耳朵：那天的红旗牌是总理秘书派来的。原来这个半老徐娘孙丽坤真的著名过。早知道该待她好一点。

不为人知的版本（之六）

还是那个晚上。她体内的痉挛一阵小于一阵。她突然意识到自己还裸露着。她想跳起去抓摊散一地的衣服，同时悟到：既然这里没有异性，她还有什么必要遮掩自己？接着一个相反的醒悟闪出：既然面对一个同性，她还有什么必要赤裸？赤裸是无意义、无价值的，是个乏味的重复。走进公共澡堂子，在成堆的同性肉体中，在那些肉体的公然和漠视中，她个体的赤裸化为乌有。她苦思一个同性的手凉飕飕地摸上来意味着什么。她苦思什么是两个相同肉体厮磨的结果。没有结果。她对不再叫徐群山的年轻的脸啐了一口。

她的苦思没有出路。像她待过的一个个精神病院，所有的出路都被堵死。

徐群珊，徐群山。前前后后她已得到解释：一个女孩倾倒一个美丽的女舞蹈家，不是很可理喻的吗？她告诉女孩：她玩弄了她；她利用了她的弱点，利用了她的绝境，弄出这么一台戏，永远收不了场了。一个女性的玩弄竟比十个男性更致命。因为她不在玩弄，本意中毫无玩弄。真切到病的程度。她一向对两性间情爱的陈腐、定规的理解霎时被抽空，成了一片空白。因此她在那张性别似是而非的年轻的脸上啐了一口。她以为结束了：被反扭的天性已被扭转回来。大致上扭转回来了。

她不知道自己在几天的苦思后进入了真正的空白。遥远、遥远地，她听见谁在失禁地哭和笑。她不知这段哭笑失禁的真空持续了一年多。

然后她在某天清晨醒来，发现自己做了个充满思念的梦。她躺在冰凉狭窄的铁床上，看着天花板上一个断了的蛛网在空气中游动。她不知该拿这份似是而非的思念怎么办。全身又变得无比的敏感，曾经所有的触碰都留下了病痛。

她又开始恢复舞蹈。看着晨光中那片薄薄的影子渐渐圆润起来。

这时听见护士打铁般的嗓门："一六〇床！……"

又来了，这回大致是个女孩。白牙、黑亮的皮肤，头发还是短而整洁。后来发现这是个全须全尾的女孩子，她便俗里俗气地叫她"珊珊"。

自从这个人被公认为女孩，她和她便有了很大的方便。她跟她挤在一张窄床上：珊珊、孙姐。她觉得整个事情里只有一丁点丑恶。珊珊起初对"珊珊"这称呼哈哈笑起来。她坚持叫下去，她渐渐变成真正的珊珊了；退化的柔媚渐渐回到了她身上。她不再是个造作的北方小爷儿，她真的就是珊珊了。她的爱抚和保护也纯粹是珊珊的。珊珊的嘴唇，比徐群山柔软、微妙、温暖。

在停尸房附近的树林里，这年这月这天，她意识到自己开始爱珊珊了。她问她真的从十一二岁就爱上了她？

珊珊哈地一乐。她现在已很少向她用言辞表白。她"哈"的意思仿佛说：那时候多可笑，别拿那时候当真，该当真的是眼下这个我。

"那时候觉得要能挨近你就了不起。"珊珊说，用自己瞧不起自己的一种笑，"说了你别生气，没多久我就把你忘了。那时候，那个年纪，事儿特多！串连、插队、逃跑回北京，又到处偷书，翻图书馆的窗子。做了好一阵土匪。我都忘了我是个女孩。"

她看着不紧不慢说话的珊珊。

珊珊说一切是从看见她在窗口的那天开始的。真正的开始。她路过成都去看望在三线做什么保密研究的父亲。她一眼认出她来，十二岁的癫狂突然回来了。她突然意识到，那癫狂和她前后所有的行为都有秘密的关联。

她叹口气，说："那时我像口猪。"

她笑着说："可不是。"

她马上追问："真像猪啊？"

她马上解释："不是说你人。是你的态度，精神面貌。"她笑着安慰她："你自己用猪这字儿！"

"看我像猪你还跑来逗我？要我？"她说，身子绷紧了，一碰要弹跳起来似的。

珊珊想说什么，不说了。掏出一根烟，边点边说，"咱们也斗嘴？跟男人女人似的？"她吐一口烟，瞧不起全人类，也瞧不起她自己那样一笑。

"珊珊。"她也叹了口气。

珊珊还像徐群山一样吸烟，垂下冷淡的单眼皮。时不时，她粗略地撩一把不伦不类的短发。这时刻，前舞蹈家是真正爱珊珊的。她把她当徐群山那个虚幻来爱，她亦把她当珊珊这个实体来爱。她怕珊珊像徐群山那样猝然离去，同样怕珊珊照此永久地存在于她的生活中。况且，不爱珊珊她去爱谁？珊珊是照进她生活的唯一一束太阳，充满灰尘，但毕竟有真实的暖意。

歌舞剧院派人来接她出院。告诉给她平反了，有了一个新的称呼，叫"前著名舞蹈家"。

离开上海，珊珊没到站台上来送。她恢复了正常的生活中，是不该有珊珊的，但她明白珊珊就在站台上的人群里。人群的一双双泪眼就是珊珊诀别的泪眼。她多想看徐群山惜别的泪从珊珊眼中流出。

官方版本（之四）

《成都晚报》特稿，一九八〇年十月十五日

金风送爽的十月，我们采访了舞蹈家孙丽坤。在她独舞晚会开幕的前夕，孙丽坤同志穿着汗湿的练功服接受了我们的采访。从十月十六日开始的"孙丽坤独舞晚会"将在锦江剧院拉开序幕，这将是全省第一次举办的个人演出晚会。

孙丽坤同志曾是享誉全国的著名舞蹈家。虽然已人到中年，却坚持苦练舞蹈基本功，有时她的自我训练竟长达八小时，为青年一代演员树立了优秀的榜样。她消瘦但精神爽朗，谈话中她不断发出率真的笑声。当我们问起她曾患过的神经官能症，她爽快地告诉我们，在周总理曾经给予的直接关怀下，在舞剧团领导和同志们的帮助下，她早已痊愈。

她十分健谈，从她事业的振兴谈到她的个人生活。她听我们说到"媒人踏破门槛槛"时，开朗地大笑，说："哪有那么严重！都是些熟人热心！……"

接下去她谈到她和未婚夫认识经过。她暂不愿透露这位未婚夫的姓名，只说他是一位中学的体育老师，比她小五岁，非常支持她的舞蹈事业，也对她舞台下的生活万般体贴。在她中午结束练功时，他总是利用课间休息的时间，骑车从学校赶回，为她送一饭盒她最爱吃的绿豆凉粉；暑热期间，他省下少年体育集训队发给他的消暑食品：冰镇酸梅汤或冰糕，用保温瓶提到舞剧院的练功房，来去行程十五公里，风雨无阻，创造了新时期最新的爱情故事。孙丽坤在谈到这位心上人时脸上始终带着深情的微笑，发自内心地透出一股满意。她对他的人品赞不绝口，说他是个不重言辞重行动的人，虽然不太懂得她的舞蹈，但正在加深这方面的修养，争取一生做她最忠实的观众。

孙丽坤说等舞剧院一分配给她房子她就结婚。她充满希望地说，新的宿舍楼已打好地基，明年春天，最迟明年夏天，她就会分到一间新居室。说到这里，她眼中露出幸福的憧憬，并邀请我们到她未来的新房去做客。

我们祝愿她在舞蹈上迸发出第二度青春，也在人生中获得她应得的温暖和幸福。

不为人知的版本（之七）

一个下午，孙丽坤穿着宽大如旗帜的黑灯笼裤跑向传达室，去接一个北京来的长途电话。

"珊珊吗？"她问。

那边快活而痛苦地笑了两声："还听出来了？"顿了顿又说："看到你独舞晚会的介绍了。还有那篇文章……"

"看到了？"她说。

"你怎么没跳白蛇？"

"没跳。"

那边呼呼地喘气，没接话。

"有的人专门来看你白蛇的。"好一阵之后珊珊说。

孙丽坤吸了一口气，说："你来了？"

"嗯。"

她想问珊珊，你干吗不来看我？但她没问，它会让两人都不适。她们之间从来就没能摆脱一种轻微的恶心，即使在她们最亲密的时候。

她想珊珊也看到她渐渐脱形的身形、皮、肉、骨已不能统一和谐地运力。珊珊或许还看见，演出之后人们大而化之地跟她握手："四十几了，不容易不容易！"

"什么时候结婚？"珊珊问。

她有些难于启齿。然后出来一句轻巧的谎言："搞不好不结了。不见得合得来……"她顿时想到自己在政治学习时笨拙地戳毛线针的形象。她想如所有未婚妻那样给男人织毛衣。自己那又老又笨的未婚妻形象让她这一刻羞愧不堪，尤其面对千里之外的珊珊。

"你呢？"孙丽坤终于问道。

"我下礼拜天结婚。"

她禁不住叫起来："珊珊！……"

珊珊的把戏又狠狠弄痛她一下。

从存款中拿出很大一个比例，她买了最贵的蜀锦被面和一个玉雕。她正赶上婚礼的尾声。本来也没什么婚礼，就是八个人围在一块喝喝啤酒，吃吃花生米。连珊珊的兄妹都没来。她父母在一年前相继去世了。

珊珊已完全不是徐群山了。头发还是短的，衣服还是沉暗，还是那样略带嫌恶地一笑，却半点徐群山的影子也没了。

她一粒花生米也咽不下去。看着珊珊十根纤长的手指还在烦躁，更烦躁了。她告诉自己，该为珊珊高兴，从此不再会有太大差错了。她们俩那低人一等的关系中，一切牵念、恋想都可以止息了。珊珊也在笨手笨脚地学做一个女人。看她正替客人们倒啤酒，手脚倒不笨，却充满忍耐和压制。珊珊的丈夫跟在她边上，不停地小声教诲她一些谁也听不见的东西，并在珊珊动作时，他身子显出轻微地帮她一把的意愿。是个不错的男人。

礼物搁在乱糟糟的洞房里。这时她才发现这座雕得繁琐透顶的玉雕是白蛇与青蛇在怒斥许仙。珊珊的丈夫千恩万谢，说玉雕太传神太精致了。珊珊看了她一眼，意思说她何苦弄出这么个暗示来。她也看她一眼，表示她决非存心。丈夫还在左左右右偏着头脸欣赏那玉雕。这是个三十五岁的助教，绝对不标新立异的本分男人。长相不坏，耳朵不招风，牙齿也不七歪八倒。珊珊在他身上可以收敛起她天性中所有的别出心裁。珊珊天性中的对于美的深沉爱好和执着追求，天性中的钟情都可以被这种教科书一样正确的男人纠正。珊珊明白她自己有被矫正的致命需要。

珊珊坐在桌子那端，面对她，格格地笑着，一撩披到额上的短发。她不知她与人们在笑什么，也跟着格格格、格格格地笑起来。笑得汗毛直竖。或许她笑的是自己：从盛破烂的藤箱里找出这件印度红毛衫。它哪里还是红的？

她说她带了一小坛子醪糟，可以给大家做碗醪糟蛋。

珊珊笑道："他们也配？"

她在过道的炉子上忙碌时，猛抬头，见珊珊正看她，手里燃着一支烟。冷淡的单眼皮下面是怜恤和嫌恶。她知道她不止怜恤和嫌恶她。这时珊珊的丈夫端一摞碗出来，她和她竟一个字也没来得及说。

她谎说有人等在楼下，她不能再待久了。珊珊看着她。看着她举着天鹅受伤的脖子走出门去。随身带的一块丝巾被遗忘在椅背上，她弄不清自己是不是有意遗忘的。这样珊珊可以有个借口追出来，追到夜深人静的马路上。然而这却是她最害怕最不愿意发生的。

珊珊果然在夜深人静的马路上喊住了她，却没拿她的丝巾。她形影相吊，她也形影相吊。

她追来做什么？来灭口？来灭那个巨大秘密的口？

"我送送你。"

"真是的，送什么。"

"送你一截儿。"

"回去！那么多客人！"

"是他的客人。"

珊珊擦着她的肩与她并肩向前走。然后拿过她手里的三两轻的行李，替她背着。第一个公共汽车站到了，珊珊说，再走一站。她没话，接着往前走。她还是习惯听珊珊的。

第三站了，两人停下来。风一下吹乱珊珊一头短发，现在这种短发很时髦，叫"张瑜头"。她不自禁抬起手，替她把发型还原。她伸过如旧日那样清凉的手指，抹去她皱纹里的泪水。都知道这是最后一次触碰对方了。

她要上公共汽车了，见她还站在那里，手插在裤兜里，愣小子那样微扛着肩。徐群山，她心里唤道。

倒淌河

这样一个人在河岸上走。这是一条自东向西倒淌的河。草地上东一片西一片长着黄色癣斑，使人看上去怪不舒服。

十多年后，他又从河岸走回。这时他已知道，那些曾引起他生理反感的黄茸茸的斑块，不过是些开得太拥挤，淤结成片的金色小花。

谁把它当做花来看，谁就太小看它了。这个人交了好运后忽然这样想。

交好运后他还想阿尕①。阿尕是个女人。在那地方随便碰上个女人，她都可能叫阿尕。

我回来了，人们给我让路。他们自以为在给一个老人让路。他们对这只把我压得弓腰驼背、腥膻扑鼻的牛皮口袋投来好奇的目光。好了，让我解开这口袋上的死结。

---

① "尕"发音为 ga，此字仅用于西藏女孩的名字。

张开你的大口吧，讲讲你那个老掉牙的爱情故事。

他进门后就去解那只皮囊，他全部家当似乎都装在那里头。他是一副不好惹的样子，据说这个叫何夏的人在那块地老天荒的草原呆得返了祖，茹毛饮血，不讲话，只会吼。几天后，当他变得略微开朗时，也谈谈他的事。说起草地深处那一弯神秘的弧度，还说："很怪，我就从来没走到那一弯弧度以外去，马会把你带回来。"

你们围着我，盯上我了。别老这样逗我，我呢，就是变了一点形。有这样的鼻子和脸，这样的怪样子，你们就甭相信我口是心非的故事。

真实的故事我不想讲，嫌麻烦。你们自以为在训练一只猿猴，让它唱歌和生发表情。

好好，我就来唱支歌。那种歌！谁知道叫不叫歌。老实说，我可没耐心用唱歌去跟哪个姑娘扯皮。"何罗，我们来生个娃娃。"阿尕就这样直截了当瞅着我，她那时自己还是个娃娃。我跟她没有一来一往唱过什么情歌，有一天，我突然发现她特别顺眼，一切一切都很带劲，我就觉得是时候了。跟着我什么也不啰唆就勾销了她的童贞，在毒辣的太阳下，非常隆重地。

要是没有那条河，我说不定会找个法子把自己杀掉。我原想找个地方重新活一次，但一来，发现这犹如世外的草地最适合死。这样荒凉、柔软，你高兴在哪里倒下都行，没人劝你，找你麻烦。在那天就可以下手，借那些遍地狂舞的火球杀死我。真是一个好机会呀，就去追随那些金球样的闪电，死起来又不费事又辉煌。怪谁呢，一刹那间我变卦了。不知因为看见了河，还是因为看见了阿尕。

她有哪一点使我动心是根本谈不上的。我呢，我抱过她。我抱她不光为了救她，在那当口上，我就是要搂住一个实实在在的活东西。搂住欢蹦乱跳的一条命，死起来就不那么孤单。她求生，我求死，我们谁也征服不了谁，在那里拼命。怎么说呢，我希望她身上那些活东西给我一点，我搂得她死紧，为了得到她的气，她的味儿，她动弹不已的一切。我背后就是那个死，因此我面对面抱住她，不放手也不敢回头。我一回头就会僵硬，冷掉，腐烂。

实际上我还是救了她。只有我那糟透的良心知道，我一点也不英勇，救她完全为了让她救我。人在决定把自己结果掉的同时，又会千方百计为自己找活下来的借口。她正是我的借口，这个丑女孩。

这里的男人都是爱美人儿的。他们说，有一种姑娘，长着鹿眼，全身皮肤像奶里调了点茶。可他们个个都懒得去寻觅这种鹿眼美人儿，就从身边拉一个姑娘，挺好，一身紧鼓鼓的肉，走来走去像头小母马，就你啦，什么美人儿不美人儿，你就是美人儿。所以到后来，这地方祖祖辈辈也没见过真正的美人儿。等不及，到了时候谁还等得及她呢。阿尕眼下还很瘦，等她再大几岁，长上一身肉，那时，也会有许许多多男子跑来，管她叫美人儿。

供销社有条很高的门槛，阿尕一来就坐在那上面，把背抵在门框上，蹭蹭痒，舒舒服服地看着这个半年前抱过她的汉人。

她黯淡无光，黑袍子溶化在这间黑房子里。假如我不愿意看见她，那就完全可以对她视而不见。她一笑，一眨眼，那团昏暗才出现几个亮点，我才意识到，她在那儿。明白这意思吗？就是说你爱待在哪里就待在哪里好了，并不碍事，我不讨厌也不喜欢，随你便。难道我闷得受不住，会跟你说，喂，咱们聊聊？谈我那个一塌糊涂的身世？谈我那个死绝了的美满家庭？谈我如何对我父亲下毒手，置他于死地？再谈我瞪着血红的一双眼，要去杀这个杀那个，但我很废物，到最后只能决定把自己杀了，谈这些吗？要不是碰上你，这会儿我已经干净啦。这一带的人早把来自远方的这样一堆糟粕处理掉了。

他们会一丝不苟地干。程序严谨，规矩繁多，虽然我是个异乡死者，他们也绝不马虎半点。先派两个大力士把我僵硬的尸体窝成胎儿在母腹里的半跪半坐姿势；再把我双臂插进膝盖。这样搬起来抬起来都顺手，看起来也很囫囵圆满。当然，没人为我往河里撒刻着经文的石头，没人为一个异乡死者念经超度，他的灵魂不必去管。

只是一念之差，我躲过了原该按部就班的这套葬仪。我竟站在这里，在这个黑洞洞的屋里无声无息，无知无觉地活下来、活下去，连我自己都纳闷。我想，原来我也不是那么好杀的。

我万万没想到会有这样一条河，它高贵雍容，神秘地逆流。真该把我割碎，一块块去喂它。偏偏是它，挽留了我，一种遥远的、秘不可宣的使命感从它那里，跑到我身上。我想起，我还有件事没干，具体什么事，我还一点不知道，但它给我了，肯定给我了，一件无可估量的重大事情。在此之前，我没做过任何有用的事，没干过什么好事，这它知道，它让我活着，似乎它跟我之间早有什么伟大契约。我的预感一向很灵。

就像阿尕出现的瞬间，我就预感她不会平白无故冒出来。她，我一辈子也不会摆脱了。

她搓着赤脚，牛粪嵌在脚丫缝里，一些没有消化的草末子一搓，便在地上落了一层。她知道这汉人在看她的脚，便搓得越发起劲。她喜欢一天到晚光着脚乱跑，没哪双靴子有她脚板结实。她光脚追羊追牛，跳锅庄跳弦子。光脚在河滩上跑，圆的尖的碎石硌得她舒服无比。她差点追上了那些遍地乱滚的火球，要不是当时被这汉人抱住。

那天她拿出最大的劲头来跑，他对她喊什么，她无法听见。因为到处都在轰轰响，天狠狠扑下来，压住生养过多而激情耗尽的地。它们渐渐向一块合，这样，一颗金光闪闪的火球迸射而出，然后又一颗，再一颗。它们放肆地在草地上窜来窜去，带着华丽的灾难。她追赶它们，只是一心想把它们其中的一颗捉在手里。她以为会像捉她自己的羊那样容易。

她恨透这个趁她摔倒扑上来抱她的人。碰上这事不是头一回，阿尕却没让他们得逞过。踢打都不管用，好吧，那就让我在这双手上好好啃一口。可她不动了。

阿尕的牙收拢了。这手？这地方没有这双手。它白、细嫩、灵巧，像剥干净皮的树根。阿尕认识草地上所有的手，因此她断定，它是从一个遥远而陌生的地方来的。

她觉得这双手不是靠她熟悉的那种蛮力制服她的。就依你了，你抱吧。

然后她被半拖半抱地弄到一块凹地，不知哪个牧人在这里留下一圈墙基。早有人在这里繁衍过，留过种。她被放到地上，下一步，她没尝过，但她是懂的。她很小就懂得小羊不会无缘无故变出来。只是天太不美好，下起雀卵大的冰雹，云压着，像顶脏极了的帐篷。

他紧贴她，一双白手变了形，每根手指都弯成好多节。她扭过头，看见一张瘦长的、苍白的脸，还有脸上两只痴呆无神的眼睛。没人。她试着挣了一下，挣不脱。

"你想死？"他突然说。

阿尕稀里糊涂地瞪着他。她懂的汉语很少，但"死"是懂的。冰雹砸得头皮全麻木了，她见这汉人缩着头，又白又长的脸像快死的马。他就这样搂抱着她，一切都现成，谁知他还在等什么。

他又说："那叫球雷，碰到人，人就死啦！"

"死？……"她大声重复道。

"死。"

"死？……"她摇摇头，笑了，"死——？"她突然扬起脖子，嘹亮地喊了长长一声。

她把小时看见灯的事讲给我听，就在那凹地墙基里。起初我以为她在讲一个神话，我只能听懂很少几句。她一个劲重复，表情激烈，用手再三比画。小小的一团火，一团光，一个太阳。我终于弄懂，那是电灯。她眼睛直直地看着不可知的前方，嘴松弛地咧着，像笑，又有些凶狠。我一留神，她瞳仁里真的有两个光点。

我突然嗅到她身上有股令我反胃的气味。就是将来使我长得健壮如牛的那股味儿。那味儿很久很久以后被我带回内地城里，使文明人们远离我八丈，背地骂我臭气熏天。我立刻抽回手，这才感觉到已抱了她很长时间。我已沾上了她的味儿。

她站起身，回头看着我，像要引我到什么地方去。我还坐在那里，不想跟她同路。当然，那时我死也不会想到，走来走去，我和她还是走到了一起。从一开始，到最后，我都不能讲清我跟她的感情是怎么回事。谁又能讲清感情呢？假如我说我爱她，我们之间有过多少浪漫的东西，那我会肉麻。那样讲我觉得我就无耻了。

她，我是需要。哪个男人不知道什么叫"需要"？女人也会"需要"。"需要"谁都懂，都明白，可谁都没认识过它。"需要"就是根本，就是生，是死的对立。硬把"需要"说成爱情，那是你们的事。

如果非要我谈爱情，那我只有老脸皮厚地说：从阿尕一出现，我的爱情就萌生了，不过当时我并不知道。

她慢慢朝前走，又停下，回头，仍用那种招引他的眼神瞅着他。她满心喜悦，因为她感到自己突然从浑顽的孩童躯壳里爬出来。那躯壳就留在这男性汉人怀里。后来，在河边，又一次奇遇，他说他一定要在此地造出她见过的那种小太阳，她就开始老想他，做些乱七八糟的梦。再后来她就每天跑上许许多多路，到他的供销社，坐在那个高门槛上，看他。

她又黑又小的身影走远了。我看见她肮脏的脚，一对很圆的、鲜红的脚后跟。草地浅黄，远处有一道隆起的弧度。她朝那里走，永远不可能走出我的视野。我也在走。我觉得她是个精灵，在前面引我。

可能就与她同时，我看见了河。河宽极了，一起一伏，呼吸得十分均匀。天被它映得特别蓝。它被天染得格外蓝。我不知道这魔一般的蓝色最先属于谁。刚才的球电、冰雹、雨全没惊扰它吗？这大度量、好脾气、傻呵呵的河哎。

这样一个人被它惊呆了、惊醒了，就是我。我想起刚才的事，小姑娘说起灯、神火。我脑子里把她的话跟这河不知怎么就胡乱扯到了一块。她一直往前走，看样子走得很快，可又像寸步未移；河在奔腾，十分汹涌，可也是纹丝不动。我觉得她和它在这里出现，都是为了等我。

阿尕一张嘴，先是长而又长地喊了一声，那一声起码在草地上转了三圈，才回去。她兀突地收拢住声音。像抛出的套马绳，套中目标，便开始猛勒住绳头，完全是个老手。她再次张嘴，便不再是一味地狂喊，声音大幅度颤动，渐渐颤出几个简单的音符。她狡狯地把一支歌已经藏在了这酷似长啸的声音里。

阿尕晓得，这地方的人都唱歌，但没一个人能像她这样唱。有次她下雪天唱，跑来一只孤狼，远远坐在那里，跟她面对面。许多人围上去打，它也没逃。后来发现它已经冻僵，和地面难解难分了。有人说，他亲眼看见那头冻僵的狼在哭。

> 你跟我来，我给你水喝，
> 你再看看，那是我心挤出的奶。
> 你是外乡人，你活该你活该，
> 你不趁早，奶变成了脏东西，
> 你活该，你活该。

那时我对她还一点都不了解。不，到最后我对她还是一无所知。她给我的，我只管一股脑拿了、吃了、喝了，消化掉了，从来不去想，那都是些什么。只有到没有她了，什么都没了，我才想起我成了个穷光蛋，我挥霍、糟蹋得太凶了。她一开始就对我唱"你活该"，后来想想简直让我害怕，令我毛骨悚然。她那超凡的预见比我更准确更强烈。那时她还小，可她已意识到一种悲惨和必然的结局在等她。她那么小，就意识到宿命的力量，不知怎地，我总觉得这种先觉来自她神秘的身世。她从哪里来，我从来没搞清过，草地上所有人都搞不清。她自己就能一口气说出十多种不同的履历。好在草地之大，那地方对谁的来历或档案是从不纠缠的。那里，你告诉人说，你从坟墓里来，也会博得一片信任。

跟你怎么说呢？就这样一个小姑娘，黑黑瘦瘦，小不点儿，你简直就不明白她凭什么活着，她活着对谁有用呢？她根本谈不上美不美，应该先把她放到十只大盆里好好洗上十天，再来看她的样子。但她是个女孩，要命的是，她早晚要长成个女人，就这点，对我已够了。我苦苦在她身边伺候，等着她长大。那时我并不意识到，我在等她，像守着一棵眼看要开花结果的树。哎，我的黄毛丫头，我的阿尕。

想忘掉她，已经太晚了。这关键不在于我，而是她，她有那个本事叫我对她永世不忘。

现在你来了，说你也等了我十好几年。好像我真有那么卑鄙，糟蹋了一个又耽搁了一个。其实你过得蛮正常，结婚生孩子，当管家婆，你踏实着呢。你哪天有工夫想我？你带着那些原打算跟我合盖的缎子被，跟另一个男人过了。说老实话，我可没等你，我又不痴。

明丽，看在我和你二十年前有场情分，别逼我。关于阿尕，我一个字也不会对你讲。

真怪，这女人还是这样乖巧秀气，像只小猫。她说她还那样爱我，想不爱也不行。好哇好哇，你这撒谎的猫，找死来啦？

我对我的前任未婚妻说："行啦，你来看我，我就够高兴了，有什么哭头？"这是我半晌来讲得顶像样的一句话。"你没变老，还挺漂亮。走在马路上，你丈夫大概特别得意吧？"我突然嬉皮笑脸起来。

明丽一下就止住了泪，猛抬头看我，不知我出了什么毛病。我又说："你真没变。你孩子多大了？"

"大女儿九岁了。"她无精打采地说。软绵绵的目光在我丑怪的脸上摸来拂去，弄得我怪舒服。"你的鼻梁怎么搞的？"

我按按它，说："像个树瘤吧？我儿子今年也不小了，七岁，该上学了。"

她大吃一惊，肯定大吃一惊。但脸上还好，神情大致还正常。她心乱如麻，肯定是心乱如麻。

"你儿子叫什么名字？汉族的还是……"

她在试探，看看我是不是跟哪个她概念里的女人搞到一块了。她还抱一线希望，认为我不至于那么疯。依她的观点，要真那样，我就毁了。

"他有俩名字，一个汉族的，一个……"

她听到这里就不往下听了，够了。

可我还接着往下说，瞎话连篇过扯谎的瘾："我那小子有这么高。"七岁的男孩，我从来不晓得他们一般该多高。我的手在空中上下调整一会儿。"长得特棒，踢不死打不死没病没灾，头发是卷的，眼睛又圆又黑！"我描绘一个我从未见过的天使。

杜明丽知道自己在硬撑着微笑，作出为他幸福的样子。一会儿，她就一个人到马路上去哭，去捶胸顿足，想到他那个混杂着两个种族血液的儿子，她就怕起来。他是他父亲的后盾，是他的靠山。他正在发育，飞快地成长，刹那间就会像堵墙一样挡住她的视线。他将把这门堵得严严实实，截止了她要跨进来的企图和可怜巴巴的顾盼。无论她怎样伸头探脑，也不可能再看见他身后的他的父亲。何夏，别把你儿子拿出来镇压我，我可是胆儿小。我并没对你干下太大的坏事。一个女人，还要她怎样呢？我爱你你不信，我等你你不在意，我来看你，你抬出你儿子。一个女人，你要想过瘾解恨，就上来把她掐死算了。

"何夏，"杜明丽压住一肚子阴郁，说，"你爸死前给我一个手镯，是很贵重的玉。"

"那你好好收着吧。那是我妈的，我妈死的时候，临埋了，他都没放过，把它撸下来了。"何夏龇牙咧嘴地笑笑，"我爸可真叫'人为财死'。"

"他死的时候，你知道有多惨，浑身抽筋，抽得只有这样短……"

"别说了别说了，你过去信上写得够详细了。他要活到现在，我跟他也是敌我矛盾。"

"我看你太狠了。就那么恨他？未必。当时你为啥闹下那场事，差点打死人，就是为你爹。你是为你爹拿出命来跟人拼命，别看你嘴硬。你现在变得我摸不透了，可那时你什么什么念头我都晓得。你为什么跑到那个偏远的鬼地方，我能不明白吗？"

从前，有个人叫何夏，因血气方刚好斗成性险些送掉一条老工人的小命。当初我逍遥自在地晃出劳教营，看到偶然存下来、撕得差不多了的布告，那上面管何夏叫何犯夏。很有意思，我觉得我轮回转世，在看我上一辈子的事。劳教营长长阴湿的巷道，又将我娩出，使我脱胎换骨重又来到这个世道上造孽了。谁也不认识我，从我被一对铁铐拎走，人们谢天谢地感到可以把我这个混账从此忘干净了。包括她明丽。我就像魂一样没有念头、没有感情地游逛，又新鲜又超然，想着我上一辈子的爱和恨，都是些无聊玩意儿。

我已记得我当时怎样踏上了草地。也许有人对我介绍过它，说它如何美丽富饶又渺无人烟；也许是我想碰碰运气，盲目流浪到那里的。总之，我为什么要去那里，当时的动机早被我忘了。抑或说它有种奇异的感召力，不管它召我去生还是召我去死，我没有半点不情愿就朝它去了。一去几千里。

"你父亲临死的时候说：咱们家败完了，就剩了何夏一个人，你要照顾他……"

"这就是他的临终遗嘱？"

杜明丽点点头。老头儿可怕地抽搐，嗓子里发出类似婴孩啼哭的尖细声音。她简直想拔腿就逃。而老头儿却伸过痉挛得不成样子的手，抓住她。她不顾一切地大叫起来。老头瞪着眼，想让她别叫，别对他这样恐惧嫌弃。不一会，她的手碰到一个冰冷的东西，是只玉手镯。他用另一只手拼命把手镯往她手上套。等他死后，她才发现他并不可怕，十分慈祥。眼边深沟似的皱纹里渗满了泪。

但她永远也不想把这个真实的结局告诉何夏。她内心是抗拒那种无理束缚——那只手镯的。但她没有讲。她讲的是一个合乎常规，为人习惯的尾声。什么临终遗言，娓娓相嘱等等。那尸体奇形怪状到什么程度，那手镯让她怎样寒彻骨髓，她没讲。

我们仨，明丽、我、阿尕不知我们究竟谁辜负了谁？真滑稽。我爱明丽是可以理喻的，而对阿尕，却是个秘密，我也妄想揣度它。她就坐在那里，黑暗一团，几乎无形无影，但我知道，她永远在那儿。

看看她这脸蛋是怎么了？像瓦壶里结的斑驳的茶垢。这就是阿尕。她光着脚，踝骨像男人一样粗大，长头发板结了，不知成了一块什么肮脏东西，这就是我的阿尕。她永远在那儿。

这地方的人开始注意这汉人奇怪的行为了。三五成群的男人撮着鼻烟，不断冲太阳打个响亮的喷嚏，他们中有人指着他的背影窃窃私语。真该上去抽他一顿鞭子，这头傲慢无礼的内地白驴。他到我们的地方，却没朝我们哈过腰，连笑也没笑过。他每天跑到河边去，疯疯傻傻站在那里看。他在河里找到什么了？这河里从来没有金子。

太阳一落，便没人再去管他。家家帐篷中央拢堆牛粪，一半是黑暗另一半还是黑暗，这一刻是他们祖祖辈辈金不换的幸福。

阿尕却偷偷跟在他后面。她这样干已经不是头一回。她像条小蛇一样轻盈地分开没膝的草。河岸上放着一只牛皮船。这种船并不稀奇，此地人要渡到河对岸去，就得乘它。不过很少有人对河那边动过心，为什么要渡到那边去呢，这边已经够广阔了。一旦有人想过河也很简单，就做一只这样的牛皮船，用木头扎成框架，用五六张牛皮连缀起来，再绷到木架上，船就有了。有人说，这条河一直流到地下，通另一个世界。从前，这地方有个懒汉，过腻了牧畜生活，就那样干了。他把老婆孩子和吃的放在一只船里，自己和酒放另一只船，两船相系，就漂走了，永远没见他回来。

阿尕见他上了船，便拔腿追上去。她跑近，船早已飞向河心。

船在河里一高一低，有时转个圈。河底潮汐把浪花从深处采来，白花花地举在船的前面。

她开始朝他喊。浪把船冲得轰轰响，他一点也听不见。她便在河滩上狂奔，眼睛死盯住船。她要这样一追到底；即便他要离去，要在这河里消失，她也得亲眼看着。

阿尕跑啊跑。她在追完全疯掉的白色马群。马群驮着死到临头都不屈服的骑手。再往下她知道会怎样，船会头朝下直竖起来，将船里的或人或物一刹那间抛干净。她急了，从腰间抽出"抛兜儿"。"抛兜儿"在她头顶嗖嗖尖叫，飞旋出一个光环。

我被击中了。这是我头一回领教她的武器，晓得她的厉害。她和她的民族，是如此善用武器。再来瞧瞧她的绳枪，他们叫"抛兜儿"的玩意，我听见嗖嗖响时已晚了，卵石划着一道白色弧光在我腿上已终止了旅程。这块卵石实在不小，足能打断一头犏牛的犄角。我的腿骨"邦当"一响，全身都震麻了。我什么也来不及想就从牛皮舟里翻出来，掉进河里。我的腿在河里才开始疼，疼得我以为它已没有了，手去摸，还好，它还在。我是会游水的，水性不赖，可遭人暗算的愤怒使我全身抽风一样乱动，手脚完全不被理性控制。再说受伤的腿使我身子老往一边偏。还有这河水，谁接触过这样冰冷的水？它不是在我体外流动，而是灌进了我体内，更换了我全身的热血；我的每根血管都冻得发硬，正在毕毕剥剥地脆裂。我开始浑身发紫发白，很快就要明晃晃地肿胀起来。可我依然愤怒得不能自持，她这样害我毫无缘故。我的四肢差不多丧失知觉。我想下一步，该是有个人把这具满腔愤怒的尸体打捞起来了。

当然，我不承认是她把我打捞上岸的。虽然她的确在呼呼呼地喘，长发上和全身的水淌在河滩上，淌成一条小溪。我听见她的尖声嚎叫，那是在我落水的瞬间。后来我恍惚看见一个黑东西掉下岸，极慢极慢地向我靠近。我们在水里撕扭了好一阵，我用抽筋的腿把她蹬开，等她再次扑上来时，我死命揪住她的头发。刹那间，我恨透了这个黑鬼似的女孩，她老是无端地跟踪我。她被水呛得直翻眼睛，鼻子和嘴挂着黏液。无数条黑发辫软软张开，像某种水族动物漆黑可怖的触手。现在知道了吧？我跟她的开头就不好，就异常。从那一刻，我跟阿尕缠不清、搅不完的感情便开了头，或不如说我们的自相残杀便开了头。

我没料到她有这本事。她蛇似的在我怀里扭啊扭，突然扭头咬我一口，咬在我肩上，使我不得已松开揪她头发的手。然后我们无分胜负地双双上了岸。河在前方发出奇特而恐怖的声响，像有成千上万的人在那下面歇斯底里地大笑。这儿离我放船下水的地方已很远，草地变得阴森起来。河在一眨眼间把我送到这里，流速可想而知。我想起从上船时就无法自持。

有种莫名其妙的后怕使我软了，全身没一点劲，随她拖。我看见她又黑又小，拼死拼活地搬弄我这条让水泡肥的大死鱼。这河里有种肉乎乎的鱼"水菩萨"，一经打捞上来，鱼头就奇怪地变成一张老头脸，又阴险又悲哀。跟我此时的样子极像。她跑到远处拾来干牛粪，有的牛粪表面已干得出现密密麻麻蜂窝样的孔。然后她就跪在那里"嚓嚓"地用火镰打火。真可笑，这只比钻木取火先进一步。我躺在这里突发奇想：顺着这条倒淌河走，一直走，就能走到远古。爱因斯坦几乎要否定时间的不可逆性。我想，这条河流倒着流，其中必有它的奥秘。想象一下吧，整个历史就是这条河，它在某个地方不为人知地来了个彻底的转折，好比一条绳带的一头向另一头对折过去，于是现代与原始便相逢了。将看见的，便是化石和累累白骨的复活。

火点着时，天已全黑了。我懒得去看她怎样费力地将火种培植壮大。火投在我和她的脸上，使其变形，变幻出野性和怪诞的影子。我们一声不响，完全是一对人类最纯粹的标本。

他忽然站起来，阿尕也跟着站起。除了獐子，草地上找不出比她更敏捷的东西，她敢打赌。她知道事情没完，水里那场恶斗还没有结束。上啊上啊，她拿出架势，身体略弓着，鼓满力。这样又瘦又高的对手打起来最方便，只要攻他下三路，只需猛一撞，他就得倒。阿尕想着，忽然咯咯地笑起来。草地上的人，摔摔跤、打打架是很快活的事。

他没上来，大惑不解地看她笑。一边脱下衣服、裤子，举到火上烘。她看他是副好架子，就是太瘦，这里那里都看得见漂亮的骨骼在一层薄皮下清清楚楚地动。不过几年以后，她使他壮起来。是她喂肥了他，使他有一身猛劲，用来摧残她。

"你为什么用石头砸我?"他问道。

她笑得轻了，说:"石头?"她对他的话多半靠猜。谁知道呢，恐怕听懂他的话靠的并不是听觉。

"砸得太狠了，你瞧，这儿。"她停住不笑了，两膝着地爬过来，凑近去看他的腿。没什么，这个白脸皮汉人就是不经打。她碰碰那伤处，他"嗞"地一声，她立刻也学着很响的"嗞"了一声，又笑起来。

"你说说看，你干吗对我投石头，手那么毒?"他把她的头用力一扳，把她脸都扳变了形。

她呆了一会儿，便像小狗那样左右扭动着脑袋，嘴里夹声尖气地发出"哼哼呀呀"的声音，又撒娇又撒赖。她觉得他这种虐待挺舒服，等于爱抚。

"你想害我吗? 想把我打到河里淹死?!"他拧住她脑袋不放，脸上出现那种因作践小动物而产生的快感。

"死?!"她大吃一惊。这汉人为什么总说死，她不懂。她粗鲁地打了一下，把他的手打开。

我不知要费多大劲，才能把这些话跟她讲清楚。来，我跟你讲一种很妙的东西，它的确很像你去追逐的那种火球，它不是神火、什么小小的太阳，那不过是种简单极了的东西，叫电灯。我还讲，能造出它来，我就行。这野姑娘用一双亮得发贼的眼盯着我，恐怕碰上个骗子。

我说，我是在工作，不是吃饱了撑的去玩那条船。你不是要个小小的太阳，要它挂到每个帐篷里去? 我就是专门造太阳的。我嘛，过去在发电厂做工。她忽然问，是用水造太阳？我知道我这样唾沫横飞也是白搭，要她懂得这些简直妄想。可她貌似开了窍，不断点头，"哦呀、哦呀"地答应着。管他呢，我自顾自讲下去。实际上，我也在说服自己。这条河太棒了，建个水电站没说的。有这样的河，你们还在黑暗里摸来摸去真该把你们杀了。就这样，你看，在这里筑条坝，把水位提高，当然还得有机器有设备有挺复杂的一套玩意儿。现在我只是先了解河的性能，搞一手资料。我干的就是这个。我可不是这方面专家，只是个工人。这些也得干着瞧，也说不定会干砸，但总胜过在黑咕隆咚的破供销社里等死。在那里跟等死是一回事。

太阳，就这样造出来的，小丫头。

这时我见她腰上有什么一响，仔细看，是几枚铜钱，古老但不旧。

"你发誓。发誓啊！"她吼道。他刚才那些晦涩难懂的话使她又振奋又恍惚。它就是那样的，会亮会灭，随你。嗽，真值得为之一死。她要他发誓赌咒。其实她已经相信他了：他干得出来，什么都不在他话下。正因为相信，她便害怕，怕这个人，对他具有的智能和力量产生出不可名状的一种恐惧和担忧。

"我把手放在这上面，问你——骗我是罪过的。你说你造太阳，真的吗？"她手托住胸前那只小盒，里面有尊不知什么像。哎呀，他没有听懂吗？

我模模糊糊懂了。

可惜我没有她颈子上吊着的那东西。那东西自然是她的偶像，看她严肃凶狠的样子，我对她如此举动不敢嬉皮笑脸了。她要我发誓，要我像她这样把舌头伸出老长。我不知道自己伸着舌头是否像她一样丑。我没偶像，从不认为那样东西神圣得不得了，但我得依她。阿尕，你瞧，我这样，还不行吗？把手放在胸脯偏左一点，那个蹦个没完的活物上，回答你，我的话全是真的。我决心要给你造个太阳。

然后，她讲给我听，关于这条河。

阿尕最早的意识中，就有条河。它在她记忆深处流，是条谁也看不见的地下暗河。她那时三岁？五岁？不知道。没人负责记住她的岁数。反正她只有一点点大。阿爸将两条牛皮舟相系，要去发财，去找天堂。那年草原上的牛羊死得差不多了，整个草地臭不可闻。阿爸说他看够了牛羊发瘟，要离开这里。阳光、草地、乡亲都飞快向身后逝去，河越来越黑。她终于听见天堂的笑声，成千上万的人一齐狂笑，笑得气也喘不上来。

"你听见了吗？笑！"她把他紧紧拉住。遥远的恐惧使她瑟瑟发抖，浑身汗毛变硬，像毫刺那样立起来。

"就这里吗？"他待了半天才说。

"有一家人，很早了，"她说，"男人带上女人，女人抱上娃娃，装在船里，就在这儿。听见笑——嘎嘎嘎。一下子，船就没了呀……你去问问，那家人，这儿都晓得。"

我发现她被某种幻觉完全慑住，样子古怪而失常，当时，我还没往那方面猜，没去想这故事很可能是她真正的身世。

当然，这里确实有覆舟的危险，但决不像她讲得那样神神鬼鬼。我后来就试过，只要有勇有谋，它也不那么容易就吃了我。

我可不是吹嘘我当年的英勇。找刺激想冒险是青春期一种必然心理状态，就好比情欲。冒险也是发泄情欲的一种方式，是一种雄性的方式。我坦率告诉你们吧，情欲是黑暗一团，你不知道自己在里面怎样碰撞、跌打、发脾气，总之想找个缺口，冲出来就完事。冒险就是一个缺口。在激情没找到正常渠道发泄之前，冒险就是一个精壮男子最理想的发情渠道。

我这样讲恐怕太露骨了。你们想听的是爱情或传奇故事。关于我和阿尕，我是失去她之后才发觉自己对她的钟爱。行了行了，根本就没什么他妈的爱情，你们多大？二十五六岁？这就对了，这个岁数就是扯淡的岁数。什么爱情呀，那是你们给那种男女之事强词夺理地找出的美妙意义。要是我把我跟阿尕的事讲出来，你们准否认那是爱情。其实那就是。

所以我才在失去她的日子里痛心不已。

那时我也年轻，我也误认为这不是爱。结果贻误终生。

何夏一谈到爱情就缄口、装聋。这就更使人预感他发生过一场多伟大、多动人的爱情。何夏并不迟钝，一点不蠢。他能很圆滑地抹开话头。每逢他一阵长久的沉默之后，会忽然讲一件有趣而怪诞的事，就把别人的兴头调开了。

他说："我认识那里一个老太婆，人家叫她秃姑娘。不用说，她不止秃了三年五年。她会讲许多奇奇怪怪的故事。她讲，有个女人怀孕五年，生下一块大石头，把它扔到河里。后来有个又丑又穷的男人把它抱走了，天天搂怀里，捂在袍子里，有一天，他发现石头上长出了头发！……"

听的人有怕有笑。

他又说："那地方过节，老人们必然聚在一块唱歌。曲调一点听头都没有，单调极了。但他们唱的时候全都庄重得很。听着听着，你就知道这歌不一般了。他们唱千年前大雪天灾使一族人流浪；唱外族人一次次侵扰他们的草场；还唱朝廷夺去千匹良马却用茶叶（注：清朝政府曾有'茶马'政策，即以茶叶易牧民的马。）来付偿。很久以后，我才明白，这歌谣就是他们民族的一部《荷马史诗》。这歌不用教，等孩子们长大，青年人变老，自然而然也就会以同样悲壮的感情来唱它了。不过这部'史诗'被祖祖辈辈唱下来，不断添加神话，搞得谁也甭想弄清它的真伪比例。比如刚才说那男人娶石头为妻，他们的'史诗'也一本正经记载过。他们这一族人只有几千，为什么呢？他们认为必定是祖先娶石为妻的缘故。"

人们又问还有什么还有什么。

"还有种草，火烧不死。有次雷火把所有草木都烧光了，只剩这种草，牲口吃了全大笑着死掉；人吃了死牲口肉，也都大笑，笑到死。这倒不是听他们唱的，是我从他们县一本野史上看来的……"

大家离去时哈哈着说那鬼地方实在愚昧。

阿尕，你不知哪个时候误吃过那种毒草，所以你一笑就发癫。你会笑得浑身乱颤，遍地打滚，像闹瘟的牲畜那样使劲蹬腿。我真烦你那样笑。可我踢你打你，你也止不住要笑。值得你笑的事怎么那样多？比如我说我爹死了，按当地风俗，入土前晚辈要披麻戴孝，再弄了瓦盆给他摔摔，你就笑啊笑啊，我那一点怀念，半点忧伤一下让你笑没了。

现在我常在梦里被阿尕的笑声吵醒。

明丽来了。那么干净得体地往办公室门口一站，真让我有些受用不住。傍晚，这个雪白皮肤的女人若是你妻子，对你说：呀，我忘了带钥匙。那你福气可是不小。她也不是什么美人儿，但这样就差不离了。往同事中一带，这是我爱人，她的礼貌、温雅，略带小家子气的容貌，再加一点点娇羞和卖弄风情，都好，都合适，简直太给我撑门面了。尽管她已有些发胖，皱纹也逐渐显著。我在这里心醉的一塌糊涂，一刹那间，真巴心巴肝地渴望一个和她共有的家。

杜明丽被他少有的温存目光给弄晕了。甚至在他们初恋时，她也很少被他这样看过。他是那种缺乏情愫的人。她跟他初认识，他就是一副恶狠狠的形象。那时他和她都刚进厂不久。他是工会的活跃分子，羽毛球乒乓球样样行。她什么球也不会，总站在一边看，有球落下来，她就跑上去捡。有次他打完球忽然叫住她：喂，以后你别捡球了。她说为啥。他虎着脸说，你捡球老猫腰。她笑了，你这人真怪，捡球哪能不猫腰。他气鼓鼓的，憋一会才说：你衬衫里穿的什么？她说，背心呀。背心里呢？他又问。她脸一下红了，又羞又恼。他说：我全看见了，你这衬衫领口开那么大，一猫腰，谁还看不见里面。她气得说不出话。

如今他这样对她瞅着。墨绿的裙子，白衬衫，对一个三十八岁的女人来讲，是较本分的穿着。她可没打算来诱惑他。

她不断在他身上发现备受伤害的痕迹。就说脸，那些痕迹使他的脸比以前耐看。这脸孔上的一切变化都是非常的，无所谓缺陷和长处，美和丑早在这里混淆，谁也讲不清到底对它是个什么印象。它就是它，就那样，放在那里，让人触目惊心。它的变化不是一朝一夕完成的。很早很早，那种侵蚀他容颜的因素，他心里就有。他对他父亲破口大骂时，那因素就已开始起作用。"你这老贼坏！老盗墓贼！"那时他的样子多可怕，多残忍。他现在不过是把当时的爆发性神态保存和固定了下来，又加上风雨剥蚀，岁月践踏，等等等等。

于是就造出来这副尊容。这脸若凑近，像从前那样跟她亲热，不知她会不会放声大叫，就像当年被他垂死的爹捉住手腕，碰到那个冰冷的手镯那样惨嚎。

老头死后，她很后悔，觉得那样叫太伤他心。她知道老头并不坏，反倒是儿子太不近情理。老头甚至很善良，最后的念头，还是想成全这个毁了他的儿子。想用那手镯，为儿子套住一桩美满婚姻。

杜明丽替何夏收拾房间。她是个爱洁如癖的女人，一摆碗筷，就够她慢条斯理，仔仔细细收拾半天。她把小木箱竖起来，食具全放进去后，又用白纱布做了个帘。

我看她干这一切，完全像看个小女孩过家家。似乎她能从收拾东西布置房间这事里得到多大幸福。二十年前就这样——总是她轻手轻脚在我房里转来转去，没什么话，有的也是自言自语：书该放这里嘛，放这儿好，瞧瞧，好多了。我呢，从来不去理会她，从不遵守她的规矩，等她下次再来，又是一团糟。但她从不恼，似乎能找到一堆可供整理的东西，她反倒兴奋。我的屋里早不是最初那副寒酸相，那个囊括一切家当的牛皮口袋被她拿到鞋匠那里卖了，然后，我屋里便到处添出些小摆设，害得我在自己屋里缩头缩脑，常常迷路。

她说她对我情分未了。我说何必。她说那不行，我不能对你撒手不管，除非你跟别的女人成家。说到成家，她声音直打颤。然后她笑着说，这样，也免得你老恨我。

明丽，你知道，这个世界上我不是最恨你的，有个人恨不能把你杀掉。阿尕，她让我领教了她那古老种族火一样的嫉妒。

阿尕问我："你爱这个女人？"她指那张夹在书里的小相片。

我说当然爱。

猜她怎样？她一头朝我胸口撞过来，等我站稳后，正要痛揍她，她却抢在我下手前又猛撞一下。这次她不是撞我，而是撞在粗圆木的墙上。她要再来那么两下，她要不死我的屋就得塌。要不是那结果，我就不是人。

后来她见到你，明丽，就是你去跟我结婚那次，你居然能从她手里逃生，真是你的造化。

我哪里知道，那时我在她小小的肉体和灵魂里已生了根。从河里爬上来，听了我那番造太阳的玄说，她就打定主意，要给我当牛做马。可怜她那时只有十六岁。从此她常常跑许多路，赤着一双乌黑的脚，披头散发站在我面前。她出现在这里，使得黑暗一团的供销社格外像个洞穴。她待在这儿很合适，破破烂烂的一堆，提示着我的处境。我很少理睬她，有时会突然烦躁，要她走，滚出去。有次她没有立刻滚出去，而是磨磨蹭蹭走到柜台前，指指那一束败了色的头绳：我买那个。她给我一枚带着她的体味儿的硬币。从此她开了窍：只需一枚硬币就有权饱看我一顿。像城里人看杂耍，或进动物园，只需一个硬币。一旦我来了脾气，要她滚，她就从身上摸出一枚早准备好的硬币，买一根头绳。我因为她的一枚硬币而不能发作，有这点小钱，她便有借口跑来，理直气壮地瞪眼瞅我。想想看，把我跟她的开头说成一见钟情，有多恶心。

我们最初的关系就是这么回事，谈得上什么男女之情呢？我们也有好的时候，我说，阿尕，你会唱一百支歌吧？她笑着说，哦，一千！我们能用汉语和当地话混杂的语言交谈了。你的歌全是哇哇乱喊，听不出名堂。

她说，哪支歌都有名堂。她马上唱起来，用手把脸捂得十分严实，膝盖一上一下地颤，我从她膝盖的动作，看清这支歌活泼的节奏。她反反复复地唱，不像平常那样拉长音调，而是跟讲悄悄话差不多。

> 我最爱的人，假如你是树，
> 我就是你身上的叶子，
> 你死了，我就落了。

我听后哈哈大笑。阿尕，你这傻瓜，树叶落了，第二年又会长新的呀。她一下松开捂在脸上的手，露出一张大梦初醒的脸。我见她胸脯一鼓一鼓，低头急促地往四面八方巡视，我知道，这时她要真找到什么得心应手的家什，准照我砸过来。可草地到处都是柔软的，连石头也没有。她冲我做了个龇牙咧嘴的凶相，转身就跑了。这回我把她惹得不轻，挺好，她不会再到供销社来烦我了。

对她发脾气、呵斥、骂甚至扇几巴掌，都不碍事，她仇恨的就是嘲弄。她专心专意在那里唱，在那里倾诉，醉心得不得了。我这么不屑地一笑，她就受不了这个。她出于她那个民族的自尊或说自卑，有根神经特别敏感脆弱。她最终离开我，恐怕也出于同一缘故，出于自尊心被我折磨得遍体鳞伤再也不堪忍受。但我发誓，这类精神上的虐待全在于我的无意识。

怎么能说我就是个混账呢？我和她矛盾痛苦之深，并非两个人的问题。这涉及到两种血统，两种文化背景的差异。我们屈服感情，同时又死抱着各自的本质不放。我爱她，但我拒绝走回蛮荒，去和一个与文明人类遥遥相隔的女性媾和。后来的一些夜晚，她睡在我怀里，我吸着她极原始的气味，会突然惊醒。我害怕，感到她正把我拖向古老。人类艰辛地一步步走到这里，她却能在眨眼间把我拖回去。假如说我混账，我大概就混在这里，每当我干完那事，总要懊恼不已，一种危机感使我心烦意乱。

至于我后来设计水电站，也谈不上什么为那里的人造福。有一半是为我自己，或说为救她。我认为救她唯一的办法是改变她的生存环境。我爱她，怎么办呢？

从她唱歌，我把她得罪后，她再来看我时已十七岁。那是春天，是个最伤脑筋的季节。虽然草地的春天还盖着厚雪，但雪下面的一切生灵都不老实了。种种邪念都在这一片纯白的掩盖下开始骚动。

一开始，还是那样。她跑许多路，只买一根头绳，就走。她不怎么讲话，刚学会羞答答。她常常是我惟一的顾客，屋前屋后，处女般的白雪上只有她的脚印。她脸盘大了，穿件皮袍，挺臃肿，但不那么小不点儿了。我觉得她变了个人，怎么说呢，有点像回事了。当然，依旧不漂亮，只是捂了一冬，捂白了，嘴唇特鲜艳。我见到她，头一回感到莫名其妙的快活。

我说，还是买一根头绳？

她说，呀。

她匆匆跑掉时，我看见那双脚依旧，还是光着，两只滚圆通红的脚后跟灵巧极了。不知怎么，那脚后跟使我浑身一阵燥热。我想，坏事了。这天有许多人在店堂里买东西，每逢我从县城运货回来，牦牛脖子上的铜铃家家户户都听得见。冬天归牧，牧人全回到冬屋子，都闲待着。从牛铃一响我就不得清静了。阿尕等最后一个顾客出去，才从门槛上站起来。是的，我这几天的确在等她。她不来，我就像条疯狗，在这洞穴里转来转去。谁都知道，这不仅仅是感情，没那么纯。男人，到了岁数，就这么个德行。我对阿尕，从这儿开始，感情里就掺进了一点脏念头。我在她臃肿的大袍子上找，终于找到那下面我想当然的一些轮廓。

她走上来，猛朝我吐了一下舌头。她就用这种顽劣的方式向我表示亲热，像条小母狗。

"又来捣乱啦？"我说，我决定今天不马上撵她走，好好跟她胡扯一会儿。

可她很快把预先攥在手心里的硬币扔到柜台上。"买什么呀？"我跟她逗。

她慌慌张张地浏览所有货物，装模作样地好像最后才发现那束头绳。她飞快地伸手一指。

我说："你瞧你的脚，都冻坏了！你瞧你瞧，流血呢！"我说这话是真的疼她，我刚发现她一双脚已烂得大红大紫。

她却怒气冲冲地瞪着我，两只脚相互藏，但谁也藏不住谁。她的窘样十分可爱。我不知她是否末梢神经麻木，这么一塌糊涂的烂脚，她竟不知疼，照样到处跑。

"阿尕，买双靴子怎么样，城里刚运来的毡靴，你穿穿看有多漂亮！"我把靴子放到她眼前。

"我没钱买。"她看一眼靴子后说。

"怎么会没钱呢？冬天谁没几个钱？"她没父母，和那个叫秃姑娘的老太婆住在一起。老太婆待她不错，只是爱偷她钱，她无论把钱藏在哪里，老太婆都能找到，偷干净，去放高利贷。阿尕究竟为什么跟她在一起过，这是个谜。就像草地上的白翅鸟为什么和"阿坏"① 生活在一起，谁也猜不透。草地上谜多了，就没人费神去猜。阿坏早晨驮着鸟出洞，鸟去觅食，阿坏打洞。晚上鸟回来，捎回食物给阿坏吃，然后阿坏又驮着鸟进洞歇息。谁能说它们过得不合理不幸福？因此，我从来没干涉过阿尕与秃姑娘的生活方式。

"我没钱买。"这回她说得更干脆，不留余地。

"可是你看，你老是有钱来买头绳哩。"我笑着说。我那天心情实在好得异样。

她一下红了脸。实际上她那点小伎俩我清楚极了。斗心眼，她哪斗得过我。我只想让她自己讲，讲讲她到底对我怎么回事。

她说了，她什么也不能买，钱要一点点地花。她说，我的钱反正不能一次都花了。

她充满委屈地嘟囔着，猛一抬头，我发现原来她是个很美的女孩。她说，等我没钱，你就会吼，走吧走吧，不买东西别到这里来。她的眼睛还是可取的，黑得很深，看你久了，像要把你吸进去。我糊里糊涂就拉住了她的手。她还在嘟嘟囔囔地讲，讲。什么也讲不清。让我来替你讲吧，你喜欢我，一天到晚想跟我缠，就使了那么个小手段儿，一个小钱儿，跑许多路，什么也不为，只为看看我。是这意思吧，实际上我早清楚她的意图，可我此时却像恍然大悟般大受感动。我真想把她马上就抱到怀里来。

这么看我比较无耻。那其实是整整一冬的寂寞和压抑，使我一刹那间热情激荡，想在处女的雪地上践踏出第一行脚印。整整一冬，河封着冻，远处近处都是冷酷单调的白色，我不能去看河，不能再到草地上去打滚，不能看公羊母羊调情，我差不多成了只冬眠的熊。所以此时，我才强烈地体味到春天！

我拉着阿尕到供销社后面我那个狗窝似的寝室。我说，我请你做客。她高兴地咯咯笑，连她露出那么一大截粉红色牙床，我都没太在乎。对不起，我那会儿心情真是太好了。我的屋子是里外跨间，外面归两头驮货的

---

① "阿坏"即草地上一种老鼠，形象类似松鼠，尾巴却像兔子。

牛住。因为没有及时清除它们的排泄物，我屋里也充满暖洋洋的臭味。我已想不起，我当时把她带到寝室，是否心怀叵测。

她往我床上一坐，简直欢天喜地。她长这么大头一次认识床这玩意儿。你们汉人睡这样高，掉下来跌死才好哩。她一会儿躺下一会儿爬起，装着打鼾，又拍拍枕头，摸摸被子，我那个脏得连我自己都腻味的窝，真让她好欢腾了一阵。

随后她看见我桌上堆的书。那是我苦苦啃了一冬的有关水利的书籍。我已不复停留在空想和探险的阶段，这些枯燥得让我头疼欲裂的书把我初步武装起来，使我有了第一批资本。阿芡一本一本地翻着书，一边摇头晃脑装念经。按突厥文自右向左的行文习惯，她把我的书一律倒着捧。我呢，端着一缸子快结冰的奶茶，请她喝。我顺势在她身边坐下，看着她单纯明朗、蠢里蠢气的侧影。

要说完全是情欲所骗，我不同意。因为她毕竟可爱。有时去爱一个屁也不懂、傻呵呵的女孩，你会感到轻松，无须卖弄学问，拿出全部优良品质来引她上钩。她已经上了钩，我的傻阿芡。不管好歹，我和她已有了一年多的感情铺垫。于是我把胳膊伸过去，搂住她的腰。她回头看我一眼，神情顿时严肃了。

我的另一只手更恶劣，顺着她空荡荡的外衣领口摸下去。她越来越严肃，我的手只得进进退退，迟疑得很。

"阿芡……"我是想让她协助一下，自己把外衣脱下来，免得事后我感到犯了罪。可我不知怎么叫改口了，说："来，你唱支歌吧。"

"我不唱，你笑我。"她浑身发僵，手还在飞快地翻书。她的紧张是一目了然的。她知道今天是逃不过去了。

"你唱，我不笑。"我和她都在故作镇静，话音又做作又虚弱，真可笑。是啊，现在想想真可笑。我怎么会搞出那种甜言蜜语的调调儿？不不，一切都到此为止了，转折就在眼前。

她忽然问："她是谁？"一张小相片从书里掉出来，被她捏住。就是这张小相片，使我猛然恢复了某种意识。她呢，她无邪的内心从此便生出人类一种最卑琐的感情——嫉妒。

杜明丽知道，怎样巧妙地问关于他跟那个女人的事，他都不会吐露半个字。他整整一晚上都在东拉西扯。一会说起那地方计数很怪：从十一到十九保存着古老氏族的计数法。一会又说起那里的气象。说在山顶上喊不得，一喊就下雨下雹子。他兴致勃勃，好像在那偏僻地方十几年没讲话，活活憋成这种口若悬河的样子。

杜明丽突然问：你不想她？他懵懂地说：想哪个？她，你儿子的妈呀。他又问：谁？你妻子嘛，你那个会骑马的妻子嘛。

"我没妻子！"他沉下脸，"我根本没结过婚！"

可是，你有儿子。那又怎样？他说，谁敢妨碍我养儿子？她不做声了，还是默默地替他整理这儿，收拾那儿，轻手轻脚。

过一会他说："你不是见过她嘛?!"

"就是她?!"一个粗蛮的、难看的女子在她脑子里倏然一现，"就是她?!……"

"很简单，后来你嫁了个军人，我就跟她一块过了。你别信我的。那地方没什么痴情女人爱过我，我是胡扯八道，没那回事。"他咬牙切齿地说，"我也没有儿子。狗屁，我天生是绝户，什么儿子，我是骗你的。"

这种颠三倒四、出尔反尔的话使杜明丽感到她正和一个怪物待在一起。"何夏，你愿意我再来看你吗？"她忽然问。

你愿来就来吧。

我不会再来了，你放心，今晚是最后一次。她说。

那也行，随你。我这人很可恶，你少沾为妙吧。那么让我亲你一下，就彻底完蛋，好吗？

她走近他，低着头。他正要凑上来时，她却说："有时想想，谁又称心过几天呢？"然后她把他推开了。她知道他没有热情，倒是一种报复。

杜明丽临走时说："你爹临死前……"

"别提我爹。"

别提我爹，别提。他现在躺在哪里？一截鼻骨，两个眼洞，整副牙齿？他还能安然地躺多久？不等他的骨骼发生化学变化，不等有人如获至宝地发掘一堆化石，就会被统统铲平削尽。每段历史，将销毁怎样一堆糟粕啊！

那些未及销毁的，便留下来，留给我爹这类人，好让他们不白活着。我们全家都中了他的奸计。我和妈，我的三个好妹妹。我是在一夜间弄清了他的图谋：他把全家从城里迁到这个穷僻乡村的真实意图。装得真像啊，我们全家要当新农民。那是一九五八年，干这事的骗子手或傻瓜蛋不止我爹和我们一家。那时我戴着沉重的大红纸花，和全家一起，呆头呆脑地让记者拍照。其实这个城市已把我们全家连根拔了。

我那时啥样儿？个头已和现在差不多，体重却只有现在的一半。就那鬼样子，已肩负起全家生活的担子。爹呢，干什么？他放着现成的大学考古讲师不做，跑到这里来吃我的、喝我的，后来拉不下脸吃喝了，才到民办小学找个空缺。他干得很坏，三天两头找人代课，自己却神出鬼没到处窜。谁能说他游手好闲，他很忙，忙得不正常了。我的印象里，他总是风尘仆仆，眼珠神经质地鼓着。他跑遍方圆百里，把成堆的破陶罐烂铜铁弄回来，拿放大镜看个没够，完全像个疯子。

有天他兴奋地对我们说：战国某个诸侯的墓就在这一带。过几天，他灰溜溜地又说：那墓早被人盗过了。其实这样也罢，那样也罢，我们才不管呢。他说墓应该保护起来，那就保护吧。他给省里文物单位写了许多信全没下落，然后他决定进城跑一趟。回来痛苦不堪地对我们说：没人管。那是全国的饥馑年代，人们主要管自己肚子。我们都松了口气：这下妥了，你老老实实歇着吧。没想到事情会恶化。

他半夜爬起来，跑进老坟地。那坟地老得不能再老，千百年鬼魂云集，并不缺少我爹这个活鬼。他在那被盗过的墓道里用手电东照西照，完全不是白天教书那副没精打采的样儿。我毛骨悚然地跟了他一夜，这才明白他为什么爱上这块贫瘠得可怕的土地。

在我动身进城到发电厂当学徒之前，我向全家揭露了他的勾当。我说，看看他那双手吧，十个指甲全风化剥蚀了。这一点，就能证明我没撒谎。

即便他活着，又怎样？他胆敢对我的个人生活发言吗？我从窗口看见明丽穿过马路，一个素淡姣好的影子。我倒要看看，岁月怎样在这个美妙的容颜上步步紧逼，以致最后收回它曾赋予她的美丽。我等着这一天，她老得难看了，虚肿的脸，再也无法像现在这样居高临下地来怜悯我这条糙汉子。到那时，她跟阿尕并排搁着，她不会再占着绝对优势了。走着瞧，你，使劲挺着你的胸脯吧，过不了多久，你就会发现它们空瘪了。那时，我再提起我跟阿尕的事，你就没资格再做这副要呕的表情了。

她知道自己现在不比从前了。从前是没一点看头。不知从哪天起，她身上有了种酵素，不然，到这个夏天，她怎么会被自己的样子吓一跳呢？她脱下厚袍子，看见两只乳房倔强地向前挺着；小腹不再凹陷于两胯间的深谷，而是刚从海底世界诞生，新鲜而年轻，圆溜溜鼓着，在与胸部相接的地方，显出两道浅浅的皱褶。大约她的身体被男孩子们偷看过，他们开始对她着迷。托雷和尼巴它两个坏透的东西，竟半蹲着撅着屁股跟她跑："阿尕小阿妈，"他们喊，"小阿妈小阿妈，喂我们喝点奶呀。"她把托雷揪住，一左一右总打了有十几个耳光，尼巴它溜了。

入春开始就有了一个接一个的节日，无非是跑马和跳舞。夜里，点一堆火，男男女女围成圈。秃姑娘戴起面具，在人群里横穿竖穿。她年轻时浪荡得有名，能在一个木酒桶上跳着转圈圈。她的舞不是随便跳跳的，每跳一次，阿尕发现家里就会多几样贵重东西。有时是一只手镯或一串珊瑚珠，有时是一两个镶银小碗或精致腰刀。她边跳边偷，谁都了解她这非凡的本领，却没人防得住她。她不光利用这舞蹈行窃，还能干别的。哪个女人若得罪过她，她跳着跳着便猝不及防一伸手，那脸蛋就会被抓花。往往是一场舞跳下来，她报了仇又发了财。没人敢惹她，因为她是个"底罗克①"。据她自己说她几经轮回转世，清清楚楚记得上几辈子的经历。她会讲多种语言正是她活过几世的证明。

老太婆跳了一圈，找到阿尕，对她悄声说："去找托雷，不要尼巴它，托雷是个真正的棒男人。"不等阿尕明白她的意思，她又怪模怪样地跳远了。

为了那张照片，阿尕和我闹翻了脸。之后这一年，我们保持着不即不离的关系。只是逢当地大年节，她必客客气气请我到她家吃顿奶豆腐之类。有时我也拿拿架子，表示城里人不是什么东西都吃得惯的。见我这样，她很识相很体谅地笑笑，就走了，把我留在那间冷清的黑屋里，反省文明人的虚伪。在那地方待了几年，还讲得清你吃惯什么吃不惯什么吗？我惧怕她将我拖进她的生活环境，但我明白，若不那样，我会活不下去。这地方一草一木无不在生存大背景认可下得到苟活。

只有一次我爽快地跑到她那去了。大概实在耐不住寂寞或提不起虚劲独自馊口。她家的冬屋和别家没什么区别，好像更小更黑。我很爱听秃姑娘谈天说地，胡扯八道。老婆子总是用骨制的大针，缝补夏日的帐篷，一边说些怪诞不经的事。从她那里我了解到"底罗克"一词来自藏语，而她

---

① 即死而复生的人

常挂在嘴边的"阿寅勒"① 却来自蒙语。她爱把几种语言混着讲，你听得越糊涂，她越得意。最让我吃惊的是，她偶尔会哼出几句阿宫腔②，并且是很旧的腔调，完全用闭口的鼻音和喉音唱。这让我想起人们对她的传说：有次她哭闹抱怨，说千里之外有人想害她，整得她夜夜冰冷犹如泡在水里。终于，她说服一个人为她跑到内地，果然那地方在开渠，水冲了一座老坟，坟里是个死在多年前的女人。难道我信？我自然不如这里的人天真。但从此，我对鬼老婆子的经历，再不敢等闲看了。她说着说着便在我手心里画一个莫名其妙的图案，我奇怪她什么时候把我的手抓了去。趁阿尕背身取酥油炸果时，老太婆对我飞了一下秃光的眉毛说，阿尕这女子也不凡，死过一次又复活的。我嘿嘿打诨的同时，意识到她并非无端在我手掌上画，她反复画的，是古老苯教中象征永恒的"卍"字。

我蓦然缩回手。

夏天，我在河边见到阿尕。我还干我的老一套，在供销社干完活就到河边来，调查河的性能。我添置了一些仪器，但工作进度慢得惊人。一方面我全凭瞎摸，另则这条河有三分之一时间是冰封雪冻。

自那次去她家吃酥油炸果，我有半年没见阿尕了。她穿了件绛红的单袍，也许本来无袖，也许袖子朽烂被截成这式样。反正她是露着两条粗黑圆润的胳膊。她又丰满了许多，脸蛋又大又红，眉梢眼角有了点风骚劲。我拎着仪器走过，她坐在草地上，看两个男人打架。一边看，一边梳理着湿淋淋的头发。她光着脚，两只脚丫子拍来拍去。我别过脸去，怕她这副放肆的样子惹我生厌。

阿尕看见我，立刻向我跑过来。领口也跳散了，露出一块光洁的胸脯。

我不搭理她，一心一意看着我的流速仪。我想，她哪怕能稍微把那副野蛮样改改多好。我明白我实际上也在嫉妒。她光着的腿，光着的臂膀我只想一个人看，独吞，别的男人不行。

她站在我背后编辫子，搞出各种响动想让我注意她。我就是不理会。过一会儿，我沿着河向前走，她就一声不响地跟着。走很远，她一直跟着。我心硬得像块生铁。

"喂，喂。"她小声叫我。

---

① 阿寅勒意为"游牧聚落"
② 阿宫腔是皮影戏一个剧种，流行于陕西永泉、富平一带

　　我回过头，见她把从我这儿买走的一大把各色头绳全缠进辫子里，收拾得光彩照人。她瞪着我，这样侧一下头，那样侧一下头，好像我是她的梳妆镜。大概她得意透了，突然像白痴那样笑起来。

　　真该上去给她一顿拳打脚踢，拧她胳膊上肥肥的肉。让你浪！可我没这样干，这是她将来丈夫的差事。

　　我感到痛心。我在辛辛苦苦为她造个太阳，她却赖在一片荒蛮的黑暗中死不出来。

　　托雷和尼巴它为阿尕打了一架，然后两人鼻青脸肿地并肩来到阿尕家帐篷里。他们一声不吭，就地一坐。老太婆明白了。阿尕从容在他俩中间来回走，腰晃一晃，他俩眼神就乱一乱。秃姑娘心花怒放地闭上眼：阿尕呃，两个算什么，我年轻时看着五个男人在我跟前打架。

　　"我呢，就在一边烧茶。等茶滚开了，我把我的戒指扔进去。对他们五个说：谁把这个戒指给我捞出来，我就跟了戒指去。"说到这里，秃姑娘睁开灰蒙蒙的老眼，看看托雷，又看看尼巴它。阿尕抱着光溜溜的胳膊，一边傻笑，一边煮茶。

　　托雷慢慢站起来，尼巴它一看，也连忙站起来。托雷鹰一样的面孔，朝阿尕俯冲下来。她"呀"的一声，耳环已被他夺去。然后，他往茶锅里当啷一扔。茶咕咕响，在锅中间翻成一朵花。托雷挽起袖子，尼巴它迟疑一会，也学他的样。老太婆眼瞪成两只黑洞，抱着膝盖，像坐在跷跷板上那样一前一后地晃。阿尕的脸蛋被白色热气蒸腾着，又圆又大，灿若一轮旭日。

　　两人看着滚得越来越热闹的茶提了几回气。

　　阿尕说："你俩快呀，我的耳环要煮化啦。"

　　托雷说："当真我捞起它，你就跟我走？"

　　尼巴它说："两个人一起捞到呢？"

　　阿尕说："那你们两个都要了我。"

　　秃姑娘这时说："涂些酥油，涂过油好些。"两人便厚厚地往胳膊上抹了层油。正要下手，阿尕一伸脚，把茶锅蹬翻了，咯咯笑着，跑出了帐篷。

　　有天半夜，阿尕惊醒，发现两个男人钻进了帐篷。狗被捂住了嘴，在门外尖声尖声地叫。阿尕大声唤秃姑娘："阿妈！阿妈！"

　　老婆子一点动静也没有。她便对那两个男人求饶："我不会！我还没做过……"可他们仍使劲把她往门口拖。"救救我，阿妈呀！"

秃姑娘睡觉一向很惊，跑只老鼠进来，她也会醒。阿尕知道坏事了，她在装睡，说不定还在偷偷笑哩。她被拖出门帘，一路不知碰翻多少盆盆罐罐。

我知道进来的是她。因为我知道那晚跳舞场上她招摇过市后必定会来找我。她光着胳膊，头上缠着五颜六色的头绳在火堆上东跑西跑，自认为漂亮死了。老人们停止了唱他们的"史诗"，一齐拿眼盯她。当然，我根本不在乎她惹人注目，她又不是我的。我就这样一遍遍让自己想开些：她幸亏不是你的。她疯到我面前，我对着她得意忘形的脸轻轻叫了声："老天爷。"她乖巧地掩上我的房门。

我在供销社门口挂上牌子，上面写着：政治学习。这里的人很老实，看见牌子立刻就走。内地正闹的"文化大革命"他们不懂，但这牌子他们认为非同小可。因此我有时很恶劣地把牌子一挂四五天。我知道她已走到我背后。够了，阿尕，前些天你那副样子让我到现在还恶心。

过一会儿，她便用两只胳膊从后面搂住我，胸脯挤在我背上，一股成熟的热气腐蚀着我的意志。不能没出息，我心里呵斥自己。她圆而光滑的胳膊蛇一样把我越缠越紧。我一动不动，一声不吭，这是我最厉害的一着。她对我这样沉默的轻蔑一向怕极了。果然，她渐渐松开一些。

我有意要伤伤她，打开那本书，把小相片拿出来，凑到鼻子下面看。她的手松了，全松了。一会儿，她五脏六腑不知怎么发出一声沉闷的怪叫，噔噔噔，她跑了。我对她的折磨完全达到了预期效果。于是我在她跑后关上门，心满意足地在门上踹了两脚。

阿尕想死。她睁眼看太阳，突然发现太阳是黑的。她想把一切都杀掉。这群羊，那群牛，她自己，还有何夏。统统杀掉。她躺在那里，一把把揪草、揪自己头发。

在昨夜，她把尼巴它骗走，剩了托雷一个。她一边顺从地脱衣服，一边后退，猛地抄起一把大草杈。最后托雷斗累了，只好跑了。她抱着杈在帐篷里坐了一夜。天一亮她就急忙赶了几十里，来到供销社，想把昨夜的凶险告诉他。对他说，女人只有一件宝，你不趁早拿走，我可守它不住了。

到了中午，我的残忍撑不住了。有种不安使我跨进阿尕家帐篷。秃姑娘兴高采烈地把昨夜发生的事告诉我。说阿尕怎样拿命跟他们拼，像头小母狼那样呜呜尖叫。我脱口:"他们干成了?!"

秃姑娘遗憾地翻白眼。我忽然感到一阵愚蠢的幸福。她怪模怪样笑着说:"你要快呀。"

"快什么?"我绝不是装傻。

她突然用那双一根眼睫毛也没有的眼睛朝我使劲弄个眼风,我又怕又恶心地跑了。她却在我背后发出鸟叫一样嘎嘎的笑声。

太阳将落,我才把阿尕找到。此刻我心里踏实极了,她的忠贞博得了我的欢心。她侧卧在很深的草丛里,睡着了。我坐下,心里被一种无耻的快乐塞得满满的。我差不多要去吻她了,可她倏地睁开眼,我这张得意忘形的脸与她贴得极近,因此在她视觉里很可能是畸形的。她呆滞地看了我一会儿,显得没有热情。而我这时却顾不上那许多,柔情大发,想把她轻轻抱在怀里,像文明人儿那样,讲点儿我爱你之类的馊话。我却扑了个空,她顺着慢坡咕噜噜地迅速滚下去,立刻跟我拉开很大距离。

我死皮赖脸地追上去。这时几个男人赶了一大群马奔过来。天边是稀烂的晚霞,血色的夕照。畜群和人形成一团黑红色的雾。马鬃和人的头发飞张着,像在燃烧。阿尕突然回头看我一眼,冲他们喊:"呃——嘞!"

他们立刻响应,回了声尖利轻悄的口哨。

阿尕格格笑,对他们大声唱起歌来。

> 我跟我的羊群走了,因为你家门前没有草了;
> 我跟我的黄狗走了,只怪你的锅里没有肉了。

她一边唱,一边回头看我。牧马的男人们听得快活疯了,哦哦地尖叫,待马群从她面前经过时,一个家伙装着从马背上跌下来,刚沾地又跳上去,反复做这种惊险表演,讨她的好。我呢,在远处木头木脑站着,看得目瞪口呆,对这种献殷勤方式,我是望尘莫及。

但我全懂,那歌是唱给我听的。她这样,无非是对我小小报复一下。等马群远去,草地静下来,我就向她跑过去,迈着狗撒欢似的轻松愉快的步子。我把手搭在她肩上,她敏感得全身一阵战栗。这一会儿真妙哇,我想,事情该进一步了。我开始在她滚圆的肩膀上轻轻摸、揉。看得出,她很惬意。"小丫头",我说,"阿尕!"

她转过脸,一副犟头倔脑的劲儿,但眼睛却像刚分娩的母羊,又温和又衰弱。这就对了，我喜欢你这样。可突然，她抓起我的手，塞到嘴边，猛一口咬上去，疼得我连叫都叫不出声来。她甩下我的手，飞快向远处跑。我看着手背上两排死白的齿痕，心里居然他妈的挺得劲。

阿尕用自己家的奶犛牛，跟人换了匹矮脚老阉马。这匹马骑在草地上走很丢脸，用棘藜抽它，它都不会疯跑，没一点火性。尤其当何夏和她两人都坐上去，马脊梁给压弯，肚皮快要扫到草尖上了。但何夏很高兴，头一天就喂它两斤炒豌豆，害得一路上尽听它放屁。

有这匹马，何夏工作起来方便许多。它虽不经骑，但总强似两条腿的人。阿尕问，造一个太阳要多少年？何夏说，你不懂，这不是件容易的事。她又说，会不会等到我死，也见不上它？何夏说，你死不了，死了又会复活。她说，那倒是真的。何夏哈哈哈地说，谁信？

河岸上钉了根木桩，何夏把牛皮舟牢牢系上去。然后，她在岸上莫名其妙地看。无聊时，她就跑来跑去拾些牛粪，一边唱唱歌。到了天黑，她得负责将他和船拉回来，点上火，烧茶或煮些肉。像她这样用刀把肉薄薄削下来，搓上盐巴，就吃，何夏可不行。不过后来他也行了。

他对她说："我看就那一段河最理想。"他指的是最可怕的那段河。据说，即使冬天河上封着厚冰，有人从那里走，也听得见冰下面的笑声。"修电站，那里条件最好。"

"不啊！"她说，"何罗，会死的！"她改叫他何罗，因为草原上的母亲往往这样叫孩子。比如尼巴它，就叫尼罗；阿勒托雷，就叫阿罗。是一种昵称。

"你不懂。"他说。"是吧，你哪能懂这个呢？"他用手指弹弹她的前额。

她咯咯笑，头摆一摆，每当说到她不懂的东西，她就这样，像小狗儿撒娇。他们坐下来，两个人就着火上的热茶抓碗里饭食吃。吃饱后，她就逼他讲点内地的事，比如内地姑娘的牙有多白，脸上多香。她心里向往得很，鼻子却"哼哼"的，表示不屑。

"何罗，我多大？"她闷了一会儿忽然问。

"你？十九岁了吧。"

"你多大？"

"我二十九，快三十了。"他瞪她一眼，"你少发痴。"

"啊呀呀，我一百岁啦。"她大声说，"你三百岁啦！一百岁啦！一百岁的老婆婆，三百岁的老爷爷，啊呀呀！"她往后一仰，叉手叉脚地躺着。她恨得想拧他肉，到这时候了，他居然还不懂。

我知道阿尕在提醒我什么。我全身官能正常，怎么会不懂？有时她像孩子一样在我身边厮磨。我坐在那里，她会一刻不停地在我身上爬上爬下，把我头发一撮撮揪起来，编许多小辫子，扎上乱七八糟的头绳，然后抱着我晃啊晃，说我是她的孩子。有时她抓住我的手，用舌头在我手心上曝，问我痒不痒。这种时候我是不动邪念的，全当她是个小淘气，随她闹去。而那晚上，她仰面躺了很久，一声不吭，只听见喘息，我就要崩溃了，非发生什么不可了。我猛地趴到地下，像大蜥蜴那样全身贴地，嘴啃着草，手指狠狠抠进泥里。强烈的压抑使我浑身哆嗦，牙关紧咬。我不能，假如我动一动，就毁掉了文明对我的最后一点造就。

她躺了许久，忽然说："你会走的。"

"胡扯，我走哪儿去？电站修不好，我就死在这儿！"

她爬起来："你就是想走！"她跺跺脚，发起蛮来。

我说："我懒得理你。"

她把身子挪过来，咯咯笑着说："你现在就走吧，我要嫁人。"

"嫁吧。"我说。

"我先嫁尼罗，后嫁阿罗，生一大窝娃娃。"她涎着脸，还在那里笑。咯咯咯，咯咯咯，听得我头皮发怵。

我也爬起来，装出一副笑脸，恐怕笑得很狰狞。我说："我要走啦。到省城，跟那个雪白雪白的女人结婚！我跟她逛马路逛公园，嘻！"

我还想说，但她抢着在我面前："我就是喜欢会骑马的男人咄。我要他搂着我骑马，跑远远的。"

"我还嫌马臊臭哩。你去吧去吧。我跟我的白皮子美人儿手拉手，她才温顺呢？"我越笑越狂。痛快呀。

她爆发出一阵歇斯底里的大笑，企图压住我："好呀，你走呀。我跟托雷最合得来！"

"我当然走，我的姑娘还等着我呢！"

我们都笑得面孔痉挛，血管膨胀。突然，她一抡胳膊，不动声色地给了我一个大耳刮子。这下就安静了。我一下冲上去，揪她的头发。接下去是一场无声无息的恶斗。她的力气并不亚于我，几次占了上风。这样打，直打到由刚才的笑积攒下的心火全发出来，才算完。

　　看看我们现在的样子吧：她躺着，我坐着，都是气息奄奄。好了，我们向来是稀里糊涂地和解的。"何罗，你才不走呢。"她对着星空说。

　　我老远伸过膀子，拉拉她的手。她马上就顺势爬过来，靠在我身上。"你走也走不脱，我看你往哪儿走。"

　　"走不脱？试试吧。"

　　"走不脱。我是女妖吔，你不晓得？你去问问阿妈，我的底细她晓得。"她妩媚妖冶的神色使我恶狠狠地吻她，她却在我吻她时轻轻叼住我的嘴唇。一切都宁静美好了，一般在我们打得一点劲儿也没有的情况下，才可能有这种安恬意境。"等修好水电站……"她说。

　　"到那时候，你干什么？"我问。

　　"我？我还放羊啊。"她感到很自惭。

　　她真实的自卑使我伤心。我看着她显示智能不佳的低窄前额，安慰道："你不笨，学点文化……"

　　她当真了，马上说："你教我学问，我给你背水、割草、放牛放羊。你搬到我屋子里来，我们住一块！"

　　她自以为那样的前景对于我就够美妙了。她多傻，满心以为我也在期待那种日子。假如真像她讲的那种前途，我这辈子就去个球了。何况，我压根没打算跟这个野姑娘成家。

　　接着发生了一件意外的事，跟我久疏消息的明丽，忽然来信了。她说这些年她没变心，仍等着我。我立刻回了信，感激涕零。后来我才知道，她没说实话。我走后，她便接受了另一个男人的求爱，不巧这人武斗丢了命，她才想起天荒地远的我来。她的第二封信就恢复了未婚妻地位，说她正在活动把我调回城里，一个军代表已松了口。最让我吃惊的是，她说她要来看我，如果可能，就在我这里结婚。反正，她将随身把缎子被面带来。她完全自作主张，根本不须征求我的意见。本来嘛，她施舍，她赏赐，你还不只有磕头捣蒜的份儿。

　　我要交好运了。总算能离开这鬼地方了。什么水电站、阿尕，一下子被我甩开八丈。我受够了。就看看我门口这硕大一摊摊牛屎吧，打那一过，"嗡"地飞起一蓬肥大的蝇子，因此每摊粪都显得无比繁华吵闹，我受够了。

　　修水电站？给这里造一片光明？我这庸人凭什么把自己搞得那么伟大？真可笑，真荒唐。这时，我才发现自己待在这地方，并没有死心塌地，甚至可以说，早就伺机从这里逃掉，现在机会来了。

我回信叫明丽不必来。我生活得如此狼狈，我的狗窝让她一衬，将更加惨不忍睹、臭不可闻。我让她在百里以外的县城等我。

但她还是来了。

阿尕一眼就看见白晃晃的面孔。她的感觉先于眼睛，认出了这个汉族女人是谁。她不如相片上好看，也不如她想象得那样高挑。一个挺平常的女人，对不对？

阿尕鼓励自己一番，跳下马。让我仔细看看。你这细皮嫩肉，又白又光的小娘儿们。阿尕干脆走到她对面，盯着她，似笑非笑，露出不怀好意的样儿。她想吓吓她。

她略侧身，戒备地看看阿尕。"有个叫何夏的人，是在这里吗？"

"呀。"

"他怎么不在……？"

"呀。"

"请问，他到什么地方去了？"

"呀。"阿尕存心装着听不懂。她心里在酝酿着一个极不善良的计划：不让她见到他。不然阿尕怎么办？她一来，阿尕就成了熬过茶的茶渣子，该泼出去了。他有了她，想想会怎样吧，行了，阿尕，你走，别再来啦。想到何罗将跟她搂成一团，睡在这床上，阿尕差点拔出她的小腰刀来。她问："就这儿吗？他就住这儿？……"

才好哩，她都快吓哭了。两头犛牛见来了生人，一个劲鬼叫，并探头缩脑。有头牛是张大白脸，像跳舞的人戴的鬼脸谱。她孤立无援地站在屋子中央，疑疑惑惑地东张西望。四壁被烟熏得漆黑如墨，她站在那里，像天棚漏了，泻进来一束白光。

"何夏，他过一会儿能回来吗？"

"呀。"阿尕一边看着她，一边往后退，退到门口，撒腿就跑。

我那时假如见到她，一切就都像她预先安排的那样，找个地方，登上记，结婚。不会的，明丽。你看见我的处境，就是你的感情走到了绝路，你绝不会再向前迈了。在那之前，你根本不会想到世上竟有那么糟的地方。她看见那间漆黑烂炭、臭烘烘的屋子就全明白了：那一趟跑得太冤，千里迢迢，等着她的是个黑窟窿，无底深渊。要在这一团瘟臭和黑暗中跟我从长计议吗？别逗了。你一脚踏进来的同时，已懊悔不迭。所以你走是必然，不是误会，尽管阿岁这小妖精从中搞了不少花招。

知道这小妖精怎么干的吗？她跑到河边，悄悄在马腿上不知搞了什么鬼，马便瘸了。然后，她又花言巧语劝我，说何必跑那么多路回去呢。她死死拖着我。瞧，我给你拿了条毡子，不会冷的，夏天睡在这里，美透了。我确实在草地上睡得很美，第二天，不用她再多话我就决定整个夏天睡在这里。我唯一感到蹊跷的是，阿岁再不来跟我亲昵或捣蛋，总是隔开一段距离，很陌生很严峻地看我，眼光发直，心事重重。我正巴不得跟她重新调整一下关系。自从收到明丽的信，我从此对阿岁收了心。我得活得像个人样。虽然我越来越像个野蛮人，但还不怎么缺德。说真的，那时我感到特别庆幸，因为我跟阿岁还没过最后的界限，还没乱套。

"何罗，快回去！"有一天，她对我这样说。

"你发什么疯?!"我见远天刚有道细细的金边。

"你快回去，快呀！"她干脆将两手插入我腋下，把我搁起来。

我气坏了，用粗话骂她。她不理我，披头散发蹲在那里，一会儿，便从马蹄上取出一小截血淋淋的铁楔子。我明白这里面的名堂不一般了。"到底什么事?!"

她还是不讲话。我不耐烦了，踢了她两脚，她却没像往常那样以牙还牙。

"快上马！快回去！"她拼死拼活拖我。

"房烧啦？天塌啦？"我被拖得发了脾气，"你不告诉我出了什么事，我就杀了你！"

她马上嚷："杀吧杀吧！"还真把她的小腰刀拔出鞘，扔到我手里："杀了好！反正你以后不要我了！"她眼睛向上翻起，光剩了白眼仁，真可怕。我把她的刀往草地上一扔。

见我执意不走，她猛地跳上马。直到马驮着她扭来扭去跑成一个小黑点，我才感到大事不妙。我步行回去，在屋里发现了明丽。她虽走了，可各处都留着她的痕迹。屋子不再是个牲口圈，全经她手变了个样。床单被子散发出一股肥皂和太阳的爽人气味。枕边，有她遗忘的一小盒万金油。桌角上她留了张纸条，把干巴巴的最后一点感情硬挤在上面，无非要我明白，她来过了，等过了，仁至义尽了。我捏着纸条就像握住了什么凭据一样冲出门，但我没去追她，要追说不定追得上。可我只是仰头看着晴得赤裸裸的天，想，我真他娘的倒霉。

时隔多年，杜明丽见到我最要紧的话题，就是谈当时如何不巧，如何阳差阴错和我错过一场如意婚姻。实际上不是那么回事。我明白，不是。

明丽一再声明当年她没错。她说错在我，我没去追她。一个人总相信自己没错，也是一种解脱。她终于跟我谈起阿尕。

杜明丽当时坐一辆牛车，从那地方到乡里还有几十公里。长途汽车只通到乡。她听见后面有马蹄声，回过头，见那个黑姑娘风一般刮过来，一面对她喊："他回来啦！你别走！"

等她靠近，她说："我听不懂你的话！……"

"何罗，何夏回来啦！"说着她勒转马，"你跟我回去！"

"你说什么呀？"杜明丽想，她当时可真能装，硬是装得一点听不懂她的话。她的汉语虽然讲得差劲，可这几句话她明明是听懂了。她见她十分麻利地跳下马，跟着牛车跑了几步，又说："你真的要走呀？他回来啦！"

她仍摇头，表示听不懂，但她不敢正视这个一身蛮力的女子。她牵着马，始终跟着牛车小跑。乌黑的赤脚，肮脏的头发。

她说："……何夏是顶好顶好的人哪！你别走吧！他想你哪，爱你哪，我晓得哪。你就这样狠心哪？！……"

杜明丽想不起当时是怎么的了，决心那样大。她的苦苦哀求不仅不使她动心，反倒让她心烦。怎么说呢，是麻木？对，麻木。她叽里咕噜在那里哀求，她渐渐泰然，真的像听觉失灵了，只感到那是一串没意义的噪音。当时还有一点使她怨恨的是：他回来了，为什么他不来追我，要你起什么劲！

她最后怎样说的？她说：求求你！

我说……噢，我也许什么也没说。跟她，我有什么可说的？可我没想到她会流泪，更没想到她会扑通一声跪下。她说：求求你！就那样挺吓人地跪下了。

她只好叫牛停下。她下车，站到她面前。别这样，这不是逼我吗？她说。不过她当时很可能什么也没说。她恐怕只是平静而冷酷地站了一会儿，面对这个跪下的异族女子。然后——

她就再也没回头。

随她在那里跑着好了。牛车颠颠地碾起一大团尘雾，雾很快会隔断她们。可是，过了相当安静的几分钟，她在雾那边哇哇地唱起来。那歌非常泼辣刺耳，虽听不懂词，但猥亵的意味很明显。车老板一听便不怀好意地笑。后来他眉飞色舞地给她翻译了那段淫荡的歌词。她唱那种歌无非是想激怒她或辱没她，还有一层更深的意思，就是暗示她从此夺得了对于何夏的占有权。

明丽走了，我呢，我呢？

我和我孤零零的躯壳，在草地上四面八方胡逛。天很黑了，我不知我在哪里。远处隐约有狼在娓娓地唱，在勾引我。我怕吗？来呀，狼，我爱你。

我躺下来。突然流下一股迅猛的泪。

谁知道我一刹那间想起了什么。受不了啦，一个大男人跑这儿对狼哭诉来啦。我被我可爱的未婚妻一脚蹬了，糟心的事不止这一桩。

先想哪一桩呢？想想我妈，我三个妹妹，尤其二妹，她漂亮却不得宠。千万别想我爹。我的天，可我偏偏谁也想不起，一来就想起他那干巴巴的脸。那时我怎么没看出来呢？妈妈和妹妹们的死，一场大祸，就会藏在这张脸里面。他和全家看起来相处还好，其实整个命运是在暗中冲撞着。

我在想着洪水。它怎样撞塌了我家第一堵墙，我弄不清。我回去的时候，什么也不屑问了。妈妈怎么会在那个节骨眼上倒下？据说是被砸倒的。三个妹妹弄不动妈，一齐喊：爸，爸。洪水已经灌进来了。"四清"工作队一来，就发现爹的行动不对劲。他们找爹谈了几次话，村里就开始传，说爹是个狗特务。爹感到他的宝贝放在家里已不安全，便把它们全转移到那个古墓道里。他认认真真地还给每样破烂都编了号码，用红漆写上去。他听说洪水要来，先是往那儿奔。等他背着一只装满无价宝的麻袋跑回来时，已是沧海桑田。

我从城里赶回来，干了惟一一件了不起的事，是这样的——

晚上，我浑身冰凉阴湿地坐在山顶上，他也像个水鬼。我们徒劳地打捞了一整天。我见他仍守着他的宝贝口袋。我对自己说：开始吧。

我上去夺下他的口袋。

他说，碎了不少。

我说，好，碎得好。

他瞪着我，脸像水泥铸出来的。我说：打开看看，有没碎的没有。他在口袋里查看一会儿，眼睛马上发出守财奴的贼光，说：万幸，夹砂红褐陶罐还在。我说，是吗？叫我看看。好月亮。我拿过它。爹说，小心，它价值连城。我说我知道。他说，你知道什么？它的研究价值多大你知道？我一刹那间看透了它。它那谁也不理解的色彩里布满狰狞的纹样。爹从我眼神里看到了世界末日。他像只瘦猫那样一扑，我躲开了。我让他清清楚楚看着我怎样来处理它：我像"掷铁饼者"那样鼓满肌肉，手臂柔韧地画了一圈。爹看着它落下，悲惨地咆哮着。他老人家从来就没爱过人这种东西。

记忆到此结束。因为我突然闻到一股异样气味，一看，狼把我包围了。我想，是我不好，跑到它们的地盘上来了。这时，我忽然听见飘悠悠的歌声。

> 我有多少根头发，你可数得赢，[1]
> 我有多少颗牙齿，你可记得清，
> 你是河对岸那棵大桃树，
> 远远站着，却偷了我的心。[2]

我简直觉得是狼在对我唱。

阿尕知道什么都是命里注定。他来，他走，他靠近她，他远离她。她晓得早晚要分，那就分。该让他走，把自己抛下，忘掉。她知道耍多少花招也绊不住他，那就是命了。应该把他还给他们的人；让他去和他们人中的那个女人结婚。结婚，这事可没她阿尕的份儿。

她说："何罗，你走了以后，别恨我噢。"

他好像吃了一惊。眼睛找了半天，才找到她的方位。他拍她的脸蛋说："阿尕，你真的要我走，你不要小小的太阳了？"

"你明天就走，何罗。该是天上飞的就飞，该是地上爬的就爬。命啦，何罗。"

"我走了，你怎么办？"

---

① 数得赢即数得过来。
② 形容桃子的形状与人心相似。

"我？我还放羊啊。"就是不知道，另一个女人能不能像我这样疼爱他，把他当心头上一块肉。你，何罗，别看我。她开始帮他收拾东西。她手很笨，书摞好，又总要坍散开。忙来忙去，屋里反而弄得更乱。"是我不好，何罗，拦住你，没让她见到你。你怎么不拿鞭子狠狠抽我？她走的时候好伤心，何罗，明天你就去追她。"

"好吧，那我明天就走。你送送我？"

"呀。"

"阿尕，要是我不回来了，你就嫁给托雷。"

"呀。"

他想伸手抱她，她却躲开了。酥油灯一闪一闪，她忽然想起两句歌，断断续续唱起来。

> 我是这盏灯，只有一个心；
> 你是那棵桃树，不晓得你有多少颗心。

是我决定要走的。狗颠腔似的要去追明丽。我一说走，阿尕似乎毫不意外，一个劲说是命呀命。

她动作粗重，把我所有东西捆好，装进牛皮口袋。我坐在这儿，不知她在为谁忙。明天，谁要背着这堆行李走？我要对那混账说，走吧，滚蛋，什么再见，去你个球。

这天晚上我们过得特别太平，没吵没闹，没你打我我打你。我心里奇怪的平静，并不觉得什么好事在等我。懂我意思吗？我并不向往，未婚妻，久别的都市，绸缎被子下变的戏法。我从向往无比，变得无所谓，淡淡的，简直莫名其妙透顶。我活见鬼。我对忙了半宿的阿尕说，来，坐到我身边来，我要好好抱抱你。她很乖，不乱动，叫她唱她就唱。

> 你到南边去，我到北边去。
> 咱们找到金子。
> 大海边上来相遇。

往下的事该明白了。当阿尕替我扛起行李，拉过马时，我决定不走了。我没走。我的阿尕，我跟谁结婚？就你啦。这是怎么的了，我也纳闷。似乎有种东西在暗中控制我。我朦胧意识到一种巨大的责任，或说使命。这使命似乎从我来到这世上，就压负到我身上，甩也甩不掉。别想摆脱。从我踏上这块草地，就结束了我盲目的人生。我见到河，还有阿尕，便感到使命像幽灵一样渐渐显出原形。是它把我引诱到这里，把河，把阿尕，同时推到我面前。我是跑不了的。阿尕老说命啊命的，我知道就是这种不可知的巨大主宰，它注定我的一生不可能轻轻松松，无所负担，像正常人那样去过。

我留下来了，事情还没完啊。

阿尕手拿着一大把头发，站在何夏面前。好看吧，何罗。她剪去了长发，像汉族女人那样，把头发扎成两个把子。她头发很硬，又像羊毛那样梳不直。他大受惊吓地瞪了半天眼说：我的亲娘！

阿尕委屈地说：她，她就像这样子呀！

"她？你怎么跟她比。"

"我不能比啊?!"阿尕一叉腰。"叫她到这里来，住十年，她也跟我一样，成个丑八怪！"她又想干一架了。

我那傻头傻脑的阿尕，你看看她把自己糟蹋成什么鬼样子了。我知道明丽就梳这种短辫，她仿照她，是为了讨我欢心。以为这一来，她跟明丽就很相似了。她剪掉的长发使我痛惜不已，因为它几乎是她惟一的装饰。可她呢，摇头晃脑扭扭屁股，以为这样就一步跨千年，跟我多少有些平起平坐了。老实说，她那副怪样，险些打消我跟她去乡里登记的念头。

乡里有条街，我给阿尕买了双北京出产的塑料底松紧口布鞋。本来我还想将自己打扮成当地姑爷，阿尕却不干，说要那样我准会变丑。街上有些外地来的贩子，在袖筒里谈交易。他们把对方的手握在又长又宽的袍袖里，讨价还价："这些。"买方的三个指头被握住，若他不满意，"那么，这些。"卖方又退下一个手指，表示让步。由三块钱让到了两块。然后是付钱。这种付钱方式我在供销社里也常见：他们将钱在钱袋上揩了又揩，以免好运气随钱带给了人家。

我们没领成结婚证。那里锁着门，也挂了块用不着废话的牌子。阿尕说，命啊。听她又来这套，我火了。我说，球，我要怎样就怎样。我要结婚，我认为时候到了，就结。我要想把阿尕看成美人儿，那她就是。我愿意她迷人可爱，她就迷人。什么东西，只要愿意，你就可以信以为真。阿尕牵着马，我骑在马上。她往前猛跑一截，再停下打个唿哨，马就颠颠地追上去。然后她再跑。她想逗我高兴，或说，下意识地在挑起我某种欲念。

她个头不高，长得挺匀称。露骨点说吧，浑身肉都长对了地方，凸凸凹凹毫不含糊。是那种很实惠的女人。在这一带，也许她算个美人，谁知道呢，可能她对他们胃口。

我按捺不住了，跳下马。她看见我的眼神，知道不好啦。她往后退，眼睛又幸福又紧张地看着我。不知怎么，她脚下一滑，仰面朝天跌下去。我只晓得她从不跌跤。八月的正午很静。她说，马，马。她不愿意马看见。

我抱住她的时候，突然又改变了主意。她躺在那里，急切地看着垂头丧气的我。我用很低很重的声音说：去，你好歹去洗洗。

她慢慢坐起来，又站起来。走了。

整整一夏天，她躲起来不见他，赶着牛羊到很远的地方去放牧。她知道他们永远合不到一起。他把她拉近，再把她推开。一次又一次这样干。他们之间隔着什么，她一眼望不穿。但她晓得，她的爱情是跪着的。任他折磨、驱使、奴役，用鞭子抽。他没有一刻不在嫌恶她。嫌恶跟爱搅得一团糟，你只想要其中一部分，不行，你都得拿去。甜的苦的你全得咽下。在接受他爱的同时，就得忍着痛，任他用小刀在心上一点点地割、划。怎么办呢，她在这种活受罪的感情里已陷得太深，妄想自拔。她坐在天和草地之间痴痴地想，天下要没这个人多好，这个人要不到这儿来多好。他来了，告诉她有种光明，有种被光明照亮的生活。他离间了她跟草原的亲密关系。使她渐渐叛离了她的血缘亲族。她不能安分了，跟着他，中了邪一样从他们的人中走出来。回头看看吧，她正在切断自己的根。

阿尕突然拾起一块石头，抛出去，击中一只牛的犄角，它长吼一声，向远处跑几步，又停下，满心愤怒却不敢发作，只是不理解地看着女主人。她再用石头去击第二头，第三头。直到她手臂发酸，精疲力尽。

我看见阿尕时，她浑身赤裸，站在河滩上。她没发觉我，正低头用一只巨大的棕刷使劲刷着全身。那种刷子十分粗硬，是用来刷马的。她刷得仔细，认真，甚至狠毒，不时蘸着河水。我呆住了。不用问，光听那"刷啦刷啦"的响声，也知道皮肉在受怎样的酷刑。她全身像被火灼伤一样通红发紫。

我觉得那刷子在我的神经上摩擦。懂这意思吗？就是说，看女人洗澡并不都会唤起美感或导致情欲，此刻我唯一的感受就是残酷。

猛然她看见了我。她没想躲的意思，也没想找什么东西遮体。我承认，许多天来，我想她想得苦极了。

她坦荡地站在那里，好像不懂得害羞。后来她告诉我，她每天都这样洗刷自己，狠着心，想去掉这层粗糙的皮，变白，变成我希望的那种样子。她躲开我两个月，就在干这桩蠢事。

还有什么犹豫的，我一步步走上去，而不是像什么畜牲那样一扑。然后，我将夺下那把刷子往河里一扔，转身走掉。我一步一步，一点一点，看清她，头一次认识到黑色所具有的华丽。

走了很远，我听见她声嘶力竭地哭。那只刷子早漂没了。不能回头，绝不，一份古老的、悲壮的贞洁就在我身后。我嫌弃过它，因此我哪里配享有它。

阿尕跟何夏并排躺在毒辣的太阳下，见灰白的云一嘟噜一嘟噜的，像刚从某个头颅里倾出的大脑。所有的一切都在蠕动，正酝酿一个巨大的阴谋。他忽地动了一下，她朝他扭过脸。他说，别看我，阿尕，闭上眼。

她闭上眼，看见一个骨瘦如柴、衣衫污秽的女人，背着孩子，拄着木棍，一步一瘸地在雪地上走。这个残疾的女人就是她。她看见了自己多年后的形象。这种神秘的先觉，只有她自己知道。

我想会有孩子的。阿尕决不会和我白过一场。她健壮，一切正常，腹壁柔软，该是孩子最好的温床。我把我的床加了条木板，这就是我新婚惟一的添置。阿尕说，我怕掉下来。我说，不会，你躺里面。夜里她轻手轻脚爬起来，绕过我，到牛屋去抱了些干草。我奇怪地看着她，不知她这是搞什么鬼。她把草铺在地上，然后躺上去，四肢尽量舒展，痛痛快快打了几个滚，便睡着了。第二天清早，她又轻轻把草抱回去。连着几天，我装不知道。但当我发现她又一桩恶劣行径，便憋不住爆发了。你猜她怎样来瞒哄我？她说她对那双布鞋喜欢得要命，可她只要一出门，立刻把它脱下来掖在怀里，仍是光着两只脚去野跑，跑够了，在进门之前，再赶紧把一双踩过泥、水、牛粪马屎的脚往鞋里一塞。这天，她正憋足气往脏极了的脚上套鞋时，我突然吼道：好哇！

我说，你横竖是改不了了。你那些野蛮愚昧的习性永远也丢不掉的。你宁可像牲口一样睡在草上，我算看透了你。

她起初低着头，忍耐着，像干错事的小孩子。我的刻毒话越讲越多，骂得越来越起劲，她受不住了。她恼羞成怒，终于扑上来，跟我玩儿命。我们往往有这种情形：开始真恨不得你掐死我我掐死你，但打着打着，性质不知怎么就变了。这种肉体的冲撞摩擦从另一方面刺激了我们，就是说，情欲。动作里虽然仍是那么猛烈凶狠，但这只是表面现象，实质已经偷换了。我们两人都变得急不可待，一面咬牙切齿攻击对方，一面开始撕扯对方衣服。她踢我蹬我，似乎成了一种挑逗和激将。我简直像个土匪，跟着她渐渐温顺，脸上是极度的愤怒和极度的幸福并呈。然后，我们彼此低声地骂着粗话，结束了这场行动。我觉得，与正常的夫妻生活相比，这种行为更令她欢悦。她在这时表现出的激情，实在让我吃惊。

我们开始过活，吃、喝、睡、斗嘴、打架。她弄到一点米，就给我煮顿夹生饭；若弄到一点细麦，就做面条。她像捻牛毛绳那样，把面捻成条。那些面条被她越捻越黑，放在锅里一煮，我觉得它们一根根都是什么活东西。

能吃吗？我问她。她咯咯直笑，以为自己干了件了不起的事。我灯也不点，稀里糊涂把那样的饭食吃下去。黑暗中，我说，这房子多像个黑笼子。我还说，像坟墓。我们就死在这里面，永无出头之日。她一点也听不出我这话的悲凉，依然咯咯笑着说：我不会死。我死过哩，被狼叼走，吃掉了，后来又活了。现在狼跟我很好，你忘了，那次你迷了路，狼围住你，我一唱歌，它们就散开了。

我说，你当我是傻瓜，会信这些？

她爆发一阵大笑，笑得跟平时异样。不知怎么，我浑身起了一层鸡皮疙瘩。我一把拉住她，深吸一口气问：阿尕，你到底从哪儿来？把你的来历老老实实告诉我。她一闪，笑着，躲到我看不透的、更深的黑暗中去了。

他，托雷，找茬来啦。阿尕抱着膀子，看看何罗，又看看托雷。跟我走！你怎么跟他在一起，跟我走！

阿尕说，哈？你从哪个狗窝来？长得倒真像个人。

托雷盯着何夏：她是我的。把她还给我。

何夏不吭声，正要去搬那袋盐。托雷走上去，抱起那足有两百斤的装盐的麻袋，在店里走了一圈，然后轰地往地上一放。他笑了笑，又旁若无人地在店堂里走了两圈，撮一撮鼻烟，对着何夏张大嘴打了个大喷嚏。何夏一拳打过去。托雷刷地抽出刀，猛一摆头，表示他不愿让女人见血。阿尕有些怕了，扑上去拦腰抱住托雷，用头顶住他胸口。托雷啊，他是好人！你还不扔下刀吗？我也有刀，你跟我拼吧。有刀的杀没刀的，算什么东西？托雷慢慢收起架势，抖抖肩膀。但他还不想马上撤，威风还没撒够。他把刀放到手背上，猛一扔，刀稳稳扎在木头柜台上。他反复玩耍这把锋利的凶器，一面微笑着看看阿尕，又看看何夏。

我正好不想干了。他们早看我干得太差劲，要把我调走。我说不用，我去当牧民，十分爽快地交还了这个四十八块月薪的饭碗。然后我彻底自由，托雷也别想用砸店来吓我了。我和阿尕在离河很近的地方支起帐篷。从此，我有充分的时间往河里跑。我的设计图已初步画好，我高兴地在草地上到处竖蜻蜓。

那时我哪里会想到惨败呢。

整整一年半，我往返于县委、州委，恐怕跑了上万里路，把我的设计图纸，像狗皮膏药一样到处贴。几百次向人复述设想，有了电，可以办毛纺厂，奶粉厂，方圆多少里会受益，等等等等。我想我那时的样子一定很像一个人：我爹。那种神经质和不屈不挠的残酷劲儿。总算说服了他们。可谁想到结局会那样惨。

现在想想，正是我要对尼巴它的死负责。一个很好的小伙子，眼睁睁看他被河水吞了。这样的事在别处，在内地绝不会发生，因为我的设计是显而易见的草率，稍有一点知识的人都不会拿命往里垫。实际上，我是利用了他们的无知和轻信，把他们蒙昧的热忱作为本钱，大手大脚地投入自己破绽百出的设计。我到死都不会忘记，尼巴它落水之前，还朝我无限信赖地笑笑。他怎么也想不到，那是我送他去死。

"你不晓得，他一直跟我别扭。那时他一口答应把你调回来……"明丽阴郁地说。

"他就用这个钓饵把你勾上了吧，这位军代表。"他嘿嘿地乐。

"他早转业了，现在在公安部门。"

"一定训练有素吧？放心，那他也打不过我。"

"你又要打架？"

"啊。好久不打了，真想找个人打打。"他又嘿嘿直乐，"你老实讲吧：想不想真跟他离了，再嫁我？不吭气？那就是不想。"

杜明丽眼泪汪汪，看着这个拿她痛苦取乐的人。

"你不想离婚，那我就不打他了。想想我这辈子也打了不少人，够了。那个工段长，现在不知怎样。大概退休了。他太恶，我爹要死了，他不准我回去……"

"是你自己不愿意回去。"

"是嘛？那我记错了。可后来我后悔了，夜班上了一半，我想我还是回去看看，老头毕竟是我亲老子，连你这个未过门的儿媳妇都去奔丧了。我去敲他门，他喝了酒刚睡。我好说歹说他就是不准我走。我那时心理状态已经失常了。两个月前，我妈和三个妹妹刚死，我大概从她们死后神经就错乱了。"

"对，我记得你那时成天闷声不响。"

"工段长也是个烈性马。我骂了他一句，他就冲上来，仗着酒劲，我胸口上给他搔掉一块肉。"

杜明丽说："你怎么现在才告诉我？他先动手，当时你讲清是不会判你的！"

"当时，"何夏笑道，"我就巴望他们把我毙了。"

杜明丽说："那就是我家阳台。你一定要跟他谈吗？"

何夏说："明丽，你和他有没有段挺幸福的日子？"

她犹豫一会儿："他为了我从部队转业的。"

"他很爱你？我知道，不爱就不会吃醋了。你们有过挺好的一阵，那一阵你差不多忘了我。"她想辩解，他却又抢先说，"没关系，还是忘了好些。"

"还是别跟他谈。你想想，有什么话可谈呢？"杜明丽拉住他。

"别怕，"他像要搂她，但又改变了主意，"你瞧着，我不会怕他。"

我这辈子怕过什么？我并不像表面上那样无所畏惧。我怕过许许多多东西，比如说，尸体。

我万万没想到一个人会如此走样，像老大一堆肉，明晃晃不断颤动，任人宰割。尼巴它大概是七天以后才被冲上岸的，那是一九七三年的八月，那里的八月总是汛期。先是几条狗发现了他，它们企图把他拖回村去。他被泡得十分富态，宽大的袍子被胀鼓鼓的肉撑满。大家上去搬他，一碰，他就淌出酱油似的血。

阿尕不准我走近他，她逼我走开。我从她惊慌失措的眼睛里，已看到我的劫数，我逃不了啦。

人们开始看我，他们渐渐聚拢到一块，目光阴沉可怖。他们似乎刚刚发觉，他们的地盘上怎么多出一个外乡人来。我也纳闷，这个貌似人烟寂寥的草地上，怎么突然冒出这样一片黑压压的人群。他们排山倒海一样向我紧逼过来，我没有退路，孑然孤立。这外乡人愚弄了我们，那河里有鬼！他故意断送了我们的人的性命！把他捆起来，杀掉。我们这里从来都和睦安宁，是他把灾难带来的。来呀，宰了他。把他那个聪明的脑瓜敲碎，让他那张能说会道的嘴吐血。他怎样花言巧语欺骗我们来着：每个帐篷里，都会有个小小的太阳！尽管我在众多眼睛里寻见了星星点点的同情和体谅，但大趋势已改不了了。这种时候，他们有的只是一脉相承的默契。

我看见一模一样的人连成一片，面孔表情全部一模一样。连在一起，是一整块黑色，遮天蔽日。天幕上，出现一个巨大的阴影，我看不清他的面容，只感到他咄咄逼人地向我压来。

许多人的窃窃私语渐渐变成了低吼。他们摩拳擦掌，每人佩饰在身上的古钱吊发出闷响。我对自己说：来了！小子。我触怒了他们，他们啸聚一起，结成一股无可阻拦的力。我死到临头了。我想把多日来的反思与懊悔对他们倾诉，把道理讲清，还想对这连成一体的人群说：抱歉，乡亲们，我由于经验不足给你们造成了损失，我不是成心的，再给我一点时间，让我来赎罪、弥补它，请相信我的真诚。但是，这时，这一切都只能是徒劳。

托雷头一个蹿上来。我理解，小伙子，你的朋友死了，你要报仇。还有还有，还为阿尕，你这一下打得真狠，我要不是吃这几年肉，这一下就得让我死个球了。

一根木棒砸在我头上，我的鼻梁仿佛发出一阵断裂声。我倒下了。

我脸上鲜血纵横，眼前一片红晕，这群黑色的人在我的血雾中跳舞。

阿尕不断发出疯狂的尖叫，她东奔西突，扒开人群。她用指甲去挠，在那些脸上、胳膊上。用牙咬。他们这样恨他，她至死也不能理解。这恨可怕极了，自从他来到这里，恨就隐藏在他们的血肉之中，就像畜群对因迷途而误入这片草地的外来牲口那样盲目而本能地恨。

她穿过人群，已像被拔过羽毛的鸟。她几乎赤裸着，浑身只挂了些破破烂烂的布片。她看见被许多脚踢来踢去的何夏，整个脸不见了，成了血肉模糊的一团奇怪的东西。阿尕忽然感到这情景绝不陌生，她早就在哪里见过；这扭曲的身影、红白黑紫杂色的头颅，是在她梦里显现过，还是应验了她曾经有过的幻觉，她无从证实。总之，她不感到特别吃惊。她跟了秃姑娘十几年，游荡过不少地方，或许中了她的魔气。眼前似乎并不是她头一次经历。接下去还将发生什么，她心里已经有数：这一切不过是与她神秘的预感渐渐吻合。她知道有个女子将跳上去，像只孵卵的猛禽那样衰弱而凶狠地张开膀子。一个披头散发的美丽肉体，隔开一群黑色的围猎者。她知道，那肉体将是她。

一点不错，事态正有待显现她进一步的预感。她看见自己的肉体横卧下去，和那个垂死的外乡人黏合在一起，那肉体发出她听不清的呻吟和呼唤。她知道下一步，拳脚和凶器该向这个女子倾泻。她甚至连这个被她拼死救下的男人将如何报答她都一一知晓：悲惨的结局，就在不远处等着她。

阿尕突然把何夏从怀里放下来，忽地一下站起。

我晕眩中，看见她完全失常的形象。她剪短的头发，蓬成一团。她胸脯祖露，忘乎所以。我听见轻微的一声金属声音，她抽出精致小巧的腰刀。她想用这小玩意儿征服谁，那是妄想。

她却把刀尖朝着自己："看见吗？这样，"她在她姣好无疵，正值青春的胸脯上划了第一下，"不要碰他！托雷，你走开！"她划了第二下，"走开！看见吗？"她一边划一边向前走，血沿着她沉甸甸的乳房滴下去。人群被她逼得渐渐退却，托雷嗷嗷地嚎着，伸开双臂将众人往后赶。"谁再碰他一下，我马上死在他面前！"

这具僵尸在这里瑟瑟发抖，泪水在他血肿的脸上乱流。我的阿尕，我的阿尕。

他被逐出了村子。阿尕带着自己的一小群羊，一头奶牛，跟他上了路。秃姑娘说：不会有好结果的，我昨天替你卜了卦，知道怎样吗？那头母羊用三条腿站着。你别跟那汉人走。阿尕摇摇头：我是他的人啊，哪能不跟他走？秃姑娘说：好，你看着。她念了几句咒语，母羊果然缩起一条腿。我知道我知道，阿尕说。她还是随他走了。

他们沿着河一直走，走了许多天，前面开始出现雪山的影子，草地不那么明朗开阔，渐渐向山那儿收拢，河从那里流出来。阿尕说，"再往前走，就没草场啦。"

阿尕支好帐篷，把何夏从马背上背下来。她在帐篷周围砌了一圈泥石矮墙，这样雨水不容易侵犯帐篷。等何夏的脸消了肿，眼睛能开条缝时，他看见阿尕完全变成了另一个人。

"我老了，何罗，别这样看我，我晓得我已经像个老女人了。"她虽然咯咯咯地笑，但声音干燥，毫无喜悦。

快到冬天时，何夏复原了。这个疤痂累累的身躯，看上去竟比过去强壮十倍。几个月里，阿尕总跪在那里为他准备足够的食物。因为她预感到，他们永远的分离正在一步步迫近。

"阿尕，干吗做这么多吃的，又不是要出远门。"阿尕歪着头一笑，又唱起那支歌。

> 你到天边去，
> 我到海边去，
> 你变成了鸟，
> 我变成了鱼。
> 我们永世不再相遇。

何夏先是一怔，马上就哈哈笑着说："阿尕呀，你这傻瓜，你想到哪儿去？我离不了你，你也离不了我。这是缘分，用我们家乡的话说就叫缘分，小冤家。"

她抬头看着他，看得十分仔细。他变得这样丑，跟她幻觉中的形象丝毫不差。她摸着他浑身胀鼓鼓的肉块，那是她喂出来的。两年多来，她用血肠、酥油、新鲜带血的肉喂他，眼看他的皮肤下隆起一块块硬疙瘩。只有看见他白色的手心，才能相信他曾经多么俊俏灵秀。

她说："何罗，你好了，你行了，来吧。"她慢慢躺下，松开腰带，袍子散开来，露出她魔一般的雌性世界。

我不知道，那就是我们最后一次。

第二天早晨，我说我要去工作，阿尕拦住我说："还是到河边吗？"

"河要封冻了，我得抓紧时间。"

"你为什么还要去呢？"

"我吃了它的亏，是因为我没摸透它……"

她眼瞪着我，夺下我的棉袄。还没等我回过神来，她锋利的牙"咯吱咯吱"，把棉袄上所有纽扣全咬下来。我给了她一巴掌，她也毫不客气地给我一巴掌。"从今以后，我求求你，再不要想那条鬼河。我告诉你，那是条吃人的河！"

我不屑理她，找根绳子把棉袄捆住。她从后面抱住我。告诉你，她现在可不是我的对手，我一甩，她就到五步以外去了。阿尕，这怪谁，你把我养得力大无穷。

她不屈不挠，再次扑过来，抱我的腿，狠命用手拧我腿上的肉。

"何罗，你听我说……"

我实在疼坏了，一边听她说，一边猛扯她头发。

"别做那蠢事了，不会有好报应的！让他们永生永世摸黑活着吧，这里祖祖辈辈都这样，这是命！"说到"命"，她咬牙切齿。

"阿尕，你再也不想那个小小的太阳了？"

"呀。"

"你喜欢黑，是吗？"

"呀。"

"你就像畜生一样活着，到死？"

"呀。"

我彻底地独立。我在被逐出村子时也没感到如此之深的孤独。人所要求的生存条件很可怜，可怜到只需要一个或半个知己，能从那里得到一点点理解就行，这一点点理解就能使他死乞白赖地苟活着。

请看我这个苟活者吧。他傻头傻脑，煞有介事地干了几年，结果怎样呢？不过是在自己的幻想，自己编造的大骗局里打转转。这一大摞纸，是他几年来写下的有关这条河的资料，还有几张工程设计图纸。尽管多年后他对那幼稚的设计害臊得慌：那种图纸送掉了一个小伙子的性命。但那时，这堆纸就是他的命根。

阿尕看着它们，咕噜道："撕碎它！烧掉它！"

"你再说一遍?!"我狞笑着。

"统统撕碎!"

"你敢吗?"

她挑衅地看我一眼,闪电似的抓起那卷图纸。"你敢,我马上就杀了你!"我张开爪子就朝她扑过去。这一扑,是我的失策。她是不能逼的,一逼,什么事都干得出。只听"哧啦!"老天爷。

"为了它!为了它!全是为了它!流血,流那么多血呀!"她的双手像抽风一样。一会,地上便撒成一片惨白。

我不知我会干些什么,只觉得全身筋络像弹簧那样吱吱叫着压到最顶点。她黑黑的身形,立于一片白色之上,脸似乎在笑,又似乎在无端地龇牙咧嘴,露着粉红色的牙床。她以为她这么干彻底救了我。我头一次发现这张脸竟如此愚蠢痴昧。我不知举起了什么,大概是截挺粗的木头,或是一块当凳子坐的大卵石。下面就不用我废话了。

她倒下了,双手紧紧抱着一条腿。我到死也会记得,她那两束疼得发抖的目光。

以后的两天,我再也不看她一眼。她最怕我这种高傲而轻蔑的沉默。我用沉默筑起一道墙,她时时想逾越。她抱着伤腿,艰难地在地上爬来爬去,煮茶,做饭食。我那时哪会知道,她的腿已经被我毁了;我更不知道,她腹中已存活着一个小东西,我的儿子。

第三天,下头一场雪了。天麻麻亮时,我醒来,见她缩在火炉边,正瞅着我。我在毫无戒备的熟睡状态下被她这样瞅,真有些心惊胆寒。我想她完全有机会把我宰了,或像杀牛那样,闷死它,为使全部血都储于肉中。我翻身将背朝她。一会儿,我听见她窸窸窣窣地爬过来,贴紧我,轻声说:"何夏啦,我死了吧。"

我厌恶地挪开一点。她不敢再往我身上贴了。她说:"我晓得,我还是死了好……"

我头也不回,又轻又狠地说:"滚!"

她不做声了,我披衣起来,就往门口走。她黑黑的一团,坐在那里,僵化了。这个僵化的人形,竟是她留给我最后的印象。

我揣着她做的干酪,在雪地里闲逛一整天。河正在结冰,波浪眼看着凝固,渐渐形成带有波纹的化石。等天黑尽时,我往回走,远远看见帐篷一团浑黄的火光。不知怎么,我忽然感到特别需要阿尕给我准备的这份温

暖。我要跟她和解。好歹，她是个伴，是个女人。我钻进帐篷——至于我
迈进帐篷看到了什么样的奇境，我前面似乎已有所暗示。

门打开后，杜明丽的丈夫惊异地看着这个高大的怪物。这就是何夏，
还用问吗。他客客气气地请他进屋，胡乱指着，让他坐。明丽始终躲在他
的荫庇之中，见丈夫并没有决斗的劲头，心里不禁有几分幸灾乐祸。

两个女儿见有客人来，非常懂事地轻轻跑了，明丽替他们把那架十二
英寸黑白电视搬到隔壁，她听见丈夫问："听说何夏同志搞的那个水电站规
模蛮大。"

"不太大，只有几万千瓦。"

"您的事迹我在不少报上看了，真了不起……"

何夏没答话，杜明丽有些紧张了。

"明丽也常谈你的事。"

何夏仍不说话。

"那个水电站竣工了吗？"

"一九八〇年才能竣工。"

"还有两年呐。那你不回去了吧？"

"走着瞧吧，待腻了我没准还要回去。"何夏说，"我想来跟你谈谈明丽
的事。我们二十年前的关系你早就清楚，明丽是诚实的女人。"

杜明丽紧贴着冰凉发黏的墙。

"实话告诉你，我现在根本不爱她。根本谈不上。"何夏说。

"不过，"何夏站起来，"假如你待她不好，动不动用离婚吓她，那你可
当心点。"说完，他就走了。杜明丽慢慢走到丈夫面前，见他还云里雾里地
瞪着眼。

我瞧不上明丽这种平淡无奇的生活，就如她无法理解我那些充满凶险
的日子。我像牧羊的苏武，如今终于光荣地回来了。都市的喧嚣与草地的
荒芜，在我看来是一回事，在那个超然与纯粹的境界中，只有阿尕，站在
我一边。我已经走出草地，与那里遥隔千里，而她的气味与神韵无时不包
围着我。我知道，她不会放了我，饶过我，我和她不知谁欠了谁的债，永
远结不了。

或许，这账得留给儿子去结清算了，儿子知道他母亲当年怎样拖着残
腿，拄着木棍，一步一回头地离开了咱家的帐篷。那时他还是个小肉芽芽

儿，附着在母亲的腹腔里，所以母亲肚里的苦水多深，他最清楚。我走进帐篷，看见阿尕不见了。

然后，猜我看见了什么？油灯光环中，我看见那些撕碎的图纸，每条裂缝都被仔细拼拢，一点一点精致地贴合了。密如网络的裂纹，使图纸显出一种奇异的价值。我等啊等啊，傻等着我的阿尕归来。可她做完这一切，就不再回来了，这撕碎又拼合的纸上，曲曲折折的裂纹，便是记录我们整个爱情的象形文字。该明白了吧，你这傻瓜，什么都晚啦。

我找过她，我常常在夜里惊醒，跑出帐篷，狼哭鬼嚎一样叫着她的名字。有时，我忽然听见她在我很近的地方唱歌，有时我在帐篷某个角落发现几根她的长头发，我感到她没走远。

我在杳无人迹的地方独自过活。我没有冬屋子，有时大雪把帐篷压塌。我与牛羊相依为命，吃它们，也靠它们安眠。我不懈地工作，整条河的水文调查资料在我帐篷里越堆越高。直到有一天，我认为行了，已经无懈可击了，才背上它们一趟趟往城里跑。

我知道她从来未远离过我。帐篷门口，她常留下一摞牛粪或一袋糌米。有时我起来挤奶，发现牛的奶子空了，一桶奶已放在那里。这时，我就疯疯癫癫地四处找、喊。对着一片空虚大声忏悔，或像娘儿们那样抽泣不已。我知道她一定躲在哪里，虽然草地一览无遗，但她有办法把自己完全藏匿，倔强地咬着嘴唇，不回应我的呼喊。她紧紧捂住耳朵，拼命地逃，要逃避我的召唤。她决不受我的骗，决不被我的痛悔打动，她，受够了。

但她爱我，我也刻骨铭心地爱她。我们就像阴间和阳间的一对情侣，无望地彼此忠于。

一次下雪的早晨，我走出帐篷，看见门口堆放着牛粪饼和一块冻硬的獐子后腿。我终于看见她清清楚楚的脚印。那双北京出产的塑料底布鞋，花纹还十分清晰，证明鞋仍很新。一看便知，那是个残废人的足迹，有只脚在雪地上点一步，拖一下，雪被划出断断续续的一条槽。还有拐杖，它扎出一个个深坑……等等，你看见了什么？是一个孩子的脚印吗？

那些小脚印一会在左，一会在右，很不均匀。它一直相伴着母亲。我跪到雪地上，猎犬一样嗅着这些小脚印，用手量它，在那浅浅的脚窝里摸来摸去。从它活泼顽皮、强健有力的样儿来看，我断定这是个儿子。我看见了我两岁的儿子，他蹒蹒跚跚，跟着母亲，从帐篷缝隙中，偷偷看望这个坏蛋。据说这个外族坏蛋是他父亲。

也许是个女儿。不，我拒绝女儿。难道我不愚昧？一个中国北方男人传统的愚昧使我对着那行脚印痴呆无神地笑了。传宗接代的渴望使我武断地给这些小脚印定了性别。从此我相信我有个结结实实的儿子。

我往前走了三四里，又看见马蹄印。阿尕把马停在这儿，怕我被马蹄声惊醒。还用说吗，沿着这些足迹，我就能找到他们……

我找到了那座房子。叫秃姑娘的老太婆居然还活着，已干缩成一个多皱的肉团。

她看看我，她眼角发红，严重地溃烂了。她招招手，叫我走近些。"你是谁？"她问我。

"阿尕在哪里？"

她用几种语言咕噜了一大串。大致意思是：在这个地方你随便碰上个女人，她都可能叫阿尕。

我恨透这个装神弄鬼的老巫婆。"我是问你，那个姑娘。过去一直跟你住在一块的！"

"有一百个姑娘跟我住过。现在都——"她对着我脸忽然吹了口酸臭的气。

"那就你一个人喽？"我还企图启发她，"你过去身边不是有个女孩？……"

"女孩？"她眼珠转了转，"我在河边捡到一个死女孩，后来她又活了。"

"她就是阿尕！"

"胡说，没有阿尕这个人！"

我跨出她家门槛时想，这老婆子是个活妖怪。后来大坝开工，那是一九七八年。离阿尕失踪，已整整五年了，汽车头一次开到这片土地上。许多人跟着汽车跑，尖叫，欢跃。他们都将是受聘的民工。我突然看见人群里有个熟悉的女性面影。我大叫停车，然后连滚带爬逆着人流寻找。一边喊："阿尕！"

我一直追到人群末尾，感到有人扳住我肩膀。我一看，是托雷。

我们相互看了好一会儿。我想，这大概就算是和解了吧。他在我背上拍了拍，便转身走了。"托雷！朋友……"我用很纯的当地话喊，他在远处转过身。

"刚才，你看见阿尕没有？"我问。

他的眼神变得古怪："阿尕？谁是阿尕？"

我竭力形容、比画，我相信我已描绘了一个活生生的阿尕，分毫不差。眼泪憋在我奇丑的鼻腔里。

"没有，这里没有这个人。从来没听说过。"我想追上去，但我知道那是没用的。之后的日子，我仍不死心，向许多人打听，但回答都是一样的：没有阿尕这个女人，从来没有我所说的那个阿尕。我觉得他们并没有撒谎，他们没有撒谎的恶习。

阿尕没有走远，我依然认定她就在我身边。只是我看不见她。水电站一天天壮大着，阿尕却无处去寻，草地述那样，没有脚印，没有影子。

水电站的最后一期工程不再需要我，我急不可待地收拾家当，打点阿尕留下的一只牛皮口袋。我并不向往都市，但我势必回去。我对这里一片情深，这不意味着它留得住我。

我和阿尕的悲剧就在于此。

我一定要找到她，哪怕她真的是个精灵。我要对我们的那段不算坏的日子做个交待，再看一眼我的儿子，就掉转身来，头也不回地走掉。那片土地在我身后越来越宽大，她站在那头，我站在这头。她想留下我，一起来度未尽的生活，可那是办不到的。我将狠狠告诉她，那是妄想。别了阿尕，我无法报答你的多情。

然后，我就渐渐消失在草地那一弯神秘的弧度后面。

无非男女

　　雨川是外省人，所以到这儿只有住到蔡家去。住了三天，雨川就断定蔡家绝不是婆婆嘀咕媳妇、小姑打跑嫂子、妯娌争丽斗艳那种正常家庭。蔡曜虽然很宠雨川，但父亲在饭桌上讲演时，他用轻轻一个"喷"，打断了雨川的插嘴。直到第四天，雨川还没见到蔡曜的弟弟。从早晨七点到十一点，每人在上班、出门、坐下来写作或织毛线之前，都会跑到紧挨厕所的一扇门前，叫两声："老五！老五！"叫的情绪仿佛是紧张的，像叫叫看，那人是不是还活着。星期六上午，雨川决定不出门了，该逛的地方蔡曜全陪她逛了，她自己也想收收心，春节一过就到医院人事处报到去。还不知会不会分配她去门诊呢。护校的毕业生一般都被先分配到门诊去褪褪脾气。

　　"那好，我今天就上班去了。"蔡曜一边说，一边满身摸自行车钥匙。他在出版社当编辑，似乎实在没别的事可忙才去上班。他的优越处是稿源可靠：他所住的这座笼格似的楼里圈了一个省的文豪。

　　蔡曜穿戴好，想起什么，走回去，嘴里喊："老五！老五！"那屋看上去不像睡人的，门特窄。雨川有回惊叫："哎呀，那屋真像个储藏室！"

"什么'那屋',那就是个储藏室!"妹妹小品说。小品在大学当助教，一般上午十点才到学校去。她准时在九点五十分去叫"老五!"

雨川头几天逛得人很乏，晚饭后不久就睡了。一觉醒来听小品在和谁低声嚷："让我先用厕所！你要先进去，我还不等死！"过一会儿小品踮足尖走到雨川床边，从头上往下拔发卡。雨川问她刚才在呵谁，小品爬进旁边的被窝，说道："还能谁，老五呗！"

父亲完成了早晨的四小时写作，最后一个去叫"老五"时，母亲已在厨房弄午餐了。

雨川有点莫名其妙地慌着，等这个连晚饭桌上都未见过的老五被唤出来。一点回应也没有。父亲进厨房监督午餐质量去了。雨川坐在地毯上翻杂志，某种信号使她眼睛从杂志上升起来。她看见个细瘦的青年男子站在门口。她知道他是谁，却不能从容大方地叫一声"老五!"他头发很长，曲卷的，百分之二十是白的；额宽大，顺双颊很陡地尖削下来，加上一张很小的、略向里撮的嘴，他看上去有些女相。在雨川想象中，他与那个被全家吼来吼去的"老五"没一点相一致的。

他走进来，对雨川笑一下。很快地，他弯腰查看一番被雨川摊在一边的杂志，微微蹙了眉，怔着两眼心算一瞬，把雨川手里那本扯住看着说："唉，秩序搞乱了。"

雨川马上搁下手里那本，说："我没拿到别处去过。"

他手指飞快地把杂志理齐，没说话。他整个人除了牙膏气味，还有股不很寻常的味。据雨川判断，是种药味。他穿一件深蓝棉毛衫，肩不像蔡曜那样宽，脖子也不那样粗，头稍微扭转，脖子上几根筋络便发生猛烈的变形。蔡曜过去总谈起妹妹小品，说她智慧、博学、难嫁。至于弟弟，他只有一句："他是个麻烦!"

"你出去不出去?"母亲罩了个大围裙，站在客厅门口问。

"不出去。"雨川发现自己和老五异口同声这样说。她看他一眼，他也看她一眼。

"那你和我们一块吃午饭吗?"

这回雨川明白母亲问的不是自己，便站起身，准备帮着摆碗筷。这个家也不是"不用你动，你是客人"，或"吃啊吃啊，菜这么多摆着供呀?"那种正常家庭，对于许多事都不像别家那样认真。

"不。我有牛奶。"

三人围餐桌坐下时，雨川见老五捧着那些杂志进了他的斗室。然后里面响起急促的声音。雨川问过蔡曜：老五在里面怎么透气？蔡曜说：你没看见门上那个自制小百叶窗吗？他把自己养得像只蟋蟀。

"是小品把他的东西拿到客厅的？"母亲窃声问。

"我哪知道。"父亲答，音量正常。

"不是小品就是大毛。"母亲说。大毛是蔡曜的乳名。

雨川不自在起来，说那些杂志刚才她顺手翻了翻。

母亲忙说："没事。老五在写本书，关于岩画的。那些杂志他搜集了好久，大毛和小品讨厌——一到老五的屋，就把他东西搞乱！"

"噢，老五的屋还能让人搞得更乱些？"父亲使劲绷住不笑，最后还是笑了。

雨川把脸一会儿转向父亲，一会儿转向母亲，没把握自己是否懂了他们。这时门一响，老五走出来。他看看吃饭的一桌人，转身从冰箱拿出一瓶牛奶和一只鸡蛋，进了厨房。母亲把筷子停在碗沿上，听厨房的动静。过一会儿，里面"嗤"的一声。母亲叫起来。

"老五，你看着锅还把牛奶煮潽了？"

没人应声。等老五端着碗出来，母亲探脖子看看："潽得只剩半碗啦？你够吃吗？"

"你怎么这么多话？"父亲对母亲说，脸仍带着笑。

老五很慢地往自己屋走，腰部略微向后让。雨川突然发现高高的老五腰部完全是软塌塌的，塌矮了他一截。

晚上，雨川到楼下去迎候蔡曜，迎了两条马路。见了他，她一脸激动地说："我今天见到老五了！"

"是见到老五还是见到老虎？"他逗她。蔡曜不高，半截柱子似的。雨川小他九岁，蔡曜常顽笑说他在等她的"二十三，蹿一蹿"，蹿足了，看他俩谁穿高跟鞋。

一进院子，见熟人蔡曜便介绍雨川："我女朋友。"雨川问过他最喜欢她什么，他半秒也不犹豫地答："漂亮啊！"楼梯上，他们迎头碰见下楼的老五，老五戴顶紫红的羊毛帽，帽子将一些额发压在眉梢，弄得他更像女孩。看见他俩，他眼睛稍微抬一抬，眼皮上抬出两道深折，像疲惫或过分瘦削。

"去哪儿，老五？"蔡曜问。

"出去一趟。"老五答。

"还在画你的画?"

"就出去一趟。"

"你身上有钱吗?"

"我吃过了。"

雨川想,这对兄弟的问答多么不对茬。

老五把眼睛往雨川脸上一抬,雨川想回个笑,但已来不及了,他已挪开了眼睛。

听老五远去,雨川问:"你是大毛,小品老二,他怎么成了老五了?"

"这故事长了。"蔡曜掏钥匙开门,同时小声道:"回头再告诉你,不然我妈听见又麻烦。"进房就看见父母留在冰箱上的字条,说是两人让人请出去吃饭了。小品也不在,雨川马上央着要听完老五的谜。

蔡曜没理她,脱了棉袄抱在手上,各屋巡视一遍,核实了的确没人在家,扑上来便抱紧她。雨川知道他熬得不行了,脸躲着他带烟臭的吻。蔡曜把雨川推进老五的屋,按在一张不足三尺宽的床上。天花板上挂了许多大大小小的葫芦,上面雕了些晦涩的图案,用烟熏出了凹凸的效果。雨川被平放在床上,眼睛瞄到旁边一根胶皮管。她忽然对这床上的和老五身上的药味有了多半解释。

"……这是老五的屋!"雨川要挣扎起身。

"别动!"蔡曜说:"这里最安全,就是有人来也不会先进这里!"

"要是老五回来呢?"

"他?他没关系!他反正没这想头。"

"为什么?"

"别分神好不好?"

等雨川歇下来,蔡曜拉过被子掩上雨川。被子也有药味,还有种不干爽不清洁的感觉。

"现在讲吧。"她捣捣他。

蔡曜明白好奇心快把雨川折磨死了。

"老五很小的时候,就得了这种肾病,两个肾都衰竭。医生说他活不到三十岁,也不能结婚。我妈从不迷信,就迷信了那一回。她听了老人家的话,到老家坟场做了两座假坟,说那是糊弄阎王爷的,好比说:你阎王爷已讨走了我们的小三和小四,就把小五剩给我们吧。我弟弟这么着就变成了老五。"

"他从小就知道他活不长?"

"弄不清他什么时候知道的。插队落户,他赶了个尾声,他的病本该把他留在城里,可我爸当时几乎包圆了所有的坏头衔:反动作家、暗藏特务……所以他还是去了农场。那算是比插队高一等的待遇了。我弟弟恨透人说他没用,废人一个,就撑着干,他的病就在那时恶化了。我妈到处给人作揖,才给他办了'病退'。我连夜骑车到他们农场,又骑八十里把他驮回来。他弱得坐不住,我用绳子把他捆在我身上。从那以后,他住医院时间比住家时间还长,还挂过病危牌子。就那次,我守他夜,看了他的日记。从小到大,全家人都得猜他心思,大概体弱的人都内向。我当时在他的枕头下发现了他的日记本,想反正它不久就不再是秘密,早些知道他的想法,说不定还能补救他的某些缺憾。完全没料到他对自己那样明白、客观,理智之极。有一页,他写着在三十岁前,他要完成多少件事。到现在我还记得清清楚楚:他要旅行一万里、写一本书、种活一百棵树、办一个个人画展、乘一次飞机、谈一次恋爱。"

"所以,"雨川轻按住蔡曜在她腰部抚上抚下的手,"他心里对什么都有数?"

"不然他怎么会越来越孤僻。我爸在出版社给他找了个校对工作。一个月之后,见他不再去上班,我爸问他怎么回事,他说他已把那工作辞了,说那工作是坐吃等死。我爸急了,说不工作才是坐吃等死。他回嘴说,他既不会坐吃爹妈的,也不会死在这个家里。那以后他只要在家吃饭,就往桌上搁五角钱。谁也不知他从哪儿挣的钱。"

"他有女朋友吗?"

"女朋友?哪个女人愿意跟他有头没尾地来一场?要瞒人家吧,也缺德。老实说,老五是很吸引女人的,但他总是一开头就讲实情,女人都实际得很,谁不怕弄个半条命伺候着,死倒也罢了,不死谁禁得住病床边绕一辈子?他吃、睡、进厕所,全家都忧心。"

雨川偏过脸,看一眼那根导尿管,心里诧异,世上竟有人如此平静地痛苦着,如此麻烦地活着。当蔡曜再来情绪时,她只呆呆看着天花板上的葫芦。无意中,她发现它们是二十八个。

"老五二十八岁。"

狂热中的蔡曜稍停一下问:"你怎么知道?"雨川听出他的烦躁和扫兴。

这时有人回家来了,不是小品,小品回来头件事是开音乐。

"是老五，没关系。"蔡曜喘着说。

从里头拴上的门被人从外面拉得闪了几闪。

"对不起，老五，你先在别屋待一会儿！……"

"你干嘛不在自己屋……"老五闷气地问。

"你废话，"蔡曜跳起来着衣，弄得裤带上的金属环躁人地响。他一边将雨川贴身的小零碎向她抛，一边脸横着朝外喊："我屋能待吗?!"蔡曜卧室与客厅相通，之间的门是玻璃的。雨川听他父母小声商量过：若大毛结婚还弄不到自己的房，就把那扇门封起来，至少也得换一扇隔音的木板门。

雨川跟在蔡曜后面出来，直想躲没了自己。她知道自己大红脸，头蓬乱。第二天老五把一只蝴蝶结发夹搁在雨川正读着的报纸上。

雨川抬起头。

"你的。在我床上。"老五说。

雨川想，只要说声"谢谢"就会释然的，但同时又觉得说出什么都太厚颜。她感到自己的浓睫毛沉重起来，重得她眼睛撑不住要抖。她盼着老五快走开，他却不，两根手指在她坐的写字台上敲。

"这个不好看。"老五说。

"什么?"雨川吓一跳。

老五指指那发夹。"这个。"他像刻薄又像难为情地笑一下："多俗。"雨川不知说什么好。

她感到老五在看她。许多人说她有副完美的侧面线条。她转过脸，他眼睛已移到电视上去了，但雨川觉得他那眼神仍留在原处，留在她左半侧脸上。

这时母亲来叫："老五！叫你买南豆腐，你怎么买成豆腐干了? 买豆腐干你何苦排大半天队?"

父亲插嘴："你自己干什么啦?"

"我干什么啦? 我要一个个队排下来，谁做饭呐? 拿豆腐干我可没法给你们做麻婆豆腐!"

"那就做麻婆豆腐干!"父亲说，"老五能指望吗? 他就会煮他自己的牛奶!"

老五没听见一样。晚饭他头一个吃完，以一个极强烈显眼的动作，把五角钱往桌上一按。父亲看看那钱，伸筷子到半途，突然停住，吼道："滚! 你给我滚!"

老五转身慢慢往门口走，仍塌着腰，从挂衣架上取下他的外套和绒帽。小品半哄半唬地低声叫："老五……"她转向父亲："爸，你再这么说老五，我和他一块滚！……少吃一顿麻婆豆腐，你就拿话损他?! 他会煮牛奶，你连牛奶也没煮过，妈伺候了你一辈子！"

母亲眼泪流下来，吸吸鼻子，"你们谁也不饶谁就是了，雨川没过门，就得被吓跑！"

蔡曜不出声，龇牙咧嘴逗雨川，两手在两耳边比画，意思让她左耳进、右耳出。

"爸总提煮牛奶，"小品声软下来，有点娇嗔了，"爸又不是不知道，老五一天到晚喝牛奶，是没办法嘛！"

雨川发现小品虽然现在护老五，但每星期日她烧菜，总要叫："老五，就煮你那一口牛奶一个鸡蛋也占着个灶头，真是添忙添乱！……你就不能等我把菜都端上桌再煮吗?"

一天雨川找出个上学时用的小保温瓶，她替老五煮了牛奶灌进去。老五眨巴眨巴眼看着她的一举一动。雨川抬头对他嬉一下脸："我聪明吧?"厨房只有她和他。

整个家也只有他和她。父母到北戴河避暑去了，小品和父亲怄气，住同事家去了，这是她逐渐失效的撒手锏。蔡曜去抢一位作者的稿，赶下午的火车去了几百里以外的一座小城，把原定的与雨川看电影的计划也取消了。他说好几家杂志都在争这个作者，他得下手早、下手辣。

"你去看电影吗? 我有两张票，你哥有急事出差，票多出一张来，新片子。"

"不去。那些电影俗得死人。"

"反正你又没事。"

"我有事，都忙不过来。"

"我帮得上吗?"她问完忙抿嘴一笑，意思是他不必当真。

他摇摇头。

"什么事? 说不定哪件事我内行呢。"

老五郑重地说："我得伪造两张结婚证。有两个熟人要做人工流产，没结婚证医院会盘问没完的。"

"那也能造?"她存心不说那个"伪"字。

"我常造。他们给钱的。"

雨川想，她成了这个家里惟一知道老五经济来源的人。开春时她和女同事们逛自由贸易市场，见几个外国人围了半个圈在看什么？移来移去的人缝中，只见被围的是细细一条人形，背佝得如一张弓。女同事们想往里挤，她却走开了，因为她看清那人形是老五。

她还看清了他佝在一张矮矮的折叠小桌上，在表演刻图章、在献艺。雨川从来不忍看人献艺，更别说献艺的是发已苍苍、已知天命的老五。雨川见老五喝牛奶被烫得伸舌头佝颈，忽然抚抚他的背。她不懂自己怎么会这样，对老五的勾当竟没有反感和嫌恶，反而生出一种同情的冲动。其实老五并不需要同情。接下去他坦坦然而不无正色地讲起整个伪造文件的过程：如何到印刷厂去找铅字头；如何把它们砸到相片上，一个钢印就造出来了。雨川以两只拳头托着下巴，看着老五说着比画着的手。头一次他在她面前翻弄那些杂志时，她就为这手的纤长、柔软，以及那纤长柔软不该有的侵略性暗暗惊讶过。那手呈出不太新鲜，甚至陈旧的白色，似乎常在暗地里做暧昧事情的手，就该是这形这色。

雨川并没有一个人去看电影的劲头，她开着电视机在长沙发上读小说却睡着了。一觉醒来发现满脖子是汗。老五还没有回来。随后马上想，老五回不回来跟我有什么关系，难道我这样熬着困倦是在等他？她似乎觉得自己是在等老五，是寂寞还是担忧使她这样心浮浮地等，她不清楚。其实她知道，老五的存在只使这个家生出一种莫名的寂寞，再热闹，只要老五出现，那寂寞就出现了。老五就是寂寞本身，感染着环绕他的气氛。他的寂寞有极大的感染力。所以说，她不可能等老五回来解脱她的寂寞，假如她真的是因为耐不住寂寞而等他，更不可能是担忧。老五几乎天天半夜三更归家，据说他借朋友的画室工作，画室只能在晚上空出来。家里没一个人担忧过他，他再弱也是五尺男儿。十二点过了，雨川淋了个凉水浴。刚出浴室，听钥匙钻进匙孔的声音，她几乎是欢叫了。"老五，你回来啦！"那么快乐，那么热切。这种感觉只发生在童年，父母到肝炎隔离病房来探望她。

"你还没睡？"老五问。

"天太热！你热吗？"雨川从老五略略放大的眼珠里认识了自己的某种不正常。

"还好。"老五的T恤捋到胸部，胸以下袒露着，这时他很快将它拉下来。有回雨川下班，老五赤着上身在帮小品钉蚊帐，见了雨川他忙跑回自己屋，再出来，身上有了件腌菜一样皱的汗衫。

"还好呐，我一天洗了五遍澡了！"雨川说。她身上一件粉红兮兮的绸睡裙被电风扇吹得鼓一阵扁一阵，从各个角度显出她的身体轮廓。

老五走过去打开电视，调了许多频道也没调出名堂。雨川笑起来。

"老五，十二点过了哪儿还有节目。你不想和我讲话，我可以走开呀！"她知道这句带揭露性的话使他紧张了。其实是整个家仅把他俩剩在一块的现实使他紧张。老五有点烦恼又有点羞怯地笑笑，眉却轻蹙着。这样子使他非常好看，非常不通俗。雨川想。老五搭讪地问起电影。雨川说她把票送给了邻居，她可不愿被他看得这儿俗那儿俗。老五想起什么，从口袋拿出个小东西。是条硬木雕刻的鱼，有点半坡村风格，是失了些古朴，添了些刁钻。是个极别致的玩意儿。老五将它一翻面，雨川发现那是个发夹。

"你要吗？"老五问。

雨川惊喜得"呀"了一声。

"我做了让朋友帮我卖。难卖掉。"

"为什么？这么漂亮！"

"我要的价太高。"

"那你干嘛不便宜点？"

"便宜何必买我的？"

雨川拿了发夹到门厅的穿衣镜前去试。她头发太多，卡不住。老五说他可以调整它。雨川仍继续摆弄。这时收紧下颔，双臂举向脑后的雨川看见自己的两个腋窝，很轻淡的毛茸茸的。她还看见镜子里的老五，他嘴抿得颇吃力、敏感，或说有些伤感的眉弓投了片暗影在他眼睛上。她突然意识到两个腋窝暴露的东西还超过了它们本身。她一下子坠下臂膀，托辞说："胳膊酸死了！"

老五说他得看看究竟该把这东西调整到多松多紧。他捏起她的长发，胆怯地一把一把从上往下理着。她微微侧过身，斜着的眼仍盯着镜子。老五白得失真的手与她黑得恐怖的头发对比得那样刺激人。老五也看懂了这对比的奇妙，他放慢手的动作，最终静止了。雨川看他两眼抬出两道更深的褶，像在用着力，想看透什么。

雨川说了声"我去睡了"，便进了屋。她把门关得很慢。然后她为难起来：是插门闩还是不插？门闩是防人贸进的，用得着防老五吗？不插呢，是否会显得她不够正经？不够正经和过分防范都不是她想要的。夜这时突然出奇的静，静得有所居心，似乎她插或不插那门闩都会被这个静听了去，被老五听了去。门闩会被插得"咔嗒"一声，那一声将刺耳而生硬，将是对那不可逾越的伦理天条无必要的重申和强调。她手在门闩上尴尬住了。"哗"地一下，直觉先于她，将门拉开了。

老五不知什么缘故正站在门厅里，距她只有两三步。他害怕一样看着她，牛奶在他手里的玻璃杯中大幅度地倾斜一下。

"唉，老五，天这么热，开着门睡觉可以让空气对流，有点风。"雨川觉得自己声音很磊落，"你呢？那么多屋空着，你何苦睡你那小闷罐？……"

"我不怕热。习惯了。我有个小电扇。"

雨川见那杯牛奶被端起、倾倒，最后剩了只空了的但已浑沌了的杯子。她那一夜感觉很碎，不知是没关门，还是因为老五最终还是睡进了他那活棺材似的屋，并"咔嗒"一声闩上了门。

第二天是个星期日，一早接到蔡曜的长途电话，说他必须守着作者把稿写完，确保这东西不被别人半道截获。

"你还得在那儿待多久？"

"一个星期，顶多十天！"蔡曜那边听出了她的不悦。

"不，我要你现在就回来！马上！"

"懂点事好不好？这是我的工作啊！我的工作关系到提升，能升到编辑室副主任，今年年底咱们就有房子结婚啦！"

"你马上回来，现在就上火车！"

蔡曜看不见她，不知道她怎样跺着脚、噙着泪、被什么恐吓着。他不明白她的失常，仍用惯常的伎俩哄她，说回来陪她去买那件她看了十几次也没舍得买的连衣裙。

一连几天，她没怎么见到老五，不知是自己有意无意回避他，还是被他回避了。她仍是在上班前把牛奶煮好，灌进小保温瓶。一天下班回来，见老五在认真地切生姜。问切这么多生姜做什么，他说他想煎鸡蛋。她使劲笑："煎鸡蛋要生姜干嘛！"

"不要吗？"他问，看她笑。

天暗时小品回来了，带了些菜和雨川一块且聊且烧。三人很开心很安宁地吃完饭，小品忽然说："老五，你要再往外掏那五角钱，我可从此不认识你！要给多给点，现在东西都涨价，五毛钱想买顿饭呀！"

雨川不敢去看老五，料他一定窘极了。却不，老五淡然坦然地笑。等小品的话都倒尽了，他慢吞吞说："好像你认识过我。"

"哦哟，别把自己搞得跟个谜似的，有多么难认识！"小品抱起膀子，向椅子背上一仰。

雨川急着转气氛，插话进来，劝小品搬回来住。小品说她同事家离学校近，每天免了挤人臭味的公共汽车。再说她怕看父母愁嫁不掉她的面孔。在家住，就得听他们关于婚姻的开导，由他们逼着去跟一个个莫名其妙的男人会面。不去，就得忍受他们的哲理性牢骚。

"好像这世界非得是一男一女在一块才正常。我自己跟自己都难相处，不能想象去和一个男人相处一辈子。爱是什么呀？爱就是在一块吃、喝、拉、撒、睡？我也急，但我是急着去爱，不是急着嫁谁去。别看我都三十岁了。"小品看着雨川收拾碗筷，目光像个色大胆也大的男人一样从她脸逛荡到她胸，再到她腰。"雨川，真羡慕你——这么漂亮，心也简单。"

雨川笑着说："听不出你是夸我还是骂我。"她目光的梢头扫过老五的脸，发现他似乎也在从头到脚看她，但羞怯得近乎痛苦了。

"过去我一个男朋友对我谈起他的恋爱导论：早谈恋爱晚结婚；多谈恋爱少结婚；只谈恋爱不结婚。当时想，我怎么见鬼碰上了个活流氓。现在想想，他并不完全混账。如果一个人一生能惊心动魄爱几次，哪怕一次，可比结婚值多了。"

小品当晚与雨川聊到很晚，说她种种不顺心都是因为她不能像雨川那样把爱情、婚姻、过日子，搞个"三合一"。话题渐渐转向老五。

"老五到现在还没接触过女人。谁知道他心里有没有暗暗恋过谁。真希望他连那种悄悄地恋爱也没有过，因为那种暗地里的单恋，一定是顶绝望的，只能痛死他。他不会表达出来的。他知道自己没能力对一场恋爱负责到底。所以他即使爱上谁，只能是他忍住，不表达，不去发展任何可能性。他什么都没说过。这个人如果他自己不说，你什么迹象也别想观察到。"小品声音已渐渐发涩。

小品睡着许久，雨川还听得见老五静悄悄的忙碌。雨川侧脸凝视小品。橙色路灯从窗外投进来，暗中，小品的脸部线条那样娟秀，雨川竭力以这线条勾勒一个仰卧的老五。全家五口人身上最精致细腻的部分中，都有一个老五的存活。

蔡曜再次打电话说他要推迟归期，这回雨川没有怎么怨。她与老五每天晚上一同坐在阳台上乘凉，几乎没话可说，但在那气氛中，她心里渐渐有了一种感动。那感动使她盼望任何人都不要来打扰他们。

"老五，你喜欢游泳吗？"

"不太喜欢。"

"我喜欢。"

"噢。"

老五有那个不让你展开任何话题的本事。从来不给你"真的？""为什么？""怎么会呢？"之类的投机的、承上启下的字眼。有时她感觉他在看她，突袭似的扭过脸，发现他果然在看她，她也就看他，带点期待：这回你该说点什么了吧，但他就那样静着。他想，若他一讲话，像所有人那样正常地东拉西扯，那种不可言传的感动还会在那儿吗？雨川不再期待他开口了。她感到他看她，她也不以同样的看回敬，因为她知道他吃不消她看回去，他怯生生的享受仅蕴含在他对她的不被惊动不被打扰的观察和欣赏中，在他自认为安全的隐蔽处。

蔡曜回来的前一天傍晚，雨川去附近的公共游泳池游泳。水面拥挤得像插了满地人秧子，游不远就撞人或被人撞。人人都在嬉水，谈笑，泡凉快。夏天的晚上这里是最便宜的凉快地方了。忽听有人哄哄地吼"流氓！"雨川看过去，见男人女人挤成肉色的一团，在揪打谁。一个年轻女人的尖嗓门浮在"嗡嗡"声之上："流氓！天天跟着我！从马路跟上电车，又跟到这儿来了！就你这身鸡骨头也想占便宜？！……"人群兴高采烈喊叫，够不着打两下仿佛吃了亏一样。跟抢购什么便宜货一样，要出手快，不然这个"打"也会被一抢而空。雨川感叹着上了岸，却突然发现被扭住的是老五，她脑子胀了一下。

"干什么你们！放开他！"雨川发觉自己插在了老五和乱拳之间。她怎样跳进池子，梭鱼似的穿人缝，她一点也记不起了。

老五无表情地站着，任鼻孔的血淌进他嘴，任她护着他抱着他。水珠从他发尖流进眼里时，他便挤一下眼。

"他耍流氓！跟了我好几天了！"嚷嚷的是个十八九岁的女子，还算俊的脸蛋显然是因愤怒而发横的。

"他？他跟你耍流氓？跟踪你？别发梦癫好不好——我天天跟他在一块！"雨川知道自己一张脸也够横的，完全走了样。"我是他女朋友！大家看看，我是疤还是麻，有我，他凭什么跟你耍流氓？值不值跟你耍流氓？！"

人们静了一刹那，又"嗡"起来。这回多半是懊恼自己上了当，白替那自作多情的小女人出了力，费了些拳脚。也有人开始同情老五，胡乱出主意让他止血。

上了岸，雨川用手指捏住老五鼻梁上端，又让他半仰在她怀里。她轻声对他说：没事，这样一会就能止住血，相信她这个护校毕业生。她眼睛将所有好奇的目光都逼退了。她头次知道自己的眼睛可以这样厉害、泼辣而凶悍。一旦血止住，老五在雨川怀里不安起来。她用哄一样地对他耳语：别动，乖乖地待着，舒舒服服歇一会儿。他闭上眼，雨川看见他的眼珠在薄薄的眼皮下迟疑地移着闪着。她一个字也未问。你真的对那女孩子做了什么，真的这里那里地跟她，像个无赖？你真的像她讲得那样痞、下流？她什么都未提。仅仅问：你冷吗？太阳下去了，风一吹你大概觉得冷吧？来，我暖你。他没回答。整个体形变得畏缩，甚至猥琐。他的畏缩似乎是想使自己清晰尖锐的骨节隐约些，至少不那么显著。也许他为自己对那女子存有的歹念、那无指望、不够正派的追求而畏缩。她想对他说，大胆些、蛮横些，发号施令一样对她说："我爱你！你听着，我他妈的爱上你了！"然后再土匪一样朝她一扑，就像蔡曜曾对她说的干的一样。她还想说：你对自己的别致、吸引人之处竟这样麻木！

她却什么也没说。触着他女性一样细致的皮肤，她俯下身，臂膀用力将他的身体往她身上合，直到她的胸满满挤住他的下颏。他睁开眼，仿佛想弄清这是哪里，自己身置何处。

雨川避开他的眼睛。在他的纤弱面前，她的健康、饱满，以及她的长于他许多的生命都使她惭愧。

"你冷，对吧，失了血容易冷的。你嘴唇都白了。我这样暖你，你觉得好些吗？"

他"嗯"了一声。雨川听出他的自卑和难堪。她用毛巾擦拭他身上残余的水珠，心载着那样多、那样多的遗憾：他本该是个多美丽多骄傲的男孩。他本该骄傲得不把她放在眼里。她本该有权利追求他、爱他，哪怕爱得无结果，爱得像他一样短命，若即她不是他血缘兄弟的未婚妻。他本该在女性身上享乐一回，无论它多么"譬如朝露"地短，这享乐她情愿给他，假如他们之间没有个蔡曜。蔡曜一冲进门当着老五面就搂住她，搂住两分钟才道个问候。

老五走开了。雨川感觉到他有点歉意和愧怍地走开了。

蔡曜哼着千差万错的流行歌进了浴室。淋浴哗哗响。一会他叫："唉，雨川，递条毛巾给我！"一会儿又叫："劳驾，把我短裤拿来！"她尽量不去看他匀称的，充满血性、刚阳的裸体，她不忍拿它与老五的去比。

蔡曜一闪身挂上浴室的门，那声"咔嗒"大约在老五耳鼓上狠狠扎了一下。

"我不要！老五在家！……"她低声反抗着，但她被抵在了门上。

"老五没关系……"

她想说：老五不是人吗？像家畜或一件家具搁在那儿不碍事，你想做什么不必顾忌他？不必顾忌他的感觉、他会受刺激，是吧？……雨川突然像一个陌生人：这个人怎么可以这样壮实，似乎不知羞耻地霸占了一份本不属于他的壮实。老五的那份。

门被弄得狂颤。雨川挣不脱他，生怕太猛烈的挣扎会闹出更大响动。她只求他轻点、轻点。这时她听见大门"砰"地一响，那是老五离去了。那是老五表示自己不妨碍他们幸福的声明。一阵不适和反感逐渐扩散到她全身心。

年底蔡曜没分到房子。父母开始打算找人来改造蔡曜现在卧室的门。父亲在饭桌上和雨川开玩笑："看看多近，大毛花三步路工夫就把你娶进洞房了。"母亲说五月举行婚礼，第二年三月生孩子，两头赶好季节。不知为什么，雨川这时去看老五。更不知为什么，老五也恰恰在看她。

新年前，雨川读晚报时发现一则很小的消息："蔡悟个人画展于×月×日在×画廊开幕"。雨川跳起去敲老五的门："老五、老五！"敲开门后，她指着报问他："是你吗？"

"嗯。"

"你这么伟大——个人画展！"

老五似乎不懂她干嘛这样大声大叫地兴奋。

"你这人！怎么一个字也没提过？家里人都不知道！"

"你不是知道了？"他略向里撮的撮出一个笑。雨川头次看见老五也会笑得露齿，俏皮还带点赖，一下子让他与蔡曜相像起来。

画展开幕那天，雨川下午才请出假来。好不容易打听到那个画廊的地址，那是个音乐厅的地下室。收门票的老头在打盹，被雨川的高跟鞋敲醒后说："哟，您是今天的第十位。"

"人不多？"

"比没人强些。我也懂点画，各派画家画匠我也见不少。像这位的画，我懂不了。"老头自负地笑，把个头晃得抑扬顿挫："白石先生说过，画大似是媚俗，不似是欺世。"不等他卖弄完，雨川已走进展厅。

展厅是狭长的，两侧墙上挂着的画框里似乎是人、兽、植物，但雨川拿不准她猜得对或不对。一路看过去，最后看见了孤零零坐在尽头的老五。他站起身，他知道她不是为看画来的。

"这时来倒赶个清静。"

"一直很清静。"

"你大概不像其他画家那样，四面八方寄请柬，是吧？"

"我寄了一些。"

"他们明天会来！明天星期日！"

老五笑了，像笑一个小孩子似的、自欺欺人的许愿。雨川沿着狭长的展厅在一幅一幅画地看回去。每幅画前，她都迫使自己站够一定的时间。一路她说了画的别具一格、不落俗套之类的话。但她知道老五根本不拿她的话当真，根本没兴趣她的大而化之的评语，这类评语可以用到任何东西上：一碟菜、一个发式、一套时装。告辞时她在长廊这头，他在那头。

当晚，雨川冒着小雪跑了好几位同事家，央求他们去看画展。有位同事认识几个来帮医院安装设备和培训人才的美国人，雨川几乎逼她打电话邀他们去。星期日上午，消消停停坐着的老五见一大群五颜六色的人涌进展厅，受惊吓似的将半只屁股从椅子上欠起。雨川在门口等两位约好的报社记者，见老五的手被一只只手抓起、握住、摇几摇，虽笑着答礼，却一脸稀里糊涂。雨川还看出他隐得很深的厌烦：好好个清静地方怎么一下子变成了庙会？

两个记者背着各式照相器材来了。雨川迎上去先拿她最妩媚的笑款待了他们一番，同时左一声"辛苦"又一声"多谢"。两个记者在社会上早混得油透油透，哈哈哈地说："不用谢，完了事画家请一顿排场的！这年头，不都是这回事吗？什么人物都是三分场，七分捧！能找个场合让大家高高兴兴热热闹闹，最后吃一顿，也算功德无量！"

雨川冷丁声说："他是不同的。"

对雨川突发的感伤，两位记者不解甚至有些失望起来。"那你要我们做什么？"其中一个以降了八度的嗓门问。

雨川又给了个笑脸。

"你们不必做什么。嗯……就走过去,告诉他,你们是记者,说他的画正在引起重视。"雨川边想边说,"还告诉他,他画得很好;他的画展很成功,他很有潜力。就告诉他这些。然后我请你们吃一顿,随你们挑哪家饭店。"

记者还想搞清整场把戏,但雨川没有讲穿它的意思。

"算我求你们的,好吧?以后到医院看牙科我给你们挂号。"(注:大陆看牙科总是要提前许多天挂号。)

记者们收起一副油子相,仿佛不敢再惹已由伤感变得悲壮的雨川。他们走进去,像演员走进角色,走上舞台。雨川见他俩装腔作势地在一幅幅画前蹙眉、低吟,面色弄得很肃穆。最后,他俩先后走向老五。先是出示记者证,然后是职业化的握手寒暄。她见老五脸色淡淡的,听着他俩背诵她刚教授的那番话。他俩出来时,见到在外面闲荡的雨川,挤着脸说:"打哪儿钻出这么个人物头儿?每幅画上他都贴了标签:展品不出售。好像谁会掏钱买他那些四不像似的!只有他自己管那叫画!"

人散尽了,老五才看见人幕后的雨川。那时他已准备离开展厅,关门时间到了。她什么也没问:今天人多吗?有记者和外宾来吗?她怕他看出破绽,看穿这虚弱的轰动,看穿是她伪造了这隆重的一天。

"出去走走吧?"雨川提议。

老五在迟疑和惊讶中点点头。

路是老五领的,雨川对这个城市不熟。老五领着她走,人越来越稀,脚下的雪越来越干净。眼前是护城河,河边是一些幼树。

"看,我栽的树!"

雨川随他走进那片小林子。她回头看看嘈杂和灯光,觉出一种挺甜的寂寞。她的鞋下坡不太方便,老五给了她一只手,让她扶。他们手拉手站在河的石堤上。

"敢跳吗?"雨川顽笑地问。其实她明白自己不纯粹在玩笑。

"跳河?干嘛?"

"比方说,河那边是个荒岛,没人,或者有人也不认识我们。什么都能在那儿重新来,你跳不跳?"

老五没说话。雨川感到他握住她手的手渐渐变僵,变得机械。

"老五,假如我不是……哦,我就是我自己,只是个叫雨川的女孩,事情会不一样的,对吧?雨川会爱你的。假如能有个地方可逃,那地方你就是你，我就是我，不论我们之间有什么事都不被叫做丑闻，你愿意逃到那儿去吗？"

老五的手松开了她的手。当晚雨川在厨房独自洗碗，蔡曜从背后伸手搂她。她看见有着方指甲方关节的强劲的一只手挪向她的前胸，突然喊："放开我！"

雨川被调到住院部就开始上夜班了。下了夜班，家里人都睡了，只有老五的斗室里还有些轻微响动。有次她轻弹两下门。门开得比她想象得快多了。

"想看看你在干什么。"雨川倚在门上，近乎无声地说，"可以进来吗？"

"我在写东西……"

"不画了？"

"不常画了。画展办过了。"

"想看看你的画室。"

老五突然下决心一样问："你有空吗？"

雨川稍微向上翻一下眼睛，似乎在心算时间，实际在犹豫，在顾盼撤退的路。她明白什么将要发生。从老五的眼睛里，她看出他和自己一样明白。

"那地方远吗？"

"不远，就是不好找。你说个时间，我可以在汽车站等你。"老五说得很快，迅速堵死彼此撤退的路。

下午两点，雨川准时到达那个车站。远近都没有老五。雨川站在那儿，任杨花落在她头上身上。一朵杨花迷了她眼，怎样也揉不舒服。她掏出小镜子，仔细将它摘出来。镜子里她看见自己的唇膏被抹缺掉一点，一道红痕顺嘴角划向面颊，整张面孔就因了它变得乱七八糟。也许是刚在她揉眼睛时，动作太慌，手蹭到了嘴唇。也或许公共汽车上人推人挤，某个企图拓开稍大空间的脊梁或臂或肘揩走了那块红。扑过粉的脸若染上什么是不易被拭掉的。她用手帕蘸点唾沫去拭，等拭净那道红，脸色已不匀净。她还没那分勇气和从容劲在大马路上抹口红、施粉，毕竟她极少化妆。干嘛涂这么重的口红，施这么厚的粉？是要从此抹杀掉一个清白无辜的雨川吗？厚的粉脂是为了将那个纯净的雨川从此封死在一段无暧昧无瑕疵的历史中吗？她看着镜子照出这张色泽不一的面孔深处，那正在恶化的激情。昨夜，在商定见面地点和时间的那一刻，他们彼此都以激动而恐惧的眼睛警告了对方：要发生什么了；那发生的将使他们的生命变质。

雨川合上镜子，收起它。将败坏前的自己合进去、收起来。满天杨花活物一样活泼忙乱地飞、嬉戏、追着人。它们像雪，但雪决不像它们这样骚动，撩拨人。

老五没有来。等了半小时的雨川抹掉口红和粉，到马路对面等候回程的车。心若有所失又若有所得。空得清爽的心会让她在值夜班时专注安详。车离站时，她看见一个细长身影出现在她刚立过的位置上，并不像刚刚赶到，却像等了许久，等得生了根。

一天雨川下班后，见蔡曜在楼下等她。

"告诉你，不要多心，家里丢了两百元钱。爸的小笔稿费我妈从来不存，就那么放在抽屉里，花得根本没数。但那两百元是小品的，暂时让妈替她收着，她要买新自行车。我妈对平常过日子的钱没数，但这笔钱是小品的，她记得清清楚楚从未动过。"

"家里出这种事，我这个没过门的媳妇不是要窝囊死吗？"雨川脾气甩了出来，"早就说不住你家，早就让你搬，找间瓜棚我都跟你过，偏偏没皮没脸地白吃白住，害得我也跟着没皮没脸！……"

"叫你别多心别多心！妈把这事只告诉我，当然就没有把你我怀疑进去。"

"那怀疑谁？"

"妈谁都不肯怀疑。""说不定你爸花了钱，不记数，事后忘了。"雨川住到这个家不久，就断定这不是个妻子过问丈夫所有户外活动的正常家庭。常有女人打电话来，父亲简短两句就出门，母亲没有对此动过声色。"说不定你爸爸需要钱，又有说不出来的苦衷……"

"不要胡猜，对我们家的事，你还搞不清楚……进了家什么也别说，装不知道！"

晚饭时，老五头一个离座，照例撒下五角钱。雨川发现首先是小品停了咀嚼，再是蔡曜停下筷子，然后是母亲搁碗。三人全看着他穿衣、戴帽，三人全是害怕和痛心的样子。父亲没反应，但筷子仅在同一只盘子与嘴之间机械往返。等到老五出门，小品自语般说，他办那个画展大概用掉一大笔钱。蔡曜插嘴，也像自语：拿拿自己家的还不大要紧，要是在外面也干这事就严重了。母亲木讷地检讨：钱不锁是我的过。接下去是种沉闷和痛苦，似乎这日子一下败了人的兴；似乎谁也不知怎样去和这家庭中不体面的秘密相处下去，共存下去。当晚各自灰溜溜地早睡下了。雨川推说有些信要写，一人待在客厅里。

门响她回过头。老五走过来，拿出几枚新刻的图章给她看，说蔡曜央了他多次，要他为他的藏书刻几枚闲章。她紧盯着他细长柔软的手指，认定它们白得晦暗。做许多不明朗的事才会使人有这样晦暗的白手。

"我怎么了？"老五问，意思说：我怎么会惹你这样研究地瞅。

"你需要钱吗？"雨川问他的两只眼睛。

老五不懂她话似的，向里撮的嘴启开并微向外撇了。

"我自己有点钱，可以给你。"雨川告诉他的一只白手。那手渐渐退缩出她的视野。她觉得他整个人都在退缩。

"老五，除了你不知道，所有人都知道了：家里丢了钱！"雨川短促地呼吸着，用压没了的声音说。

"我知道。"他说。还想说什么，但仅是喉结升降了几回。

雨川想问："你知道自己有过失还是知道自己被冤枉？你究竟干没干那事？"他却匆匆走开了。腰仍塌着，但走得很快。第二天雨川换夜班，白天闲在家。又是全家轮番去敲那扇门，叫"老五！"雨川听出这惯例的呼唤走了一点调，腻烦和鄙夷成了这调的主趋势。

直到母亲摆开午餐，他仍未露面。母亲想想不对了，贴在他门上连着叫。听得父亲也慢慢从餐椅上站起。偶然地，母亲发觉门并没从里面闩住，便一推。屋空着，屋里除了老五的气味，什么都没了。父亲一下跌回椅子。

老五走了，没留一个字，几日后那笔钱被找到了，装钱的信封卡在了两层抽屉的隔板上，似乎是因为抽屉被塞得过满的缘故。小品看看两张一百元钞票，说它们好像是原来的两张。雨川觉得人人都在玩味那个"好像"。

老五没有回来过，尽管他回家也不必住进那间储藏室了。小品搬进了学校的宿舍，蔡曜分到了房子。父母为平息一点疚痛，把小品和雨川曾住的屋布置起来，一厢情愿地称它为"老五的屋"。

但全部关于老五的信息就是书店一只角落里摆着的几册有关岩画的书。雨川隔不久去看看，有没有人买它们。从来没人碰过它们，它们新新地旧了。

父亲动了灵机，给出版老五书的那家小出版社打了个电话，问作者的地址。

"他没有住址。"答话的是责任编辑。

父亲有些恼地捶捶桌子，似乎他的威风能从电话线传过去。"请你一定设法找到他的住址。"雨川的心动了动，想，父亲毕竟是父亲。她强词夺理地推延婚期，只为心里一个神秘的期待。这时仍握着电话的父亲说："说吧，我听着——"渐渐地，他耳朵开始躲避听筒，渐渐地，两行泪从他眼角滴下来。

老五两个星期前病故在一家地段医院里，他所有的稿酬都付了医药费。他没给这个家庭留下什么，但也没带走什么。

婚后不久，蔡曜在一次酒醉后哭着对雨川说，他与另外两个女人开始姘居。哭后又笑，抚着雨川淡淡的、失神的眼睛，问："你知道老五给我刻的那些闲章里，我最喜欢哪个？"没得到她的理会，他自答："无非男女。"他说他将这枚章盖在他所有的小说上；所有的描述人间悲欢离合的小说上。祸根就是这四个字：无非男女。他瞪着一对眼，脸上的笑有些傻："老五幸福啊，从来没走进去过，就走出来了。"慢慢他在越来越没逻辑的感慨中睡去了。他每月总这样大醉一场，讲些真话。

雨川轻轻拿开他搭在她脖子上的手。灯朦胧得像一蓬记忆。睡熟的蔡曜也有了张撮紧的嘴，陡然削下的面颊。醉意使他整个人出现一种老五式的温柔。

起码老五每月会活一次，活在她眼前、她怀里；活在他血缘兄弟醉时的温柔中。

雨川眼一抖，两行泪急雨一样流下。

我不是精灵

那事过去十年了。许多人说我几乎是一夜间长大的，从那事以后。

当时我在一个旅馆房间里等我爸，他走了进来。

他不高，眼睛很逼人。他在想：她是谁？年轻到了傻乎乎程度的一个女孩——十七？十八？……差不多，我刚满十九。他还想：老萧蛮子那副脸模子长给一个女孩倒相宜了。老萧蛮子是我爸的别名，他写打油诗时用的。假若我爸和我妈没分居，假若旅馆不客满，老萧蛮子不会与他搭伙住在此地，我也不会在此地遇上他。此地叫西晓楼，号称艺术家避难所，多数画家作家"文革"中流离失所，回城没房住，便暂时落脚在西晓楼。我们刚想互相礼貌一下，电话铃响了。他从我第一句话就确信了我与老萧蛮子的关系。

我指控我爸存心躲避一场事关重大的谈话。学校一放暑假，在北京到南京的火车上，我就准备了一肚子词来干涉他与我妈的关系。他说他不爱我妈；我说他这么一把年纪了还讲什么爱不爱，快回家吃我妈腌的咸鸭蛋去吧。文人们刚从"红卫兵"、"军代表"、"工宣队"手里活出来，他们头件事就想起爱不爱来了；刚刚皮肉不痛苦，感情就"痛苦"起来。我妈纵有一千个不是，但千里迢迢把咸鸭蛋送到他那"流放地"，还是很动人的吧。

我爸在电话里说："别扯那么多淡话，你快出来！你小韩叔叔有要紧会面在那房间里……"

"谁是我小韩叔叔？"刚才那个英俊的矮子？

我爸用不得了的口气说道："他是韩凌！画家韩凌呐！……"

听我这边不作声，他更急地叫："你快出来，别在那里捣乱！小韩叔叔下午两点要会见一个女朋友！"我挂掉电话，他从洗手间出来，朝我微笑。我怎么也喊不出口什么"小韩叔叔"。与他握手时，我发现他少了根手指，其他没什么不寻常。他虽不高大，却十分匀称，微笑如一般中年男人那样多少带些心事。

刚开门，迎头撞上路淮清，她是我要好同学的长姊，在电视台主持节目。她后面跟了个苗条女子，脸不太年轻了，却梳着齐眉刘海。我想弄清她俩究竟谁来相亲，便磨蹭着越走越慢。

淮清说："干嘛走呢？穗子，我们都是来向韩老师求画的！"

"哪里好意思啊，韩老师的画滴墨千金！"齐眉刘海说。两位女士都在脸上涂了粉，也都仔细打扮过。几年前毛主席过世后，街头一下子添了许多涂粉的女人。

"穗子，"淮清对我说："她叫张叶。"她停下，等我反应。见我待得过久，又说："她演过电影啊！"接着报出个把莫名其妙的电影名字。我忙深吸一口气。我不崇拜，但捧捧场逗人家高兴还是善良的吧。画家领我们走进里屋。这屋挂了些裱过的画，一幅是两只猴，一幅是匹卧骆驼，第三幅是条狗。狗上题款道："纵是无语也可人。"我对着画长时间出神，觉得画里有种难懂的情绪。画家的技法很独特：将动物作静物画。画看去平面、滞板，色彩极暗，你却完全大出所料地在凝重色彩里发现一点猩红或翠绿，或一抹无来由的碧蓝，于是一种勃然感便有了，一种带有鬼气、灵光的勃然生命便出现了。看这些画你木木地看进去，直看到心被什么砸一下。

这时听他们那边聊得热闹起来，似乎在谈画家的个人画展。我想去参加他们谈天，却很难从这些画上分心。很快又听见两位女士激动地讨论，要画家为她们画什么，画家却说：我画，你们只管看，喜欢就拿走好了。她们忙说：啊呀，韩老师的画哪里有不好的！我走过去时见画家在一只砚台上反复运笔。突然他将笔一提，那么用力，如同拔出什么。张叶还在说笑，淮清捏捏她胳膊。当他一笔挥下去，我情不自禁"哦"了一声。画家看我一眼，那目光竟有些感激。似乎他那一腔情绪并非白白挥洒出去，它被什么盛接住了，好比那种感应墨色最理想的纸盛接他的笔。

他居然停下来，就这样看着我。他倾向案子的身子和低含的下颌使他的目光从嶙峋的眉骨下射出。我也看着他，只有真诚没了羞怯。

"好什么？"他这样看着我问。

"不知道。"我立刻老老实实地答道。

这时听见张叶和路淮清用极在行的话夸着赞着画家的每一笔触。她们已看出名堂来了，一说画的是马，一说画的是鹤。数我顶钝，那声感叹、喝彩或纯粹的起哄完全是种没道理的激动。为什么一定要看出他画的是什么呢？音符本身就能成绝唱，不一定要等它们运成旋律。他把目光从我脸上挪开时抿嘴一笑，那样会心。他稀里糊涂地懂得了我，正如我不求甚解地懂得了他。

等画家掷开笔，纸上是只鹰。

张叶惊叹："嗬，真是乘风万里的来势！"她优雅地抱着膀子绕着那画蹀了一周，并似行家一样觑起眼，向后仰着身端详它。她说它象征着力量、启示着求索。她解释那些暗红色喻示着它心灵的创伤；它羽翎上的浓重黑色，象征往昔它穿越过的黑暗，而这黑暗是不可能被摆脱殆尽的，黑暗永远留在它的双翅上……她落珠般的嗓音被眼泪哽住了。

我吃惊地看着她美丽的面孔。她竟把一大团混乱而丰厚的情感解释成一首通俗抒情诗了，画家去涮洗笔时，张叶问路淮清："他不会老住这里吧？"

淮清说："放心，还能没他的房子？副省长徐老亲自给他批了块地在近郊，那里在修建新房，补给所有'文革'中住房被强占掉的知名人物。"她转向我："穗子，趁张叶在，你不借面子要张画？"

我笑笑。我当然想要，但怎么张得开口呢？那么大个画家和这么小个我。当张叶又关切地问起画家的前妻，我便告辞了。虽然路淮清活跃，但我看出女主角是张叶。画家嘛，不例外地总挑顶美的女子做终身的伴。

等电梯时，画家追出来，说有我电话。我请他转告老萧蛮子他女儿回家就着咸鸭蛋喝绿豆粥去了。"不是你爸，"画家笑笑，"是个小伙子……"

郑炼。他是我火车上认识的朋友。他告诉我他明天和同学去游泳也算上了我。我说我当然高兴去。

画家正在给画题款，我走过去。

"小家伙也要张画？"他说，并没有抬头就知道我的接近。

"啊。"

"喜欢哪幅，你挑一张。"画家双手按在印上，使着力，下巴挤出许多褶子。

"我想要张画人的，行吗？"

画家不动了。我有种感觉：他的脸，整个神态突然经历了一刹那的麻痹，就在我提出那个请求之后。

张叶和路淮清听了我这话神色也走了样，两人立刻瞅瞅画家，又折回来瞅我，看样子我一定闯了祸。

"我是说，我比较喜欢人物画……"我想大概他们听错了什么，得赶紧纠正，但话未结束，脚被路淮清狠狠踩一下。然后她扬起嗓门说："别傻了，穗子，我帮你在韩老师的画里挑一张你准喜欢……"

我拒绝了。我刚走出西晓楼，路淮清追上我，说把张叶留给画家，让他们往深里谈谈。"穗子，你干嘛去刺激韩凌？！……"

"我？……我干了什么了？"

"你是真不知道还是装傻？你爸爸没跟你讲过韩凌那个很惨的故事？"见我摇头，她说，"'文革'初期，韩凌是最年轻的成名画家，被红卫兵头次游街才二十七八岁……十年前你多大？恐怕什么也不记得了。唉，改天我再跟你讲他的故事，现在我得上班，晚上有我的节目……"她走几步又回头问："你看张叶人怎么样？"

"好漂亮！"我大声道。

接连几天，我一直在追堵我爸，他想永远躲过那场重要谈话可办不到。我一次也没堵着我爸，却回回碰到画家。他画画时我便站到旁边，看到某处，我仍会莫名其妙地激动，但不敢再出声，只是重重舒口气。他在这当口总会停下笔看我。他看我的目光多么特别，我敢说他从不拿这副目光看任何人、任何东西。渐渐地，我发现有种隐秘的唱和呼应在他和我之间出现了——在我瞅着他的画，而他瞅着我时。但我们很少谈话，这样的年龄悬殊，谈什么切题呢？

终于有一天，我逮着了老萧蛮子，我却决定这回饶了他，不提他和我妈的事。我要他告诉我画家的故事。我云山雾罩地被搁在故事端口已多天，可真让我受不了。我爸花了两个钟头讲这故事。韩凌回来时，诧异这对父女待在黑暗里。爸哈哈着说闭灯看外面晚景真好。老萧蛮子知道他女儿被那故事惹哭了。

　　年轻的画家被驱赶到一座煤矿的大伙房后面。他每天的活是不歇气地铲煤或不歇气地被人带到各地去批斗。煤堆旁有个庵棚，他就睡在里面。

　　一天，跑来一只小狗，刚拿手碰碰它，它便受宠若惊地拿整个身体在他脚上蹭，试着给它一口杂面馒头，它便感恩不尽地把他整个手都舔了。从此，他从他本来就不足的口粮中省出一口两口，去喂它。他和它贼瘦。只有它对他那个半青半白的阴阳头不见怪、不歧视。当他与它寂寞对视，它那始终如一的体贴讨好，使他忘掉了阴阳头的屈辱。它眼里，他仍是个正常的、有尊严的人。它可不认为他丑、他穷。

　　一年后，他被关进了监狱，那种无法无天，动私刑，暗地死人的监狱。在狱中他收到妻子的离婚起诉，他爽快地签了名，毫不觉得委屈，毫不觉得这叫墙倒众人推。

　　三年过去，他被宣布为"错判"，即"人民内部矛盾"错判为"敌我矛盾"。一听错判他壮起胆问："请问我过去被判的什么罪过？"很快得到回答：他的罪是曾在每幅画里都藏着一幅反动标语。现在搞清了，他画中莫名其妙的线条仅仅是莫名其妙的线条。他又问："那我能回家了吗？"回答是不行。因为"人民内部矛盾"也有转化为"敌我矛盾"的可能性，所以他得继续改造思想，其他待遇都差不多，区别仅在于一是在监狱内采石场采石，一是在监狱外采石场采石。出监狱时，他发现押解自己的枪换成了大棒。

　　他走回那座矿山，一路上见了曾虐待过他的熟人，却没人认出他来。他明白他们不是佯装，是真的不认识他的。一个人落掉三十斤体重；头被不负责任地剃过，又长出，变得深一色浅一色，参参差差；被打残的手蜷着，被杵掉牙的嘴瘪着，想想看，这种人还指望谁认出他来呢？

　　连他的妻子都不认得他了。他通知她送些冬衣来。她茫然地在狱门口东张西望，直到他叫喊，她还不敢往上迎。他提出看看女儿，她不肯，说女儿才懂事，她不会认出他，只会被吓坏。

　　他被两个持木棒的人押着走过那个大伙房时，一只大狗出现了。三年时间，它已长得那么剽悍。它毫不犹豫地冲向他，将两只前爪搭在他肩上。他不顾身后解差的呵斥，停下来，轻唤它的名字。在狗类无表情的脸上，他看出它三年来对他真切、痛心的怀念，他相信它从未忘记过他，尽管他已被毁尽了原样。解差开始拿木棒捅他的腰、脊背，捅得一下重似一下。狗并不想替他报复，去咬两个持棒的人。从一开始跟随他，它就自卑惯了，它不惹人、不闯祸，向来忍气吞声，似乎懂得"狗仗人势"的俗话在此行不通，他没一点儿势可让它仗。再说它顾不上去咬去扑，它全身心地在向他琐琐碎碎、期期艾艾倾诉。

他被木棒捅得吃不消了，它却不懂，仍是固执地要挽留他。终于，一棒落在它身上，它痛得长长叫了一声。他朝它喊："回去！不然你会被打死的！"它反身一口叼住了木棒，四爪生了根一样定在那里，凭另一条木棒怎样朝它身上横扫竖抽。它眼睛里哀哀地看着他，使他相信狗是有泪的。它似乎在提醒他逃生，似乎在告诉他，它只能给他这点不济于事的这点帮助。它还似乎在表白它无尽的忠诚。它终于倒下去，血从它嘴里流出来。他被木棒驱赶着离它远去，走几步，他便回头唤它两声。它似乎已死去，身体扁扁地瘫在地面上，而每当他唤，它便吃力地支起头颅，尽量欢快地摇两下尾巴。

等他有了一点自由，甚至有了十几元的伙食钱，他头件事是到集上买了半斤肉，正正规规地提着。他记得它从认识他就从未吃过肉，也不知它活到如今可否知道天下的狗本是吃肉的。他走到伙房后，却不见它。它就是残了瘫了，他也得先把这块肉喂了它，然后带它走。接着，他看见了钉在墙上的狗皮。

年轻的画家面对那狗皮站了很久。他多少次地挺住了，但他没把握这回他能否挺得住。

"后来，他又开始画画。他觉得他画不出人了。"我把这故事讲给郑炼时，用了足足四小时。讲完，我们都静在那里。我背朝光坐着，郑炼坐在屋角，他说背光看不清我的表情。

我一下把脸朝向亮光，说："怎么啦？我没哭。"

他跑上来仔细盯一会我的眼睛说："你爱上他了。"

"真的？！"

"对。你已经爱上了这个画家。你现在还不知道这是爱，只觉得心里那种悲天悯人的感觉很伟大！……"

"不会吧？他是我爸的朋友，比我大二十岁，我爸叫我喊他叔叔！……"

"正是这种不近常理的东西使你感动。你不是个一般的女孩。一般少男少女的恋爱你是不满足的。在火车上头回见你，我就觉得你不是个一般的女孩。"他明朗地一笑。半月前，我从北京回南京过暑假，火车挤得连站都站不直。一个长腿宽肩的男孩朝我笑了一下。奇怪的是我并不反感，每当他笑过来，我也笑过去。渐渐两人的笑里都有了点内容。当时我想：就这样的笑多么好，不要去了解他的家庭，他的职业，不要过问他一切身外之物，就这样以明朗淡泊的笑开始一种明朗淡泊的友情多么好。他侧过身，我明白，那是他暗示我投入他的庇护；他两条长臂一挡，胸前就有了块清净地。我站到他两臂圈起的小堡垒里，他吃力地与我保持着距离，车猛一动，我头发碰到了他毛糙的下巴。我抬起头，他又笑了。那个有着女孩般秀眉大眼，笑得那么明眸皓齿的男孩就是郑炼。

后来我们开始谈话，我建议免俗：决不打听对方的职业、家庭，不把任何社会功利的砝码往我们的关系上加，听任这关系自己去发展。半个月来，我们很得意这种纯粹关系。有次我们一块去游泳，他让我替他拿包他去买汽水，从他包里掉出一枚校徽。我使劲避免去辨识它。他也忍不住问我："你父母都在南京你为什么在北京？"我笑道："你没看见许多外省姑娘都到北京当小保姆？"

"好吧，我爱他。你说，我该怎么办？"

"写封信啊，说你心里什么什么感觉，打算怎样怎样……"

他起身喝掉杯子里最后一点冷茶，伸了个懒腰，浸了汗透明的汗衫下，胸肌和肋骨清清楚楚。我要送他，他不肯，长腿灵活地将自行车脚踏往前蹬蹬又往后蹬蹬，笑着说我神不守舍谁敢放我上马路。我一直目送他穿过四条路口，看他骑车骁勇地在人缝车缝里窜。

我的信发出去七天，他即或在新疆老荒漠也该收到了。可他没一个字回给我。

七天，他有时间把信上的字句上百遍地嚼。他笑。他不动声色。他沉思默想。他无声地问："怎么会？怎么会？……"他不知该拿这个突然发痴的小姑娘怎么办。他害怕，却忍不住一再朝那颇厚的信笺上瞅，那字迹真切地有了声音一样："我是为着你悲惨的故事而走近了你；为你乏爱、无爱的往昔而深深爱上你。让我搀扶你带有不愈伤痛的躯体，让我负荷你不胜其累的苦难。……"他不愿再看下去，从窗前到画前，他踱步。"你孤独地、怀疑地远离人群，那是因为你曾厚爱过他们，而他们却狠狠报复了你。我唤着你回来，我知道这有多难。但我将一声声唤下去，以无数声啼血的呼唤，唤回你的哪怕是最微弱的回应。"他心乱得要命，小姑娘动了真感情（尽管有点心血来潮），那么多字迹被泪洇开了。"我愿以我的不谙世故，尚清白无辜的生命，弥补人们对你欠下的公道；我将无怨地替人们赎过，将承受你冲天的委屈。"他几次提起笔来，却不知怎样回复小姑娘的多情。他头也痛起来。"我的爱，就在那儿，在离你最近的地方，你要，就可以信手拈来。然而，不论你要不要，它都在那儿，是你的。许多年后，不论你在哪里，你或许幸福也或许不幸，假如你忽然想到我，想到我的爱和祝福，你若因此感到一点儿安慰，这便是我全部的所求了。"他的眼有一点湿润。

我写了第二封、第三封信，仍没有一点反应。我爸已另找到宿处，不在他那里搭伙，因此我亲自去探虚实的借口也没了。

郑炼问我情形怎样，我说闷碰了钉子。

"那就……拉倒吧！"他说。

"不！"我喊起来，一喊喊出泪，"我真的在爱了，我真的跟疯了一样……"事情比我事先想象的要严重得多，虽然我信里声明不期待回报甚至回答，但果真没回答，我失望得心都痛。

郑炼从包里拿出一小堆雨花石，自言自语地叨咕：鬼知道好看的雨花石现在都跑哪儿去了。我仍想我的心事。他看看我，用手指拨拉那些小石卵，吞吞吐吐地说：有不少人拿雨花石车出项链手链什么的。我往那堆亮都不亮的石头上看一眼，他立刻问：你要不要？……

我瞪着他："要什么？"

"首饰啊……"他有些窘的样子，"不花什么钱，我也能学着车。"

我心不在焉地笑笑。他兴致很高地把石头装回去，说某天非让我吃一惊不可，别看这些石头现在看看不起眼，一车就不一样了。它们刚从泥里捡出来时更污涂呢！我打断他，问道："他要永远不回信怎么办？"

"不会吧。"郑炼答道。

"会的！"

"不会！……"他大概意识到我俩这么争多没名堂，笑了。依然是他那明眸皓齿的笑。过一会，我发现郑炼半跪半蹲地抚着我埋在双膝间的头，说书上都这样写，真爱了，就是活受罪。

我抬起头，见他唇上晶亮的几粒汗。他掏出他皱巴巴、不洁净的手帕，倒先按在我额上。黄昏热得人喘不出气。

郑炼走后，我灵机一动到了路淮清家，先问她妹妹海清出国留学的情况，然后把话转向张叶。

"他们没戏！"淮清说："哪儿那么容易啊！韩凌的身份、岁数，真难给他找到合适的。顾了人品又顾不得形象，有品有貌却不单身，想要单身女人既漂亮又高尚，三十多岁的女人里，哪儿找得着呢?！现在韩大画家名气是蒸蒸日上，每天都有一打媒人跟他扯皮。张叶够标准了吧？你说她什么缺陷都行，说她不够漂亮恐怕不公道。韩大画家怎么着？他恰恰说张叶不漂亮！那天他和张叶一块吃的晚饭，不知张叶饭桌上是不是媚眼飞太多了。三十多岁的漂亮女人，又单身，有点小毛病也是正常的，没毛病才见鬼了！"我忍不住插嘴："为什么一定要三十多岁呢？"蠢话！我骂自己。

"他说岁数大点牢靠，他说他可没力气陪小姑娘做游戏了，那种一往一来的情书，只让他好笑、肉麻！"

"他这样讲过?"

"讲不是这样讲，但意思是这意思。"她突然注意到我有点不对劲儿，把我的脸研究了一秒钟，又接着聊下去，"我看韩凌这人是不再会对人动感情了。他被关押的时候，有人让他把十根手指放在地上，然后跳上踩！一边踩一边骂：你不就是以手发的迹吗？毁了它！结果十根指头都踩断了。有根手指后来截了肢。想想看，他对人除了恨，还会有什么？他早看透了人的势利、嫉妒，弱肉强食。"

开始入夜时蝉鸣才沉寂。我走到西晓楼的院墙墙外，他一开窗，朝楼下一张望，然后深深地感动了——一个孤单单的、踽踽而行的女孩背影。他开始相信，世界若真坏了个透，她的存在依然如一汪清水。

他不会开窗的，与有空调的房间相比，窗外糟透了：热，蚊蚋，满街乘凉人的汗臭。

我爸叫我稍打扮一下，晚上带我到徐老伯家吃饭。徐老伯兼文教副省长，也著书作画，只是从不办公。他家总是热闹的，院里的六条竹沙发一夏天就被人坐红了。我小时，徐老一捉住我就说我是他订娃娃媒订来的儿媳妇，自从"文革"中他两个儿子因饥饿越货杀人，被判刑二十年，他再也不拿我取这种乐子了。

　　我穿了白色无袖的绉绸衬衫和银灰长裤，宽裤脚。我知道自己有点怪。老萧蛮子见了我，面孔一扭说："瞧瞧这个丑丫头……"他躲着我妈，在住宅区的路口等我。

　　"你再夸我漂亮也没用，我不会向着你的！"我大声道，"妈怎么对你了，你非要和她离婚？……"

　　爸爸忽然吼："别烦了……"他停下脚步，"好，我最后一次告诉你：我对你妈没感情……"

　　"看看您黑头发还有几根？爸，您已经没有资格整天谈感情、谈爱了。"您还口口声声谈爱，我就要羞死了，我心里这么说。"您只剩下义务、责任和做父亲的尊严。"我口气冷硬地说。我是父亲唯一的女儿；所有父亲都会在某天发现，他们唯一的女儿原来是他们真正的对手。"爸，现在是轮上我去爱的时候了！"

　　老萧蛮子沉下嗓音说："看来还没轮上你，要不，你是不会这样讲话的……"他苦笑，显得那样无助。

　　在徐老伯家听人议论韩凌，说他最近被一个女电影演员追得团团转，女演员讨他的画，什么也不挑，只捡尺寸大的拿。我不愿听人这样议论：好像他庸俗得人人可以把他挂在口头上。我钻进厨房帮徐老的两个女儿剪田螺屁股，不久听见院里开饭了。除了徐老的老伴端着只又盛菜又盛饭的大碗坐在灶边吃，大家都入了席。曾经开徐老斗争会时，红卫兵往徐老头上刷糨糊，徐伯母也上去刷了一下，从此一劳永逸地躲过了批斗。自徐老复职，她头也抬不起地在这个家里过活，徐老一字未提过，对她照旧，反而更使她愧得几乎活不下去。

　　我端了一大盘刚起锅的炒田螺出去，见几张桌都坐满了人，正为难地觅空隙，被人拉一把："小家伙坐这儿吧。"

　　我低头一看，竟是画家。他头发胡子都长了些，弄得脸上阴影很重。他不再是一副看得过去的形容，而是相当俊逸。他看着我微笑时，我羞怯得一举一止都笨拙起来。好在他很快让别人缠着说话去了，人们恭维他，向他要画，我马上觉得自己坐在那里太碍事，我刚想溜，他回头对我说："别走，我有话跟你讲。"

　　我多傻。对这样一个人，我竟敢爱，竟敢一口一个同情、怜悯。他几次想开头与我谈话，都被宠他的人打了岔。整个院子在取悦他，似乎今晚来的客人都暗自怀了个真实目的，就是结识他。而那么多人都没使他热起来，他的笑很温和却很被动，虽然他有来有往地应付人们的捧场，他心里却一点都不拿那些话当真。稍微有一点空闲，他对我轻声说："你的信写得不错，小家伙。"

我心里闹死了，他却有心情咂摸那些字句。他大概想不出更着边际的话了。我真的要走了，不然我会让眼泪流出来出自己洋相。

但他按住了我的手，眼睛却不看我。随后我听他说："谢谢你！……"

他把这三个字吐得那么重，不这样，似乎这三个字就不可能从百感交集中挣脱出来。

他又说："我们找个地方单独谈谈好不好？在这里，我怕自己激动起来不成体统。"

我看看四周。他却亮开嗓子对大家说："抱歉，我有几句话想跟这个小家伙谈谈。"我们离开时竟没人诧异，谁会想到我跟他之间发生故事呢，在他们眼里我太不是个人物了。

在徐老的书房里，我们坐下约有五分钟了，他才说："我好几夜没睡觉了，因为我想不出一句话，既讲明白我的真实心情，又不伤害你。你看见了吧，小家伙，你这么折腾我！"

我欲语，却想起所有的，所有的话我都以那信笺，随那些泪倾尽了，这一刻我的心空得像只桶。

"你想过我比你大多少吗？"他忽然从沙发上向前一倾脸离我近了许多。"你这么年轻！有一早晨，你会大梦初醒一样发现，你身边的这个人是个老头子，想想看，那时你该多怕……"

我抬起头，倔强地瞅着他。他真的如老人那样充满爱怜地看着我，让我意识到我在他眼里那么小、那么年轻、那么不能与他相提并论。我们这样看着，他微笑起来。你不能想象有比这笑更复杂更丰富的表情了。

"我从一开始就喜欢上你了。"他说。

我很清楚这点。

"你也是真喜欢我的画。我明白，没几个女人真喜欢我的画。就像我对她们一样，连想真看一眼都懒得。那么多好心人为我张罗做媒，推得掉我就推，推不掉的，你看，就像那天，她们非要我画不可，我就画；到开饭时间，我就付一顿饭账。事过之后，什么都没往心里去。你是头一个让我认真动了心的，小家伙。"

我紧张地移开目光。我知道已有了一个结论，无论违我心还是顺我心，它已在不远处等着了。

他静着。一会儿他叹息一声，将手搁在我的脸颊上："就这样了吧，"他说，"我只能谢谢你，但我不能接受你的感情。至少眼下我不能……"

这就是我等的结论了。

"我们做朋友，做顶好的朋友好吗？"他仔细观察我的神情，"我很喜欢你的信，以后还给我写信吧？等你长大了，可别忘了我。"

泪水一滴滴从我脸上淌下来。

"你看，叫我怎么办？我还是把你逗哭了。"他摇摇头，缩回手，仍是那种充满爱怜的笑，"你这么小，让我怎么忍心接受你？……我只能等几年，等你长大些，那时你要是还爱我，还不嫌我老，你就到我身边来吧。"

我想，他同时也在等自己，等待他的体温，血性，情感都逐一回来。

他不久到广州开画展去了，我给他写了三封信，他回信说，他开始采集花，那些花在我长大的一天全献给我，我不懂他的意思。

回北京的火车上，我对郑炼说：我觉得自己一下长大许多岁，走在画家身边，不知不觉就变庄重，不再想一蹦三跳了。郑炼笑着问我：以后还跟不跟他一块翻墙头走捷径去游泳；还跟不跟他沿着铁道拔苇坑里的茭白来吃；还和不和他去推销橡皮鱼赚几个零花钱？……我淡淡地笑。他又问：记得吗？有次我们一块看电影，太晚没电车了，我们装瘸子想拦下一辆卡车，结果没一个人理会，只有一个卖咸茶蛋的老太叨咕：这么好一对，可惜病了。

郑炼笑得几乎有些嚣张。我嗔他：去你的。笑完，他问我现在感觉怎样？我说难讲得很：半是幸福半是痛苦。他说他明白这感觉，还说没有痛苦的幸福是卑微的。

快放寒假时，我收到画家的信，说他将路过北京到哈尔滨去参加一个中外美术家的聚会。我兴奋得吃饭掉了几次饭勺。出了饭厅，我慌慌张张到处走，却不知该忙些什么。下课我跑到卫生室，指着脸上一个粉刺让医生立刻治掉它，医生说这年纪脸上不长它长什么。我对着镜子着急，实在想不出怎样才能折腾出个更美的我来。第二天中午，我跑到火车站，按说他乘的那班车傍晚才到。连下几天大雪，天冷得要死，我脚上松松垮垮的旧棉鞋吸饱了雪水变得脚镣一样沉，然而我却舍不得换上我的小皮靴，我用网线兜将它们拎着，准备在火车快进站时穿上它们。

火车进站了，车里车外的人都在大喊大叫。我想他会静静地出现，也许会最后一个走出车厢，他永远是那副矫矫不群的样。

他看见一个穿淡雪青滑雪衫的影子，头发梳得平平整整，背后结着一根辫子。她那么青春。她不漂亮，但不俗。仔细看看她的眼睛，他知道，她仍在惊心动魄地爱着……

月台上的人走尽了，我想我也该走了。他没来，要么我算的日期不对。

第二天我又到车站。傍晚，大喇叭通知几班火车因河北地区雪太大而晚点，其中有我等的那班。忽然，郑炼咧嘴笑着，朝我走来。他今天考完了期末考试，脑子紧张得要抽筋，想找我聊聊换个气氛。

"你同学接的电话，"他说，一边顺手把我两只手揣进他的棉衣口袋，"她说你到火车站来了。你妈又给你带吃的来啦？"

我妈买通了一个列车服务员，每月都托他带些吃的给我，她嫌北方饭太糙。自从认识郑炼，他总是用自行车帮我把东西驮到学校。当他摘下他的皮帽子捂到我头上时，我忽然烦起来。

"看你那双耳朵，都冻得透亮了！"

我不讲话，只用力甩开他的手，又狠狠将皮帽子塞到他怀里。

"哎哟哟！都来看看这位的坏脾气！"

他笑道："究竟怎么了？……"

"人家头发梳得好好的，你来碰什么？"

"这么晚又这么冷，谁看你……"

"有人看！反正有人看！"我几乎叫起来。

他不说什么了，想再次跟我笑，试了几次，都不成功。这时大喇叭再次广播，说火车继续误点，车站无法预计时间。月台上的人很快回到气味极窝囊的候车厅里去了。郑炼上来拉我，说我已冻傻了，他故意不问我干嘛哭。

过了好大一阵，他说："……他电报上讲了一定乘这班车来吗？"

我不言声，仍然横一把竖一把地抹眼泪。

"大画家来看你，你不高兴？换了我，准乐疯了！"他声音听上去神采飞扬，"不过你实在穿得太少，画家看见你冻成这副样子，会心疼！你为什么不穿那件你妈做的红格子大棉袄呢？还有你爸给你的那条草绿大围脖，又好看又暖和……"

我没理他。草绿围巾红袄子，我可好看死了。他不是你，不是你郑炼这种对色彩迟钝到半木地步的人。他的世界就是色彩，任何胡乱搭配的色彩都会折磨他。我爱他，想成为他眼前第一块和谐的色彩，至少至少，也不是一团糟七糟八的色彩。

十一点钟了，仍是没有消息。郑炼买了滚烫的汤馄饨，我俩蹲在一个背风的角落里吃。碗太大，郑炼帮我捧着让我吃，见我饿成那样，烫得稀稀呼呼仍往嘴里舀，他也跟着龇牙咧嘴直嘘气。刚吃几口，喇叭通知火车进站了。我忙扔下汤勺，拾起扔在一边的网线兜。郑炼说，不必慌，火车进站少说要二十分钟，足够把馄饨吃完，我哪里还顾得上听他的，已开始手忙脚乱地扯下脚上一对蠢大的棉鞋，然后一只脚颠着跳着，把崭新的小皮靴套上去。站了一天，冻了一天，脚塞进窄窄的皮靴里疼得如过刑。

郑炼一声不响，勺子停在嘴边，看着我。

我有些难为情了。退后几步，笑笑："看我这样行吗？"

他怔着用力点头。

我开始往前面车厢跑，软席在前面。我挨着车窗看，想呼喊，可喊他什么合适呢？直呼其名是否太老三老四？他毕竟年长我那么多。更不能如我爸怂恿的，喊他叔叔，那实在是乱套。我这时有一点意识到，年龄的悬殊造成我们关系上的一种尴尬，一种不伦不类。我从头跑到尾，再从尾跑到头，渐渐地，水泥地上仅听我的新皮靴响得越来越清晰、清脆和单调。

有人叫我，是郑炼。这时我才想起世上有这么个郑炼。

"你再看看电报，是不是你看错了日子？……"

哪里有什么电报，他只是在信上淡淡提了一句。他的信即使长，也是谈他的过去，谈那些我从来没听过却又觉得似曾相识的悲惨故事。有时也偶尔谈到感情和爱，谈到他的欲爱不能、欲罢不能的矛盾心情。还说，让一个像我这样的女孩爱他是不公道的，他是被社会造成的一副残局，怎么能让一个无辜单纯的小姑娘替社会来收拾残局呢？

"还傻站着等什么，你一定看错了电报！……"郑炼说。

我在想，我每封信都表白着自己的一往情深，每封信都寄去我的吻。似乎他从未对此作答过，想到此我一阵燥热和隐痛。

"他肯定不是乘这班车来，走吧！"郑炼推推我。

走，走吧。可我的脚痛极了。我在刚才的兴奋和忙乱中早已把那双丑陋的大棉鞋扔得不知去向，因为无论穿上它们还是提着它们都很不体面。我的画家是那么爱美。

郑炼从我的步态中悟到什么，他蹲下，轻轻一捏那靴子，发现它们轻得如同舞靴，仅一层皮革，他抬头看着我。

"穗子……"他像有什么话难以启齿，"你知道吗？你很漂亮——绝对够漂亮了。"

初夏，我忙着准备期末考试的舞蹈小品，头发也来不及梳，早晨一起床就胡乱在头顶上抓一个髻。下午，我们已累得气息奄奄，录音机旁，等人一站起来，地板浸了汗会又粘又腻没法走人。这时有人叫我，我一出教室就看见了他。

画家站在昏暗的走廊里，手背在身后。

一年了。我轻轻地"呀"了一声。这一年中，我不知多少次地想象我们的重逢：人会向他疯跑过去；我会流泪；我会感到轻微的晕眩；我会干脆冲过去，搂紧他的脖子，让那恐吓着他也恐吓着我的年龄差异刹那间消失。我会这样静倒是出我所料。

他说："他们不让我进呢。"同时，他打量我。

这是我最狼狈的时候，他却半真半假地说一年不见我倒真长大不少。他拉起我的手，我们一块往楼梯口走，途中他告诉我，他要带我到渤海湾一座小岛去，那里清静凉爽，他可以集中精力把出国画展所需的画创作出来，至于我，可以度一个舒服的暑假。我惊喜地哑着。

"你看，我自作主张，"他停下脚步，"也没事先问问你，是不是变卦了，不想要我等了……"

我委屈地抢白："是我吗？我一直在等你的信，一直在等你来，几个月时间，我守着邮箱吃饭，因为邮递员每天午饭时间来，我怕谁错拿了信，害得我这么傻等，害得我胡思乱想……你说你在等我，我觉得明明是我在等你啊……"几个月里什么也等不来地等，你会懂得，那才叫等！最后这句话我没说，他却从我眼里问到了。

不知怎么了，他叹了一口气，似乎叹我这一身太年轻的血。

我央求他和我一块吃晚饭，不会难为他的，我会把饭菜从食堂买出来，到树下的石桌石凳上吃。他倒很高兴地答应了。下课的同学从我们身边经过，谁脸上都不异样，平常见陌生男性和某女同学讲话，大家走来走去从来不饶地要起一声哄。

等我买了饭出来，见他被舞台美术系两位教师和一帮学生围住了。他们认出了他。他们一口一个"韩老师"地叫。他往人圈外顾盼，看见了被两大盆菜烫得跌足的我。人们拥着他往小饭厅走时，他回头朝我疲惫地笑笑。他仍是那副温和而被动的样子：接受人们的崇拜，却毫不拿它当真。小饭厅平常不开，有著名舞蹈家来授课或表演时，校方拿它撑撑门面。我跟随人群走了几步，想想不妥，站住了。小饭厅我去过两次，是看美术系学生的作品展览，里面布置得蛮精致，据说饭菜也还精致，尽管厨子们烧给我们吃的菜像牲口料。

我最好还是别跟了去。他坐在铺着雪白台布的桌前，我这两盆色彩含混的菜往桌上一摆可太煞风景。我刚把最后一口馒头塞到嘴里，一个美术系女生跑到我面前。

"喂，韩老师叫你进去！"

我嘴让馒头填着，摇摇头。

"不是我叫你，是韩老师叫你进去吃饭！"她表情那么强调。

我说我不进去了，就在这里等。

十天之后，我在天津的码头上等。我在等他把我带上船，带到渤海上的小岛去。他先我两天到天津，见几位画界朋友。我看见一对和我年龄相仿的青年男女走过来，一人拿了一支冰糖葫芦在嚼。

我无聊地在一根放倒的水泥电线杆上走，它一滚动我就掉下来，然后我再上去。我忽然好馋冰糖葫芦。引颈望了一会，断定那糖葫芦贩子一定离得不远。不过我很快打消了念头。若看见一个手执冰糖葫芦，摇摇摆摆走电线杆解闷的小姑娘，他即便怀有一肚子感情又打哪儿谈起?!

我盼他早些换一副眼神看我，不再是充满长者的爱怜，而是一个男人对一个成熟女子的，充满尊重和渴望的。当我走进海水，再走出海水时，他诧住了。他发现这个蓦然向他转身的小姑娘长大了，他觉得他不该再等下去。

然而他在渤海小岛的日子，很少和我一起去海边。有时傍晚，我独自从海边回来，推开他的门，他却拿陌生的眼光瞅着我，地上扔着好些揉成团的宣纸。渐渐我懂得，这是他顶苦的时候：心里有，笔下却无。一次我意外地发现一个海产市场，到处是粗糙但不无野趣的贝壳工艺品，我花了一块钱就买了半挎包。随着我又买了一大串烤的小鱿鱼，最有趣的是一只大海螺壳里，盛了一对带红辣椒丝的小麻雀，汤卤还滚热。我端着一大堆吃食，兴冲冲赶路，想让他趁热尝个稀罕。他在准备出国画展的画，画得极苦，一闭门一整天，却常听他对我说：没一笔出神。我劝他别逼自己太狠，他说他在监狱里不止损失一根手指，还有人生最好的几年。我又劝他：人们已经这样崇拜你了；他立刻说：他们什么也不懂。

我像以往那样推推门，却发现门从里面别住了。很明显，他不希望任何人烦他，包括我。他知道我每天会在这个时间推开他的门，拎着鞋，带着一脚粉细的沙和一头蓬乱的头发，走近他。开始，我大着嗓门向他讲海边所有的奇遇和所有的感觉，后来仅仅是提醒他去吃晚饭。我没有叩门，在门口的石阶上坐下来。我逐渐习惯了我自己这副形象：对着落日的海，靠着闭着的门，等着心静如水。

八月，我决定离开小岛回学校了。这天夜里起了台风。我明知门窗不过是被风弄得咯吱直响，我却总疑惑有人在撬门。虽然门窗紧闭，灯却摇曳不止。

我怕得受不住了，爬起来去敲他的门。

他一脸倦容，穿了件毛巾浴衣将我放进门。"怎么了？……"听完我形容的恐惧，他面孔松弛下来。在长沙发上，他把我抱住，仔细地打量我。

我也打量他。他比我头次见时胖了些，尤其在这个深夜，他眼睑已有些老态的下垂了。当他吻我时，我发现这个中年男性的脸上布满并非生发于笑的皱纹。

"你不是怕，是太孤单了。"他在一个长吻之后说，"你这个年龄最怕的就是孤单，对吧？小家伙！"

他说他年轻些的时候也怕孤单。那时他在监狱采石场做炮手，每天独自守在山上点炮，那山上没人甚至连只鸟都看不见。他终于受不了这份孤独，有天把电管插到身上，而恰巧那天他被调到山外了。

我想请求他：不要向我讲这种故事，尤其不要在这样的夜晚。我紧紧搂住他的脖子，一步也不让他离开。

他意识到什么，人变得很僵。一会他俯在我耳边说：在我身边你不再怕了，睡吧。我闭上眼，感觉自己被轻轻摇晃着。他又说：我早不相信自己会有这么多缠绵的感情了，不过你看，我和你个小家伙已陷得这么深。你长大吧……

春天他从巴黎给我写信来，说他在继续为我采集花，他在苦等能把所有的花献给我的那天。那天我该长大了。我仍是不懂。他还在信上写道："……我侥幸自己那晚上没有损害你的纯洁。我要的就是这片纯洁，所以我不能以自己的手毁了它。女人们追逐着我。追逐着我身外的一切：功名、财富……唯有你是不同的。我早死了这条心——爱谁或被谁爱，说得再明白些：我看透了也恨透了人。我开始爱你，因为我不相信你是个人，你是个精灵。"

接下去，又是一个长极的等待，等他来信，等他回来。他不再有信来，只是偶尔能收到他寄的一些异国情调的小礼物。有时等待是甜的，有时则很苦。

一年不见的郑炼突然出现了。暑假我回到南京的第三天，他到我家来了，还带了个姑娘，高高大大，头发黄黄的。郑炼这一年在东北实习，姑娘显然是从那里觅来的。

我什么也没问。

他什么也不解释。

记得进门时，他告诉我，她叫王晓雪。我们浅浅谈了一会儿，我说我去买些咸水鸭和冷馄饨来三个人作晚饭吃，我妈去上海出差，家里没人烧菜。我开始给自行车打气，郑炼跑出来。他见我愣站着，说笑着走向我。

"我知你一向打不动气的！"他挤开我。一年不见，他长武气了些。我得承认，郑炼是个很漂亮的男孩。他卸下气筒，胸脯一鼓一鼓地喘息，汗衫在肩处绽线了，露出一块金属般光洁的皮肤。除了他牙齿洁白整齐，他身上再没洁白整齐的地方。"王晓雪是我的远房表妹，在东北实习头次到她家续家谱！"他笑着说。

"然后呢？"我笑着问。

"然后我们双方父母就开始拉扯亲家。"

"然后呢？"

"然后我们就处呗，要处得不坏，就结婚。"他仍笑着，眼却看着别处，"怎么办呢？穗子，我总得忘了你啊。"

我吃了一惊，瞪着他。一时间，我想起天下所有少男少女的追逐嬉闹、拌嘴、娇嗔、无目的在路上逛、啃冰糖葫芦。这一切他们有，我没有。我嫉妒王晓雪，我是嫉妒这些。我嫉妒这些我没真正尝过就要永远失去的东西，而这些东西里包括这个普普通通的男孩：郑炼。饭桌上郑炼心事重重的，我拿出韩凌寄给我的礼物给他们看，表现着我的满足。

新年之前，郑炼告诉我，他被学校分配到内蒙，他拒绝接受这个分配，从秋天闹到年底，最后他还是屈服了，所以这是他在北京的最后几天，新年一过，他就要去内蒙钢铁联合企业报到。到现在我们才彼此问清：他是学钢铁冶炼的，我是学舞蹈编剧的。他在电话上问我，想不想见他？当然，我说。

晚上天黑得很早，他用自行车驮着我，说沿着环城马路找家好而便宜的饭馆，一块吃顿饭。他在刺骨的寒风里奋力蹬车，很少说话。我说韩凌已经回来了，他叫我等他的信，他将到北京的中央美术学院参加一次同学会。天冷极了，我们就这样有一搭无一搭地谈着，慢慢忘掉吃饭的事。

"你以后还来看我吗？郑炼……"

没声。

"你和王晓雪结婚后，她让我去看你吗？……"

还没声。

前面立交桥一个大上坡，我跳下车。但冻木的脚使我一着地就摔倒了。他一下扔掉自行车，把我抱起。借着橙色路灯，我突然看见他满脸都是泪。

"郑炼，郑炼！……"我一头扎到他胸口，触到一大片冰，那是他一路掉的泪凝成的。他一路在掉泪，一路。

"郑炼，我们还会见的啊……"我们都穿得极臃肿，我正穿着他顶欣赏的红格子大袄，却仍冷得哆嗦。

他不讲话，只掉泪。我头回知道，男孩子的泪是这样迅猛。

稍平静些，他发现此地离他学校已不远了，便带我走进去。学校很静，人们都回家过新年了。楼道里非常暖和，我和他面对面靠墙站着；似乎谈任何话题都嫌太晚，不等开头，就得结束，并且任何话题都不相宜了。

他摸摸索索从口袋里掏出一串项链，用雨花石车的。他说他从不敢送我礼物，因为我爱的人是那么个伟大的艺术家，送得不对，他难堪不说，我会失面子。"这个，"他将项链很郑重地递给我，"是天然加手工，总是不俗气的，总不会被你扔到抽屉角落，寒碜得拿不出手吧？"

这么粗陋的首饰我当然只有将它放到抽屉里，难道我会戴上它出现在他面前吗？我嘴上却说："不会的，我喜欢它。"

我们终于走到一起，他将我抱紧、吻我，我也吻他，我什么也不去想。

由于不清楚韩凌的确切地址，我将信寄给了我爸，让老萧蛮子将信转给他。老萧蛮子收到信立刻打电话给我，问我和韩凌之间究竟发生了什么？我说没什么，我爱他，现在发现我也爱自己，而已。

"你打算不和他继续了?"

"别问我了,爸。如果您想知道得更详细些,您可以看我给他的那封信,我把整个变化过程都告诉他了。假如人们愿意把那叫做背叛,就叫去吧。"人们还会说什么?说我在他伤痕累累的心灵上又重重划了一刀。

"你是不是再好好想一阵?"

"这事没有余地了。爸,就像你一定要走出家庭。你和妈的事,我全懂了,我不再干预。"我挂上电话。

一年后,我在书店发现一本书,里面是三千种花卉图案,全是变形夸张了的,夸张得那样浪漫、大胆,真是美极了。

这就是他曾经一再提到的:他在为我采集花朵。扉面上印有一行他的手书:献给我生命中一个瞬息即逝的精灵。

当然不是献给我的,我不是精灵。

老人鱼

穗子在成年之后对自己曾挨过的那两脚记得很清。踢她的那只脚穿棕色高跟鞋，肉色丝袜。穗子果真在母亲盛破烂的柳条筐里见到了这些物证。从此穗子就相信自己在半周岁时就有记忆了。她当时被搁在一个藤条摇篮里，外婆叫它"摇窝"。她半周岁时比别的婴儿稍微小一点，也不如人家硬扎。这是外婆坚持把她紧紧捆在襁褓中的原因。穗子那天是个讨厌的婴儿，怎么也不吃哄，张开嘴直着嗓门哭喊，母亲一眼看得见她两块嫩红的扁桃腺。母亲哄不好穗子就不能脱身，她哄得自己也哭起来了。就在这个时候，二十二岁的母亲委屈地"咯"的一脚向摇窝踢去，摇窝成了个不倒翁，几次摇得要倾翻。踢痛了脚的母亲简直委屈冲天，外婆拉也拉不住，但脚头气力毕竟被消耗了不少，因此母亲抢出去的第二只脚只把摇窝踢远了，"砰"地撞在墙根。束手待毙的穗子浑身捆在襁褓内，自然感到一种毁灭性危险。她一下子收住哭声，开始她人生第一次的见风使舵。以后的日子，穗子就有了几分寒心，自己的母亲怎么做出了这样失体统的举动？给她的老辈和小辈都落下了话根。穗子长大以后对母亲表面总是带点巴结，内心却充满怜悯。怜悯可不是什么好的感情，被怜悯的人必须接受怜悯中的少许嫌弃的敷衍。

外婆为此跟自己女儿不共戴天。她觉得穗子母亲太低能太失败了。她踢穗子的那两脚就是对自己不配为人母的彻底招供。外婆只要活一天，穗子就该得到一天的安全。穗子妈和穗子爸一旦暗示要接穗子走，外婆就说：不要脸，小穗子这是第二条命。

穗子的外公也说：穗子不会跟他们的，穗子多识数啊。

外公是个老兵，有残废津贴和特殊食品供应，而且不必排队就买到肉和粮食。外公的残疾非常古怪，据说是头颈神经坏了，他的头不时会转动；假如你在他左前方跟他说话，他就向右后方拧下巴颏，因此外公总是在反对谁，绝不苟同于任何人。不熟悉他的人，都认为他是个很倔、很不友好的老头。

穗子妈见了外公只稍微点一下头，跟外婆提到外公时说：老头儿没偷偷给穗子买零嘴吧？老头儿没出去跟人打架吧？

在穗子印象里，外公从来不跟人家打架。外公那么蛮横一个老人，用着跟谁打架呢？他那只眉毛出奇的浓，并是雪白的，眉毛往下一压，谁都得老实。何况外公有一大堆军功勋章，他跟谁过不去时，就把它们全别在外衣上。据说外公在打仗时冻掉了三个足趾，因此他走路是深深浅浅的。一别了满胸的勋章，外公走得急或来势汹汹时身上就发出细微的金属声。

外公说：你晓得我是谁吗？

这就够了，对方也不敢晓得他是谁了。碰到愚钝的大胆之徒，外公就添一句：你问问去，当年我腿上挂花的时，省上哪个首长给我递过夜壶。

外婆跟外公并不恩爱，他们只有通过宠爱穗子才能恩爱。外公耳朵不好，跟人说到他曾经给某位首长当副官时，外婆就小声揭露一句：什么副官？就是马弁。穗子大起来才发现，外公对历史的是非完全糊涂，远不如当时还是儿童的穗子。穗子看电影时最常问的一句话就是"这是好人还是坏人？"而外公却不知道自己在战争中做的是好人还是坏人。直到有人仔细来看他那些军功章时，才发现了这个重大疑问。

这样我们就有了外公的大致形象：一个个子不高但身材精干的六十岁老头，迈着微瘸的雄赳赳步伐，头不断地摇，信不过你或干脆否定你。他背上背着两岁半的穗子，胸口上别了十多枚军功勋章。穗子的上衣兜里装满了炒米花，她乘骑着外公边走边吃。托儿所的阿姨们看到这样的一对祖孙走近来，都愣了一刹那，然后便窃窃私语起来：这是哪儿来的老怪物和小怪物？等穗子报上名之后，阿姨们就改变了对外公的最初印象，她们崇拜起这位战功赫赫的老英雄来了，所有军功章把老头儿的衣服坠垮了，两片前襟左面比右面稍长些。那些军功章大多色泽污秽，难以辨识，阿姨们读懂的有"淮海战役"、"渡江胜利"、"抗美援朝"等等。

以后外公天天在下午三点出现在托儿所门口。天下雨的话，老头手里一把雨伞，天晴便是一把阳伞。暑天老头端一个茶缸，里面装着冰绿豆沙，寒天他在见到放了学的穗子时，从棉袄下拿出一个袖珍热水袋。老头儿没什么话，有话就是咆哮出来的。他只是在穗子受了气才咆哮。穗子告状是有名有姓的，谁揪了她辫子，谁躲在拐角吓了她，谁在滑梯上推了她一把，她都会把男孩们的姓名告诉外公。但外公到托儿所闹事，为外孙女做主时却非常笼统，从来不指名道姓。外公在此时嗓音并不洪亮，但有一种独特的杀气；那是战场上拼光了，只剩几条命要拼出去迎接一场白刃战时发出来的嗓音。总之穗子就记得老兵此刻有一种垂死的勇敢，骂街不再是骂街，而是壮烈、嘶哑的最后呐喊。

外公隔三差五的呐喊终于镇压了所有孩子。包括省委首长的儿子们。外公喊着要"下了你的大胯，掏了你的眼！……死你一个我够本，死你两个我赚一个！……"

开始穗子不懂外公的话，后来懂了便非常难为情。她觉得外公跟她的生活有些文不对题，外公的架势、口吻、装束放在托儿所的和平环境中，非常怪诞。外公在自己制造的闹剧中过瘾地表演，给大家好好娱乐了一回。下来她不跟外公讲话，一讲就朝他白眼；我不要你做我外公！我不要你讲话！我不要你管我！不要做我家长！

其他外公都当做没听见，就那句"不要你做我家长"让老人蔫了，背着穗子的脊梁也塌下去。这是外公最心虚之处。后来外公去世了，成年的穗子最不堪回首的，就是她对老人经常讲的这句话。那时她才意识到，孩子多么残酷，多么懂得利用他人的痛楚。那时穗子已读过一篇文章，有关驯化大象；人将象的耳朵灼出一个洞眼，并在伤患上抹药，使它永远溃烂不愈，一旦大象出现造反征兆，人就用树枝去捅这个伤痛的洞眼。穗子不明白当年的自己怎么觉察出外公的不愈伤患，或许外婆跟外公怄气时话里带出来的，抑或是母亲给了她某种暗示：外公只是叫叫而已，并非血亲的外公。

大概是在九岁那年，穗子终于明白外公是一个外人。早在五十年代，政府出面撮合了一些老兵的婚配，把守寡多年的外婆配给了外公。被穗子称为外公的老头，血缘上同她毫无关系。不过那是后话，现在穗子还小，还天真蒙昧，外公对于她，是靠山，是胆子。是一匹老坐骑，是一个暖水袋，冬天穗子的被窝里，总有个滚热的暖水袋，但有次水漏出来，烫了穗子的腿，外公便自己给穗子焐被窝。一直到穗子上小学，她的被窝都是外公给她焐的。外公在被窝里坐着，戴着耳机听半导体，一小时后被窝热了，穗子才睡进去。

外婆去世不久，外面发生大事了。人们一夜之间翻了脸，清早就闯到穗子父母的家里，把穗子爸拖走了。之后穗子妈每天用她的皮包装来一些东西，到外公的后院去烧。烧的是照片、纸、书。有一些她实在下不去手烧的，就搁在一边。穗子知道，那是父亲的一些书稿或剧本稿子，还都是未完成的。穗子妈把穗子父亲的稿子放在一个盛破烂的大竹筐里，就是这个时候，穗子确信了筐里的棕色皮鞋和肉色长丝袜是罪证；母亲当年正是穿着它们，踢了婴儿穗子两脚。穗子认为母亲当时想踢死她，但后来回心转意，也怕起自己对婴儿突发的怨毒来，便从此不穿那双高跟鞋。

穗子妈把筐交给外公。外公说：你放心，哪个敢抄我的家？

这天一早，外公去买过冬的煤，抄家的人来了。穗子让他们先抄着，自己小跑去煤站叫外公。外公赶回来就拉开抽屉，拿出一张绿色毡子，毡子上别满他的功勋章。他把毡子往桌子上掼，对抄家的人说：小杂种，抄家抄到哪儿来了？

抄家的人都不到二十岁，外地人占多数，因而不知道穗子外公是不能惹的；穗子外公早年打仗就不要命了，他现在的命是丢了多少次捡回的，因此是白白赚的。

抄家的人动作停了一下。他们在遇到外公前是所向披靡的。有人说："老家伙好像有点来头哩。"

但两个撬锁的人正撬得来劲，一时不想收手。他们撬的是那间煤棚的锁。煤在这一年成了金贵东西，给煤上锁的人家并不少见。当两个撬锁人欲罢不能时，外公用一根木棍在桌面上重重敲一下。他说：大白天做土匪，撬我的锁，看我不打断他的爪子！

抄家的人这时真有点怕了。这年头他们难碰到一个敢用这口气跟他们讲话的。一个头头和气地对外公说：老革命要支持小革命嘛，抄家不彻底，革命怎么彻底……

外公说：日你奶奶！

头头在手下人面前给外公这样一骂，有点负气了，若就此打住，他日后还有什么威风？他手做了个很帅的小动作，说：继续搜查，出事我负责。

外公说：你们动一个试试。

两个撬锁的人看看外公，看看头头。穗子眼睛盯着那把老古锁，门别子已松动了。

头头说：撬。

外公沉默了。他挨着个把勋章别在衣服左前襟上，然后一解裤带，长裤落到脚腕。他穿着宽大的裤衩，将腿往椅子上一蹬，那腿绝不同于一般老人，它丑怪而壮实，两块枪伤曲扭了所有肌肉和筋络，在表皮上留下核桃大的坑。外公腿上的毛也比他的胡子、眉毛、头发年轻得多，又黑又浓密。阴森森的腿上，两块不毛的枪伤瞪着人们。

外公说：没见过吧？我这条腿本来是要锯掉的。我把手榴弹掏出来，拉了栓，对医生护士说：敢锯我腿，炸死你们！

人们看见老头在说"炸死"的时候，猛一龇牙，眼珠也红了。静寂一刻，一个十六七岁的女抄家者说：后来呢？她这一问，不知觉地成了老兵的崇拜者，另外两个女孩也符合上来，问道：他们锯没锯你的腿？

外公说谁敢呐？敢靠近我的都没有。两个子弹在这里头开了花。外公拍拍枪伤。我用一把刀自己挖，把大大小小的弹片挖出来了。

女孩们说原来是位老英雄呐，用刀在自己肉里剜连麻药都不打。她们上来挨个跟外公握手，说哎呀多幸福，第一回跟一个活的英雄握手。她们一边握手，人就小小地蹦跳着，红了鼻头和眼圈。

撬锁的人灰溜溜的，上来和外公握手时，笑也灰溜溜的。

外公却说你们撬锁手艺太差劲，榔头、起子有屁用，我当年撬的锁多了，一根棍子，这样一杠。他把锒头柄插进去，手突然一阵痉挛：看看，看这手艺。

锁果然掉下来。煤棚的门开了。外公指指里面，问那头头：看看吧？

头头双手摇着：不看了不看了。

外公说：看看好，看看放心。

大家都说：不看了不看了。

外公说：哪能不看？起个大早，来都来了，好歹看看吧。门都撬开了，还客气什么？那时候我撬了门，进去有粮装粮，有牲口牵牲口，财主要不是恶霸，也就不惊动他了。你们真不看？

大家说：不看了。这回他们答得整齐、有力。

人们撤离时，穗子注意到一个偷窃者。他伙同这群人进来时看见床下有两条肥皂，就抓了揣进裤袋。偷窃者最后一个出门，出门前以同样的魔术手法把肥皂扔下了。

许多年后，穗子想到外公的破绽一定是那天败露的。假如外公不把勋章别在衣襟上，或压根不亮出勋章来，他便是个无懈可击的老英雄。主要怪外公无知，否则他会明白一些勋章经不起细究，尤其两枚德国纳粹的纪念章，是外公在东北打仗时从破烂市场买来的，它们原来的主人是一个苏联红军。

那位头头是个狡黠人物。几个月里，无论他怎样忙碌、操心，却始终想着外公的那些勋章。他本来就是个疑心很重的人，生而逢时，遇上了一个疑心的大时代。事实证明他的正确，这世道上所有人都存在疑点。他对那些勋章的怀疑让他深夜会无端觉醒，白天骑自行车会突然迷路。一次他骑车把席编的大字报墙撞个窟窿。爬起来，他便蹬车向穗子外公家去了。他给外公行了个军礼，说他想再接受一次革命战争教育；再一次挨外公这样战功赫赫的老兵臭骂。他很快哄外公拿出了那块绿毡子，指着一枚带洋字母的勋章问外公；这是哪一场战役？

外公说他不记得了。反正是一场大仗。

头头问穗子要了纸和铅笔。穗子看见深深的得意使他年轻的脸上骤添一些皱纹，一些阴影。他将纸蒙在勋章上，以铅笔来回涂，把上面雕般的图案、字迹拓了下来。外公纳闷地看他手拿铅笔，飞快地左右划拉，问他在搞什么名堂。他把拓下来的一枚枚勋章小心对折，说：做个纪念——立不了战功，得不到真勋章，这样也算沾一点英雄的光。

他告辞时，外公说：不喝茶啦？

他说不喝了不喝了。

外公又说：炉子上坐了水，一会就开。

他说他忙着呢。外公问他撬门的本事长进没有，多撬撬手就没那么笨了。头头说：那是那是。外公手比画说：就这样，抵住，一杠，保你开。他指指外孙女：小穗子都学得会。

　　头头离去后，穗子有些不祥的感觉。一个月过去了，没发生任何事。外公照样给她在粥里煮一只鸡蛋，在炉灰里烘七八颗板栗。外公把每天两次发放零嘴改成一次，因为食品的匮乏在这一冬恶化了。外公的"残废军人证"也只能让穗子一月多吃二两白糖、半斤菜油、一斤肉。有次外公见水果店门口排了长队，一打听，店里来了橘子。他立刻掏出钱和"残废军人证"，高高举过头顶。排队的人破口大骂：这死老头也算残废？有胳膊有腿的！外公给人拉下来，往队伍里一看，才发现所有人的肢体都不齐全，残废等级都比他高。

　　穗子这一冬便有橘子吃了。外公把小而青的橘子吊在天花板上，每天取一个出来，发给穗子，这样穗子每天的幸福时光就是酸得她打哆嗦的橘子。

　　吃到橘子干了，皮硬得像茧，穗子妈从乡下回来，说穗子爸急需那些手稿。穗子爸的处境没什么好转，只是坏处境稳定了，他能在稳定的坏处境里吃喝、睡觉、上工了。穗子爸眼下在一个水坝上挑石头，所有人都跟他一样有严重政治缺陷。穗子爸渐渐快乐起来，因为有缺陷的人共处，谁也不嫌谁，就有了平等和自在。他心中一些欲望复生了，如读书、写作、打扑克、打牙祭、谈古诗、谈女人等等欲望。"劳动改造"对穗子爸这类人，已失去了最初的尖锐意义，不再残伤他们的自尊。就在这年入冬之际，穗子爸第一次产生过小日子的兴趣。他第一次感到，幸福就是"甘心"；甘心低人一等，就幸福了。他把这样神性的心得告诉了穗子妈。穗子妈似懂非懂，却认为应该替丈夫把这难得的想法落实下来。穗子爸活一把岁数，产生居家过日子的想法还是第一次。

　　穗子妈把她和丈夫的打算瞒得很紧。她知道外公的脾气，同他实话实说，把穗子从此领走，完全行不通。情理上也说不过去；外婆尸骨未寒，就要夺走穗子，让外公彻底成一个孤老人。穗子妈住下来，她首先要去除穗子对她的客气、过分的礼貌。她心酸地想，穗子要是跟自己也能耍耍性子、撒撒娇多好。穗子跟外公在一块时，从来不乖巧，但谁都能看出一老一少的亲密无间，是一对真正的祖孙。

　　穗子妈将盛破烂的大筐从煤棚拖出来，一页一页地整理穗子爸的手稿。稿子已枯干发黄，却都是未完成的。她忽听身后有响动，一回头，见穗子正返身进屋。显然是穗子原打算到后院来，见母亲在那里便仓皇逃走。穗子妈一阵黯然神伤，喊道：穗子！

穗子听这声喊得极冲，竟唬得不敢应了。

穗子！……母亲再次喊道。

穗子装着刚听见，跑到后院，在母亲身边站得板板正正。

母亲让她看看，破烂筐里有没有她喜欢的东西，没有的话，就把收破烂的挑子叫进来，连筐收走。穗子往筐里看一眼，摇摇头。母亲说：这只皮鞋还好好的，你再大一点，把鞋跟拔了，可以穿的。母亲替穗子当家，把那双棕色高跟鞋拎到筐子外面。这些丝袜，都是真丝的，母亲一双双理着纠结成一团的肉色长筒袜，都不太破，妈以后给你补补，都能穿的。你说呢穗子？

穗子点点头。她看母亲一双贫苦的手，翻到了筐底。好好的太阳光里，充满破烂特有的刺鼻气味。经过这样一双贫苦的手，破烂便不再是破烂。母亲惊喜地笑了：哎呀，都是好东西呀！差点当破烂卖了！

于是母亲只将父亲的几大摞手稿搁入她的方头巾中，再将头巾扎成一个包袱。其余的破烂已变成了好东西，因此就又回到筐里。穗子一想到那些脱了丝的长筒袜和棕色高跟鞋都在筐里等着她长大，心里便对"长大"这桩事充满矛盾。

妈说：这个包袱，你来挎。上长途汽车，小孩子挎的东西，没人会注意。

穗子问：上长途汽车去哪里？

去看爸爸呀。

什么时候去看爸爸？

什么时候都行。

……外公去吗？

母亲停顿一下。穗子见母亲那双清澈见底的眼珠后面，脑筋在飞转。母亲笑笑，说：外公这次不去。你就去看看爸爸，外公去干什么？爸爸那里粮也不够吃，外公去吃什么？

母亲说话时，有一种交头接耳的模样，让穗子想到了世界上一切交头接耳的人们。人们交头接耳，就挑出穗子爸的种种不是来。穗子认为那位抄家头头此刻一定在某处和谁交头接耳，喊喊喳喳得非常热闹。然后他们就会朝外公来了。穗子当时并不懂他们朝外公来的凭据，但她肯定那些人正为外公的事交头接耳。

那时穗子还不懂"阴谋"的意义，她只懂得阴谋的形象。形象就是交头接耳。

正同她交头接耳的母亲突然做了个奇怪的眼色，嘴唇撮住，"嘘"了一声。然后穗子看到外公到后院来了，从煤棚里取了一块煤。穗子顿时在心里质问母亲：你在骗我们吧?! 既然仅仅是去看一趟父亲，为什么要对外公隐瞒实情?!

第二天穗子还在上最后一节课，母亲就来了。跟老师短短地交头接耳一阵，老师就提前放了穗子的学。穗子跟在母亲后面来到长途汽车站，看一眼候车室大钟。这时外公刚刚到达学校门口。他会站在隆冬里一个一个地看着从校门走出来的孩子。他会一直站在那里，心很笃定地等下课的孩子回家吃完午饭，又成群结队地上学去。外公会等的，会等到天暗了，放晚学的孩子们再次涌出校门。

她忽然对母亲说：我的东西没带。

母亲说：我都替你拿了。喏，这是你的所有衣服，这是你的书、玩具。

穗子本来没什么家当，值得带的，母亲都替她拿了。穗子想，母亲贼似的偷了穗子所有的东西；在外公眼皮下，她连东西带人把穗子偷走。

穗子说：我还有十多个橘子呢。

母亲笑了，说算了吧，那也叫橘子？那叫橘子化石！

穗子心想：说得轻巧，你去给我买点橘子化石来，但她从来不跟母亲顶嘴；她从来没跟母亲熟到顶嘴的地步。她不吱声了。冬天无孔不入，钻透她的棉袄棉裤，最后钻到她脚心，凝聚在她十个脚趾头里。积淀了整个冬天的脚趾开始咬噬穗子，穗子的知觉给咬得斑驳血迹。

母亲说：车要来了，你去上个厕所吧。她佝下身，替穗子挽起棉裤腿，又塞给穗子两张揉得很软的废稿纸。

穗子朝厕所走去。她在厕所门口停下来，回过头。母亲此时正以后脑勺对着她，在读墙上的时刻表。

穗子一直跑到一条巷子里，才明白自己干出什么样的事来了。她干出野孩子的事来了。她跟闯了大祸的野孩子那样撒开腿、仰着脸飞跑。跑着跑着，她发现自己满脸汗水。跑得她真想上厕所，却绝不敢上，手心的两张废稿纸给团得更软和，跟她在多年后用的棉制手纸一模一样的软和。一路上遇见的所有厕所，穗子都一咬牙一别脸跑了过去。她跑到外公家门口时，一泡滚烫的尿灌入棉裤。于是外公看见傍晚中的穗子，热腾腾地冒汽。

穗子妈一个冬天都没给穗子写信。女儿让她心碎。她同女儿赌气；看你没有妈活不活得下去。穗子妈这种时候成了穗子的小女伴，平起平坐地跟穗子比实，看谁孬下来；谁先投降。穗子爸还是一礼拜给穗子写一封信，说冬天水结了冰，用炸药一炸可以炸许多鱼；下兔夹子能逮住许多野兔和刺猬；锯下一棵柳树，鸟巢里有几十个蛋，那些蛋煎成一个个袖珍荷包蛋香得命也没有了。穗子的回信从来不对父亲的描述作任何应答。她觉得父亲对世界的态度变了，作为也变了；就知道去祸害，去消灭。之后，世界对于父亲，就剩下个吃。穗子当然不知道冬天对父亲的那群人，确实只剩个吃，因为整个空白的严冬，就是个巨大的胃口，填什么进去都无法缩小它的空间，都填不掉那大漠般的饥饿。

穗子给父亲的信越来越短。她的常规生活没什么可说，而她的"地下生活"，跟他们说也白说。天下父母怎么可能懂他们的孩子呢？

竹林开始发春笋的时候，穗子揪了一冬天的心，慢慢放开。没人来麻烦外公，父母也没有来麻烦穗子。穗子自由自在穿着帮成底、底成帮的棉鞋到处忙，踩某家的煤球，偷某家的萝卜干，堵某家的下水道。人们还在你打倒我我打倒你，一个革命推翻另一个革命，大字报小字报，写为了大家也就写出字体来了，错别字也得到了公认。正是这个白纸黑字的世界让穗子和她的伙伴们向往无字，向往字盲。

她们便常常去郊区的竹林。大片的竹林是大片的无字。穗子见最年长的女孩弯腰拔下一根竹笋；她双手握住露在地面上的笋尖，整个屁股悬空向后坐去，竹叶响起来，竹林跟着哆嗦了好一阵，笋子才给拔起来。大家很快效仿年长女孩，拔掉了所有露出地面的竹笋。近午饭时间，每个书包都装满了笋。年长的女孩把一张报纸铺在地上，又把所有的竹笋放上去。然后她指定一个女孩叫唤，像卖冰棍卖茶叶蛋的贩子那样叫，叫得悠扬抒情，充满旋律。很快就卖掉了所有竹笋，女孩们狂喜地分了赃，约定第二天再干同一桩勾当。

穗子这才明白，竹笋是世界上最难减除的东西之一，头天拔净了，来日又生一片。女孩们的生意越做越旺，心越来越狠；开始太幼小的笋她们是不忍心去拔的，但一周下来，她们摊上最小的笋只有手指粗，仅比手指长一点。这天她们进了竹林，正对那些初冒尖的笋下手，一个汉子突然笋子一样冒出来。他一把揪住年长的女孩，说：你还偷上瘾了哩！年长的女孩梳两双羊角，给他揪住一只。他对另一个女孩说：来，过来，把你的小辫子给我。他将几个女孩子的辫子束成一束，以一只手握住，另一只手解下自己的皮带，悠着。他说：不老实我抽死她。

他就这样牵着一大把辫子往竹林深处走，也不管有的女孩是给他反着牵的，那样她只能脊梁当前胸，倒退着前进。谁倒着走踩了谁的脚，就出来哭腔的埋怨，汉子便说：谁在吭气？说着他狠狠往一根竹子上抽一皮带。竹冠连着竹冠，整个竹林都跟着疼，一齐挣扎扭摆。汉子牵不了所有女孩，岁数太小的，他就边吆喝边赶着走，放鸭似的。

年长女孩就在这时对穗子使了个眼色。

穗子和四个个头小的女孩给汉子赶得很好，乖乖朝竹林深处的小屋走去。她是看懂了年长女孩的眼色，却装着不懂。她觉得跟集体摽在一块死也认了。穗子跟全人类一样，都有同一种作为人的特点，那就是争取不孤立，争取跟大多数人同步，受罪享福，热热闹闹就好。她从爸爸最近开始的幸福日子里得到启示；甜头是所有人均分的苦头，幸运就是绝大多数人相加的不幸。

另一个女孩趁汉子不备，隐进竹林，逃了。汉子抬头看看竹林的梢部，女孩逃跑的路线马上清楚了。他随她去逃，只是更狠地抽着皮带。一棵笋子刚刚成竹，在皮带下断了。汉子说：跑掉我就不认得你了？你们在这里偷我笋子，我天天看着哩！你姓什么叫什么家住哪里，我都晓得！……他的话让女孩们暗暗吃惊，离那么老远，他怎样察觉了她们？

到了小屋，汉子把女孩们赶进去，自己却在屋外。

他说：卖了的钱，都给老子掏出来。

女孩们自然是掏不出的。年长的女孩说：叔叔，下次不敢了。

我是你妈的叔叔！

女孩们一齐哭起来，说：叔叔我们错了。

错了就行了？钱呐？

钱买了挂面。还买了奶粉，给弟弟喝。年长的女孩说。弟弟肝炎。

都有弟弟？都有肝炎？

一个女孩壮壮胆说：我们把钱交给奶奶了。

汉子说：叫你奶奶把钱还回来，谁家奶奶还钱，我就放了谁。

穗子看看站成一排的女孩，每个女孩面前的水泥地面上，都是一摊眼泪鼻涕。她觉得这个女孩是个内奸，把大家全卖了；现在家长们都将知道她们的偷窃勾当了。孩子们跟家长们一样，在外面搞勾当普天下人都知道只要自己家里人不知道都还能接着混日子。穗子爸给人斗争、游街，谁看见只要穗子不看见就行；他都还大致有脸面有尊严。穗子爸现在的幸福还在于，他笨拙丑陋地在水坝上干牛马活，女儿穗子反正看不见。

汉子拿出一把锁，把门锁上了。他走到窗子前，对女孩们说：刚才你们不是跑了一个吗？她回去报信，你们的奶奶就会来领人了。

另一个女孩哭着说：我没有奶奶！

那就叫你舅舅来。

汉子知道女孩们的父母是来不了的，出于各种原因他们反正来不了。做个乡下汉子他不明白城里人的种种大事，但看看也知道这群女孩没有父母。她们身上有种可怕的气质，汉子只觉得那气质有些刁钻，有些赖，有些连乡下孩子身上都不见的荒野。

汉子两个胳膊肘搁在窗台上，上身倾进窗内。他说：就是送钱来也赔不了我那些竹子。你们少说搞掉了我两千多根笋子，笋长成竹就是十几倍价钱，赔不起我？不要紧，我叫人去扛你们家的自行车，下你们大人的手表，搬你们的缝纫机、收音机。

汉子在咬"手表"这类名词时，嘴和脸都有猛狠狠的快感。他一年吃不到四回荤，嚼这几个字眼就像嚼大肥肉，馋与解馋同时发生，那是祖祖辈辈积累下来的馋，刹那间得到满足的同时，吊起了更深刻的古老不满。汉子的不满和满足更迭，使他的脸上固有的愁苦深化了。汉子认为所有城里人都有他上面提到的"三大件"，这"三大件"却是他所理解的"富裕"的具体形象。他的困惑是城里人都有"三大件"，还在作什么？再作不是作怪、作孽又是什么？他看着这群女孩，心想他们的爹妈都是活得小命作痒了。他说：一根竹子算你两块钱，你们差我四千块钱。你们的家长不赔我这些钱，你们就在这里头过端午吧。

到了下午，女孩们喊成一片，说她们要解手。

汉子说：解吧。

下午她们见逃跑的女孩回来了，身后跟着一个人。女孩们一时看不清来解救她们的人是谁家家长，因为他正和汉子在竹林里察看女孩们的罪迹。听不清他们的谈话，但女孩们知道汉子在勒索，而那位家长在杀价。

报信的女孩瞅了个空，跑到小屋前，对窗内小声说道：你们完蛋了！穗子外公把你们交出去了，接受惩办！

穗子外公跟汉子交谈着，头用力摇动。他们走出竹林，在屋子前面站住。外公胸前照例挂满勋章，一只脚实一只脚虚地站立，看上去大致是立正姿态。

外公看一眼屋内的女孩，对汉子说：别跟我讲这么多废话，该关你就关，该揍你就揍，省得我们家长费事。

汉子还在说一棵竹笋成长竹值两块钱的事。

外公说你是什么市价，现在到哪里拿两块钱能买到恁大一根竹子？少说四块钱！

汉子说：还是老八路公道。

外公说：谁是老八路？我是老红军。

汉子说：是是是，老红军。

红军那阵子，拔老乡一个萝卜，也要在那坑里搁两分钱，掏老乡的鸡窝，掏到一个蛋，搁五分钱。我掏老乡鸡窝的时候，你大还"虫虫虫虫飞"哩！

汉子眼神瞪得水牛一样老实。

拔多大一个萝卜你晓得？狗鸡根儿那么大。也是群众一针一线，也不能白拿。

汉子给外公教育得十分服帖。

外公手指着屋内的女孩说：她们拔掉两千根竹子，一根竹算它四块，那就是毛一万块钱。想叫她们爹妈赔钱那是做梦。所以我来跟你表个态度，你就关着她们吧。我代表她们爹妈表这个态度，你想关她们多久，就关她们多久，我们一点意见都没有。

女孩子中有人叫了一句：什么老红军？老土匪！……

外公没听见，或者听不听见他都无所谓。他接着说：不然你把她们交还给我们，我们还是一样，还是关。关在你这里，你放心，我们也省心。

汉子认为这个挂满勋章的老人十分诚恳，也十分公允。但他忽然想起一个问题。他说：她们一天吃三餐，家长给我多少饭钱跟粮票呢？

外公说：坐大牢是大牢管饭。

汉子说：我哪有饭给他们吃？

外公说：再怎样她们也不犯饿饭罪，饭你总要给她们吃的。

汉子一听，脸上黝黑的愁容成了通红的了。他说：我家伢一人也是一张嘴，接起来比这根裤带还长！他颠颠手上的牛皮带。也要我喂！我没粮给她们吃！

外公道：那你什么意思？饿死她们？

汉子马上掏出钥匙，开了锁，一面说：我有米还不如喂几只鸡呢，还下蛋！他驱瘟一样驱走十来个女孩。他晃着皮带；再给我逮住，我抽脱你的皮！

外公一声不响地领着女孩们往竹林外面走。大家知道外公不想麻烦自己，替人家教育孩子。他要把她们交给各家家长，按各家家规，该怎样算账就怎么算账。这正是女孩们最害怕的一点；事情一经别的家长转达，就变得更糟。她们开始甜言蜜语，说外公你真威风，戴那么多勋章天下无敌了！

外公没听见似的，一颠一颠往前走，走两步，往竹丛里一踢，出脚毒而短促。对他的奇怪动作，满腹心事的女孩们都顾不上深究。她们眼中的外公显得悠闲，因而他头颈的摆动看上去是种得意。

年长女孩说：外公你要罚我们站，我们天天到你家后院来站，好吧？她用力拽一把穗子，让她也服个软，好让老头不向学校和各家家长告状。但穗子不作声。每次穗子惹了事都变得十分坚贞。她若从吊在天花板的篮子里偷嘴，被外公捉住她是绝不讨饶的。她不认错，外公就讲出那句最狠的话来；我管不了你，我马上送你回你父母那里。这话一讲出来，祖孙两人都伤心伤得木讷，会沉默许多天。穗子知道外公很快会讲出此话来伤她心了。她目光变得冰冷，暗暗地想，这回我要先发制人。一想到采取主动来伤害外公和自己，穗子的眼泪上来了。她看着外公走在最前面，双手背着，摇头晃脑；她要抢先讲这句绝情话，老人却是毫无防备。

所有女孩都说任外公罚：罚站罚跪罚搬煤饼，随便，外公的背也会笑的，外公的背影在笑她们徒劳，笑她们这群马屁精早知今日、何必当初。

外公快要走出两里多长的竹林小径了。他停下来，仍背着双手，说：笨蛋，做什么都要有窍门。偷竹笋，都像你们这样猪八戒，活该给人逮住、关班房。外公打一个军事指挥手势，要她们沿小径走回去，捡他刚才踢断的笋。他说出偷竹笋的秘诀。竹笋在地下根连根，拔一棵笋，会牵动整个竹园。摇头和声响能传到几里路以外，这就是她们遭了汉子埋伏的道理；他远远地顺着竹子的响动就摸过来了，但竹笋又比什么东西都脆嫩；一踢，它起根部折断，却闷声不响断在笋壳里，你只需再走一趟，沿途一根根拾那些折断的笋子就行。万一碰到人，谁也逮不到你的赃，一眼看上去，谁看得出你那么阴，不动声色把笋全毁在一层层的笋壳深部？

女孩们按外公说的，照原路走回去。走了半里路，拾的竹笋她们书包已盛不下了。她们对外公的景仰，顿时从抽象转化为具体。原来外公是个精锐老贼，红军里原来什么高明人物都有。

穗子这时站在女孩们的群落之外。她见外公的目光在白色浓眉下朝她眨动一下。那是居功邀赏的目光，意思是，怎么样？我配做你外公吧？

就在穗子把采来的竹笋经过腌制和晾晒，成了每天餐桌上一只主菜时，那个抄家头头完成了对外公的调查。他一直有更重大的事情去忙，抽不出身来处置外公这桩事。这天他突然有一个消闲的下午，便带领一群手下跑来了。他们不进门，黑压压站在门口。头头大声宣布有关穗子外公历史的重大疑点。根据他的调查，穗子的外公曾给李月扬做过副官，在一场围剿红军的战斗中负伤，从此加入红军。但那场战斗中，红军的伤亡也很大，因此穗子外公便是一个手上沾满红军鲜血的白匪。头头没等穗子和外公反应过来，便一步上前，拉开抽屉，拎出那张别满勋章的绿毡子，他一手高举着绿毡子，对逐渐围上来的邻居说：大家看一看——这里面没有一个是真正的军功勋章，充其量是来路不明的我军的纪念章。所以他所谓的"战功"，是第一大谎言！其余的谎言更荒谬；这两个，是德国纳粹军人的奖章！

外公说：你奶奶的，你才谎言！哪个不是老子打仗打来的？

头头说：打仗，要看打什么仗。……

外公再次拍拍他：日你奶奶，你说是什么仗？收复东三省是谎？打过鸭绿江是你奶奶的谎？……

头头不理外公，晃着手上的绿毡子，大声说：今天，我们揭开了一个伪装成"老英雄"的敌人，一个老白匪！

邻居中有人搬了把椅子，头头便一脚站上去。所有金属徽章在他手里响成一片。他的手势非常舞台化，指在外公头上说：这个老匪兵，欠了革命的血债，还招摇撞骗，伪装成英雄，多少年来，骗取我们的信任和尊敬。

外公的白眉毛一根根竖起，头不屈地摇颤，他忽然看见不远处谁家做煤球做了一半，大半盆和了水与黄泥的稀煤搁在廊沿下。人们只见一道乌黑弧光，从人群外划向那头头，外公的矫健和头头的泰然都十分精彩，人群"呕"的哄起来。头头不理会自己已成了一个人形煤球，手指仍然指住外公：大家记住这个老白匪，不要让他继续行骗。

头头的几个手下把外公捺住。外公声音已完全嘶哑，他说：我的"残废证"是假的?！我身上鬼子留的枪伤，是假的? 日你二爷！

邻居们打来水让头头洗浑身的煤。他们大声地招呼着他，一下子跟他自家人起来。人们把外公推进屋里。外公说：你们找黄副省长打听打听，有没有我这个部下！

邻居中一人说：黄副省长死了七八年了。

他们把外公拦在门内。随便外公说什么，他们唯一的反应就是相互对视一眼。他们要外公明白，人之间的关系不一定从陌生进展为熟识，从熟识向陌生，同样是正常进展。这段经历在穗子多年后来看，就像一个怪异的梦，所有人都在那天成了生人。这天之后，有的保姆哄孩时说：再哭那个老白匪来了。那天之后的一个午睡时分，嗡嗡叫的苍蝇引来一个换麦芽糖的。穗子拿了牙膏皮出去交易，见她曾经熟识的女孩们为一大把徽章在同贩子扯皮，贩子说那两个德国徽章不是铜的，换不了麦芽糖。

穗子不清楚外公的残废津贴是不是从那天开始停发的。她在那个夏天给父母写了信，说她非常想他们，还说那次伤母亲的心，她一直为此不安。穗子在这个暑假跟父母的通信中，一个字都不提外公。但父母还是知道了外公的特殊食品供应已中断了。

穗子父母决定领走女儿。他们跟穗子私下里长谈了几次，要穗子深明大义，父母对于孩子的权力至高无上。他们说长期以来他们被迫跟女儿骨肉分离，穗子和他们一样，感情上的损失很大。现在是弥补这些损失的时候了。母亲说：我们太软弱了，让自己孩子给一个不相干的老头做伴。而且历史不清不白的一个不相干老头！

听到"不相干"，穗子两眼混乱地看着母亲。

母亲说：外婆不在了，老头就跟我们什么关系也没了，明白吗? 她的两只手掌把穗子的右手夹在中间，手掌上有几颗微突的老茧。

穗子爸说：我们女儿跟我们一样，心是最软的，就是跟我们没关系的一个老头，她也不肯欺负他。穗子，爸爸最了解你了，对不对?

长谈进行到天黑。穗子爸和穗子妈跟穗子咬耳朵：去换换衣服，悄悄出来，外公要问，就说出去跟小朋友玩。爸妈带你出去吃好的。

穗子跟在父母后面，进了一家小馆子，里面卖发面煎包和骨头汤。汤上面的葱花沾一层灰褐色油污。穗子喝着喝着，突然停下来，从大碗的沿上瞟一眼母亲，见她正跟父亲递眼色，眼色里有一个奇怪的笑意。穗子顿时验证了自己的感觉，父母一直在盯她，在挑她毛病。她每喝一口汤，张嘴发出"哈"的一声，两人就飞快一对视，意思是，看见了吧？她一举一止都带着那老头的毛病；她喝汤张嘴哈气的恶习难道不是跟老头一模一样？再看她那双手，捧着碗底，活活就是一双农夫的手。这样的手将来怎么去琴棋书画？在食物面前，这张脸还算得上矜持，而表情却全在她目光里，目光急不可耐，不仅对自己盘内的东西有着过分的胃口，对别人盘中和嘴里的东西，格外是食欲中烧。在父母眼里，穗子的目光向小食店各个桌子扑去，抢夺各个盘子里的食物，那目光分泌着充足的涎水，生猛地咬噬和咀嚼，一口未完成又咬一口，来不及吞咽就开始下一轮咀嚼，上气不接下气，噎得直痉挛也不在乎。母亲终于忍不住了，说：穗子，别人吃东西你不要去看。

父亲解围地说：小孩子嘛。

小孩子也不都这样，母亲抢白，我最不喜欢眼睛特别馋的孩子。老头把零嘴吊在天花板上，她的馋都是那样给逗出来的。

穗子把从各桌收回的目光落定在油荤极重的桌上。正如这里的食品都有股木头味，这里的桌子全是肉味。五六只苍蝇在桌面上挪着碎步，进进，退退，搓搓手。母亲边说话边舞动指尖，连她赶苍蝇的动作都透着某种教化。她跟父亲说：老头叫穗子说她自己"我是个小猪八戒"，他才肯拿零嘴给她！

穗子说：我没有！

母亲却看不见她陡然通红的脸。她说：怎么没有？我亲眼看见的！我看见老头站在板凳上，手从竹篮里够出个核桃，说："你自己说你是不是个小猪八戒？"……

穗子大声说：不是核桃！

那是什么？

我已经好几年没吃过核桃了！

好了，你嗓子轻一点。母亲说着，迅速看一眼昏暗的小食店。是不是核桃，无关紧要。反正老头就这么叫你自己说自己是个小猪八戒。

从来没有说过！穗子说，嗓音仍轻不下去。

你听她的嗓门！穗子妈对穗子爸。她又转脸来对女儿说：我明明看见了。外公不是说："叫一声好外公。"就是说："以后还淘不淘气呀？"你说

"不淘了"，他才给你口吃的。

穗子瞪着母亲。她感觉眼泪痒而热，在眼底爬动。

母亲说：这有什么？妈妈不是批评你，是说老头儿不该这样对你。你又不是小猫小狗，给点吃的就玩把戏。

可是我没说！穗子哽咽起来。

我明明听到的。小孩子不要动不动就耍赖！

穗子想到她半岁时挨了母亲那两脚。她此刻完全能理解母亲，她也认为自己非常讨厌，就欠踢。穗子猛烈地抽泣。

母亲说：不是穗子自己想说，是老头儿教你说的，对吧？

……嗯。

母亲拿出香喷喷的手帕，手很重、动作很嫌弃地为穗子擦泪。穗子脸蛋上的皮肉不断给扯老远，再弹回。外公的确不及母亲、父亲高雅，这认识让穗子心碎。外公用体温为她焐被窝，外公背着她去上学，不时往路面上吐口唾沫，这些理亏的实情都让穗子痛心，为外公失去穗子的合理性而痛心。就在这个时候，母亲明确告诉穗子，外公是一个外人。

当然，母亲最具说服力的理由是外公的历史疑案以及伪军功章。母亲也掌握了穗子与朋友们偷盗竹笋的风波，穗子妈不再嫌弃女儿，而是对女儿恶心了。当母亲把后两者摆在父亲和穗子面前，作为结论性证据时，穗子哑口无言。

她答应了父母的要求。这要求很简单，就是亲口对外公说：外公，我想去和爸妈一块生活。

但穗子妈和穗子爸没料到，穗子临场叛变。下面的一个星期里，无论父母给她怎样的眼风，怎么以耳语催促她，她都装傻，顽固地沉默。

外公这天傍晚摘下后院的丝瓜，又掏出咸蛋，剪下几截咸鱼，放在米饭上蒸。这样的晚餐在一九六九年夏天是丰盛的。穗子妈在餐桌下一再踢穗子的脚，穗子的脚一躲再躲。外公却开口了。外公说你们夫妻俩的心思我有数，我知道你们良心喂了狗，不过我都原谅。现在哪里的人不把良心去喂狗？不去喂狗，良心也随屎拉出去了。

穗子爸、妈脸红一阵、白一阵。

外公把咸蛋黄撺到穗子碗里，自己吃咸蛋白，穗子妈说：光吃蛋黄，还得了？

外公说：那是她福分。你要想吃，我还没得给你吃呢。穗子，你吃，跟外公有一日福享，就享。明个你走了，一个蛋就是没蛋白，净蛋黄，外公吃了，有什么口味？

穗子听到此处，明白外公从头到尾全清楚。

以后的几天，穗子妈开始忙。妈忙着给穗子办转学手续，翻晒冬衣，打理行李。穗子坚持不带棉袄，说棉袄全小了，穿不下了。然后她悄悄指着那些棉袄对外公说：外公，你看我棉衣都没带走，我还要回来的。

老头想点头，但他头颈的残疾让他摇头摇得很有力。他站上木凳，伸手取下那些高高悬起的竹篮。有货不多了，有半条云片糕，里面的果仁全哈了；还有一些板栗，多半也是霉了和虫蛀的。最后的就是西瓜子了。外公一夏天收集了至少五斤西瓜子，洗净风干，又加了五香和盐炒制，再用湿沙去掺，让瓜子回潮，嗑起来不会碎成渣子。外公筛去沙，穗子把瓜子装进一只只报纸糊成的口袋。祖孙俩无言无语地配合，穗子父母看见，赶紧避开眼光，有些不忍，又有些嫉妒。

外公把地上的沙扫成一堆，穗子拿只簸箕来，撮了沙子。穗子蹲在地上，扭脸看着外公长长的白眉毛几乎盖住眼睛。穗子说：外公你坐过火车吗？

外公说还没有，外公是土包子啊。

穗子说：坐火车比坐汽车快。坐火车，三个钟头就够了。

外公说：才三个钟头。他不问"够"什么了。因为他懂穗子指的是什么；坐三小时火车就可以让祖孙二人团圆了。

在穗子跟她的父母离去前一天，外公杀掉了最后两只母鸡。外公把鸡盛在一个大瓦盆里，端到餐桌上，就动手扳鸡腿。穗子妈一看就急了，说：哎呀，你这是干什么嘛？

你放心，外公说，我不会给你吃。他并不看穗子妈，把扳下的鸡腿捺在穗子米饭中。穗子拔出鸡腿，杵进外公碗里。一老一少打架了，鸡腿在空中来来往往。穗子恼了，瞪着外公。外公却微微一笑说：以后外公天天吃鸡腿。

穗子更恼了，筷子压住外公的碗，不准老头再动。

外公说：穗子，你以后大起来，打只麻雀，外公也吃腿，好吧？他看看外孙女被劝住了，便笑眯眯地将那只鸡腿夹回穗子碗里。

在穗子爸、妈看，老头和女孩这场打闹，只证明他们的原始，土气，愚昧，以及那蠢里蠢气的亲密之情。再有，就是穷气；拿吃来寄托和表现情谊，就证明吃的重要，亦就同时证明吃的匮乏。

外公的确没有表现太多的对于穗子的不舍，所有不舍，就是个吃。他在春天买到的那批鱼，现在全以线绳吊在屋檐下，尽管生了蛆虫，但外公说那是好蛆虫，是鱼肉养出来的，刷洗掉，鱼肉还是上好的。他把所有鱼洗净后，塞进穗子妈的大旅行包。穗子妈直跺脚说：不要了不要了！

外公说：我给你了吗？我给穗子的。

穗子妈对穗子说：你说，外公你留着鱼吃吧。

穗子尚未及开口，外公说：外公有的吃。穗子走了，一条鱼就是没有刺，净是肉，外公一个人吃，有什么吃头。

穗子妈叹口气说：你看你把她惯的！

外公说：我还能活几天惯她呀？再说她这回走了，我也看不见，护不住了。她就是去挨高跟皮鞋踢，我也看不见了。

母亲说：什么高跟鞋？谁还有高跟皮鞋？

外公说：没高跟鞋，穗子就挨解放球鞋踢。挨什么我反正眼不见为净。

他把最后一条咸干鱼塞进包内。那是一种奇怪的鱼，穗子长到此时第一次见到，它们没有鳞，大大的眼睛占据半个脸，有个鼻尖和下撇的嘴唇。这使它们看去像长了人面，长了坏脾气，好心眼的老人之面。

在和外公分开的那些日子，穗子非常意外地发现，自己很少想念老人。偶尔想到，她就想到外公披挂一堆不相干的金属徽章，一拍胸脯拍得"叮当"作响，一想到这个形象，她就紧张、懊悔。假如外公不那么彻底的文盲，他就不会那样愚弄人和他自己。穗子紧张是为了外公，他险些就隐藏下来了，少抛头露面一些，外公或许不会引起人们的注意，人们也就不会太拿他当真，去翻他的老底。这时想起来，那些大大小小的伪勋章让少年的穗子无地自容。她把外公填在自己入团表格的亲属栏中，想了想，又将他涂掉。

后来，穗子每隔一段时间都需要填此类表格，她从来不再把外公填进去。

她回到那个城市，听人说起外公，他想恢复残废津贴，摽着有关或无关的人吵闹，说他的外孙女穗子是个了得人物，不信去打听打听，她就在某大首长手下，跟某大首长一打招呼，你们这些王八羔子就得拉出去毙掉，她对所有不给他报销医药费，扣发他薪水，请他吃闭门羹的人都说：你连穗子都不晓得？打听打听去！天下她就我一个亲骨肉。她一尺三寸长就跟了我，我把她养大的！老人最后给撵到一间旧房里，房漏得厉害；他打上门去闹，人家说再闹铐起来。他说：敢！我外孙女是哪个，你打听打听，她跟某大首长熟得很，首长有次微服私访，看见一个军官坐三轮；解放军军官坐三轮，军法不容，叫他下来，他不认得穿便衣的首长不下，首长抬手就给他一枪，毙啦！我穗子就跟在这个首长手下！……

穗子听说老人病了，本想在那次探亲中看看他。听了这些话，拉倒了。

老人的病重起来，得的据说是骨癌。一次穗子突然收到一封信，是别人以外公口气写的，上面称"小穗子我的伢"。信的主要内容是请求穗子寄些钱给他。他说病不碍大事，就是疼得不轻，夜里一夜整到明。有种进口止疼药，说是一吃就灵，若穗子手头宽裕，寄些钱，好去托人买这种药。

当时穗子没什么钱。她一月薪水用不到月底，零嘴也戒掉了。她只在信封里夹了两张十元钞票。不多久，听母亲说，外公故去了。老人没有一个亲人，他的亲属栏只填了一个人名字，当然是穗子。

拖鞋大队

那时还早，大家丝毫没对耿荻起疑心。谁会有足够的胆子、足够的荒唐去从本性上推翻高尚、体面的将军女儿耿荻呢？那时她们需要耿荻，就好比她们需要定量供给的四两肥猪肉、二两菜籽油、一两芝麻酱。她们从一开始认识耿荻，就死心塌地地爱戴起耿荻来，爱她的风度，爱她咧出两排又白又方正的牙哈哈大笑的潇洒，爱她的一掷千金。也爱她的古怪，比如她从来不说"操""老子"这样的日常用语，并且在听她们唱出这些字眼时，脸微微一红，被冒犯似的。耿荻是个十三岁半的女孩子，关于这一点，她们从来没怀疑过。正如没人怀疑每隔一阵就发布的一条毛主席"最新指示"，每隔一两年就会出现一个舍己救人的刘英俊、蔡永祥式的英雄。亦如她们从不怀疑她们的"拖鞋大队"是最精粹的"上流社会"，因为她们每人身上流着"反动诗人"、"右派画家"、"反革命文豪"的血液。总之，那时谁若对耿荻有任何怀疑，会立刻招致"拖鞋大队"的驱逐。

所以"拖鞋大队"的女队员们崇拜耿荻和耿荻好得钻一个被窝的局面持续了很长时间，长达半年。在那个每天早晨都会发生新的伟大背叛的时代，半年就足能使"海枯石烂"了。

第一次对耿荻提出疑点的是五月一个傍晚。大家坐在墙头上看她们的父亲们搬砖。不时评论"你爸的阴阳头比我爸好看"，"我爸装脱胎换骨比你爸装得好，看他腰弓得跟个虾米似的！……""快看穗子她爸，装得真老实耶，脸跟黄狗一样厚道！……"

耿荻坐在她们当中，一声不响地看，不时喷出一声大笑。坐了一阵，有人就要尿尿，便跳到墙那边去了。耿荻一听墙头那边"哗哗"的声音，便微微撇嘴，脸又有些红。快到傍晚了，耿荻两条长腿一撩，下单杠似的跳下墙去。有人问："耿荻你去哪儿？"耿荻回答："上厕所。"

大家全都沉默着，因为她们发现这样长久的紧密相处，耿荻从来没和她们一块尿过尿。就是一同上厕所，耿荻也总在门外等着。若问她："耿荻你不憋吗？"耿荻会厌恶地笑道："关你什么事？缺乏教养——你爸还是反革命大文豪呢！"

这时耿荻显然又要躲开大家去上厕所。

三三说："唉，咱们悄悄跟着，看耿荻怎么尿尿！"

三三的姐姐李淡云说："下流卑鄙。"

大家扭头看着耿荻走远。她两只干净的蓝色回力鞋踏在雨水沤烂的大字报和杨树穗儿上神气、超然、优越。那是极其干净、蓝白分明的四十码高腰回力球鞋，露在不长不短的蓝咔叽裤子下。耿荻一贯是一身蓝咔叽学生装，洗得微微泛一层白，纤毫无染的样子。到处是穿黄军装的人，颜色是大言不惭的假和劣，出来一个一身学生蓝的将军女儿耿荻，无疑使这群重视视觉效果的"上流"女孩倾倒。在耿荻尚没给她们实际的好处之前，她们的心就全被耿荻收服了。半年前她们在军区大门口和门岗磨缠，看见正迎着大门走来的耿荻，就一齐静下来。老实说她们头一次看见耿荻，觉得她是个梳两条辫子的男孩。一直到多年以后，到了"拖鞋大队"的头目李淡云已当了教授，最小的喽啰穗子已远嫁海外，她们还是觉得耿荻身上最怪诞的东西是那两条缠着浅粉玻璃丝的长辫子。那两条辫子显得多余、不着调，是耿荻整个形象中的误差，后来也是她们侦破她的缺口。耿荻宽阔的前额、粗大的眉毛、凌厉的单眼皮构成的巾帼英姿，怎么横添出两根头发长、见识短的辫子呢？耿荻见她们全盯着她，便也回瞅她们一眼。主要看她们八个人全是一模一样的海绵夹脚拖鞋，脚趾上有尘垢，红药水或紫药水，还有带鱼鳞、西瓜汁。门岗的小兵说："没有借书证我不会放你们进去，走吧走吧。"李淡云十五岁了，已懂得拿眉梢眼角去搔人痒痒了。她说："解放军叔叔你就扣住我好了，放她们进去读读书就出来，可好？"不比她大几岁的小兵不敢笑纳她的妖娆，说："我扣住你干啥？咋能乱扣人！"他还是又摆下巴又摆枪托："滚滚滚，不要哄在'军事重地'门口！"

她们只好走开，一边拿嘴巴朝小兵比画着最脏的字眼。这种咒骂方式在她们中很盛行，只是牙齿、舌头、嘴唇用力，每个脏字便不再是声音，而是毒毒的气流，一束束喷射出来。她们这样骂红卫兵、工宣队、军代表、骂张贴她们父亲大字报的、烧她们父亲著作的、扣她们父亲工资的、监督她们父亲劳动改造的所有人。"拖鞋大队"的女孩们牙缝"吱吱"作响，脏字像满嘴唾沫一样丰富。她们见一身学生蓝的女孩正在马路对面瞅她们，一下子都不骂了。

"军区图书馆除了毛主席著作就是党史。你们作家协会图书室的书多多了。"女孩说，眼睛斜着，看不惯或者要把她们看穿的意思。

李淡云说："你怎么知道我们是作家协会的？"

"我还知道你爸是作曲的。作过一个歌剧，是全国有名的大毒草。"

大家都高兴了。难得碰上一个这么了解她们的人。一时间八个女孩全争着指点自己的鼻尖："我爸呢？我爸呢？知道他是谁吗？"

"你爸，不就是大右派吗？……你爸国民党三青团剧社的……"

女孩们你看看我我看看你，没想到会有这么学识广博的人——她看看也不过十三四岁啊。她们已在十分钟之后成为至交；她告诉她们她叫耿获，住那里面——她手指指岗哨密布的军营。李淡云叫起来，"啊呀！那你是耿副军长的什么人"？耿获说："三女儿。"既没有故弄玄虚，也没有讳莫若深。耿获说她常路过作家协会大门，常看见有关她们父亲罪状的大字报，所以也就摸透了她们的底细。她拍拍穗子的脑瓜，龇出雪白的板牙哈哈乐了："谁让你们的父亲臭名昭著呢？"

女孩们也哈哈地乐了，说："还遗臭万年呢！"

"……不齿于人类呢！"

"被扫进了历史的垃圾堆！"

她们很自豪，父亲们是反面人物，角色却是不小的，都在"历史"、"人类"的大戏剧里。

耿获这时说："老实点，别跟我胡扯，你们到底想进去搞什么勾当？"

女孩们都看她们的头目李淡云。李淡云说军区大食堂这两天在卖猪板油，只要混得进门岗的人都能买到。耿荻点点头，转身往回走。女孩们傻眼看着她两条打着粉红辫梢的婀娜辫子在她方方正正的背后晃荡。耿荻的背影完全是男孩，一副做大事情的样子。她在十几步以外停下，回头说："唉，怎么不跟上啊？"她打个简洁干脆的手势："跟上。"

到了门岗，她签了会客单，从蓝学生服的上衣兜掏出一本红封皮的"出入证"，往小哨兵面前一亮。那是多神气的一套动作，却又给她做得那么低调。应该说，女孩们对耿荻的着迷，一开始就掺有神秘的暧昧成分。她们爱慕的，正是耿荻的阳刚劲头。假如耿荻就是一个如她们一样的女孩，她们和她的关系不会发展成后来那样。这时已没有办法，耿荻一举一动都在她们心里引起一片浪漫。一切都只能朝一个过火的、难以收拾的未来发展。起头起得太好，也就起糟了。

那以后耿荻常带她们进军区大院，买过期军用罐头、处理压缩饼干、次品军需大米、变质风干腊肠。有次正撕抢一堆腌猪尾，三三疯跑过来，说那边在卖回收的军大衣，五元钱一件。她要姐姐李淡云掏钱给她，她宁可不吃腌猪尾。李淡云说滚远远的，没看我正浴血奋战吗？李淡云肩上长了个疖子，让人抓掉了疤痂，血流红了半截袖管。三三却两手抱她的腰，把她往后拖。李淡云一面指挥其他女孩帮她抢，一面翻起后腿往她妹妹身上踹，说："五块钱给你买军大衣？骚不死你！……"三三没得逞，从此姐妹俩成了仇人。她们的父亲工资停发，三个子女每月每人领十二元生活费。李淡云一直掌管开支，从那以后三三硬要把她自己的十二元钱讨出来单过。姐姐说："你就眼巴巴等着吧，等我死了就归你当家了。"三三终于起义，要和姐姐拼掉她十二岁的老命。姐妹俩时常在四楼平台上决斗，"拖鞋大队"的其余女孩一边拉架一边感到她们的小小王国已到了亡国边缘。父亲们做了人民的敌人，她们也就成了过街老鼠，长久以来靠着紧密团结一致排外获得的一点尊严，随李家姐妹的分裂也就要瓦解了。因为团结，她们的过街老鼠群落曾显得多么安全。她们这才意识到，这群落解体，她们中的任何一员都没那胆子走进学校，走入菜市场，甚至走出作家协会的大门。

耿荻毫不体察"拖鞋大队"的存亡大局，只是站在姐妹俩面前，说："伸这条腿……好。佝下腰，淡云，你妹妹比你进步大；三三，腿再分开些，站稳，对……"她完全是在欣赏一场不上档次的女子相扑。她偶尔"唉"的一声，轻轻摇头，因为姐妹俩又揪扯起头发了。耿荻最讨厌她们把好好的一场格斗弄成娘儿们打架，一点品格也没有，一点看头也没有。她更讨厌她们扯头发扯不出胜负就嚎，尤其三三，嚎起来嘴里还不干不净，把骂军代表、红卫兵的丑话全拿来朝她姐姐开火。耿荻最不能容忍的是三三不但骂泛意的丑话，还会哭天抢地地揭露李淡云的"丑事"，说："不要脸来月经！臭流氓戴奶罩！"

骂到这火候李淡云一下子蔫了，毕竟有太多类似把柄抓在妹妹手里。

耿荻听三三揭露，实在忍无可忍，低吼一声："李逸云，你给我闭嘴。"

三三也只听耿荻的，嘴里安静了，眼睛还在挑衅地瞄她姐姐。耿荻皱着眉头，肩膀耸起，全力忍受心里对这些女孩的恶心。她觉得自己瞎了眼，怎么会结识这样一群下流、鄙俗的东西？她们按说是书香里熏出来的，父亲们都是斯文人。她简直不懂这些平时出来两句海涅、普希金，也诌一折《红楼梦》故事的女孩怎么会露出如此嘴脸，原先她认为她们胃口贫贱，什么乌七八糟的东西都吃，现在发现她们嘴也贫贱，什么乌七八糟的话都讲。耿荻在这时会说："你们玩吧，我回家了。"

耿荻走后女孩们都很惶恐。尤其三三，总会在当天晚上给耿荻写封信，夹在《毛主席语录》的红封皮里，寄到耿荻家。耿荻一收到这种免邮资的邮件，便明白女孩们求和了。她不再读三三文不对题的短信，也知道"拖鞋大队"如何地看重她，除她耿荻之外，社会上没有一个人肯平等地做她们的朋友。这类求和，总是以耿荻心软而圆满收场。也有例外的时候。一次三三和她姐姐闹得太凶，揭露李淡云的身体发育又出了新丑闻，大声嚷道："臭不要脸的下面都长毛了！"

耿荻甩手便走了。任三三寄多少本《毛主席语录》她也不理睬。一星期后在菜市场附近的露天舞台上，耿荻看见"拖鞋大队"三个年龄最小的女孩在"游街示众"，胸口也都像她们父亲一样挂着大牌子，上面写着罪状，她们的罪状是偷窃了十二只鸡蛋。卖鸡蛋的农民一听说这三个贼娃娃是"反动作家"的女儿，就把她们揪到了台上。正当放学时间，学生们一群群聚拢到台下，看着三个十来岁扒手女孩，麻秆似的腿和胳膊从嫌短的裤腿和袖子里伸出来，脸已扮出她们父亲那样的厚颜或麻木。耿荻看见最年幼的穗子，拖鞋少了一只，辫子散了一半，眼里只剩百分之五的灵魂。

那农民慷慨陈词后，一个胖女红卫兵登上舞台。她嗓子却惊人的甜美，说三个年幼女贼是受反动父亲的指使，出来搞乱秩序，破坏革命形势。"同志们，咱们一家每人每月才两个鸡蛋，她们贼胆包天，一偷就偷了你一家子的鸡蛋呐！贫下中农把鸡蛋支援了我们城里，她们偷鸡蛋就是破坏我们和贫下中农的关系！……"她实在太激动了，热泪盈眶，一步到了三三面前，抓住三三从她妈那里捡来的旧绣花褂子，因为身量不对，那小腰身垂在三三的髋部，胸便成了腹。

胖女红卫兵问三三，是不是她的混账老子指使她出来搞破坏的。三三嘴一向不饶人，说你才有混账老子。胖女红卫兵说你老子不混账难道是好人？三三说那可不。"你的反革命老子罪该万死、死有余辜。""你老子先死。"

"啪"的一声，胖女红卫兵抡手就是一个大耳光。三三往后跟跄几步，栽了个屁股墩。三三特别要面子，爬起来脸煞白，寻死的心都有了。耿荻两条长腿一剪，人已在台上。谁也没看见她怎样就抓住了女红卫兵的两手，反扭到背后，完全是个擒拿老手。她嗓音比平时稍响一点，对三三说："上。给她一巴掌。"

三三瞪着眼。把人牢牢逮好，舒舒服服请她打，这等美事她想也不敢想。

"上啊。"耿荻又说。女红卫兵不老实，想换个稍有体面的被俘姿势。耿荻膝头一抬，女红卫兵甜美地哀叫一声，不动了。耿荻说："三三，她怎么给你一下，你就怎么还她。"

三三吸了吸混着淡淡血液的鼻涕。

"你就是耗子扛枪窝里狠。"耿荻冷笑着说，"后果我负责，跟你无关。"她有点不耐烦了："三三你打是不打？你……"耿荻的嘴唇突然一收，一看就知道脏字给惊险地收了回去。三三这才冲上去，一巴掌打在女红卫兵弹性十足的脸蛋上。三三不仅打，嘴还硬得很，说老子反动就该随便挨你揍吗？老子反动我不反动，我是可以教育好的子女。三三没打过瘾，还要再次出手。耿荻说好了，就打到这儿。她放了女红卫兵，三三却人来疯起来，非要追击下去。连穗子都烦三三，觉得她太狗仗人势。

耿荻在"拖鞋大队"的威信，此刻达到了顶峰。除了毛主席、林副主席，大概就数耿荻的威信了。耿荻除了上学，其他时间都和"拖鞋大队"泡在一起，参加她们夜袭军管会孙代表，往"革命作家、画家"家的煤箱里掺猫屎，朝工宣队长家晒的山芋干上涂尿液，还要撕毁新张贴的批判她们父亲的大字报、大标语。"拖鞋大队"在夜里十二点之后繁忙无比，完全是一支纪律严明、组织严密的地下武装。耿荻的功用是组织指挥，身先士卒。由于她的勇敢善战和指挥能力，"拖鞋大队"很少有失败的行动。即便有落网的队员，也从来没发生过变节。

第二个夏天李淡云要去淮北下放，三三也不再和她"相扑"了。耿荻说她弄了一条登陆橡皮舟，请"拖鞋大队"全体去远郊划船。九个女孩骑四辆自行车，一辆三轮车，浩荡出发。下午时分她们才把橡皮舟充上气，然后载上耿荻带来的桃酥、煮鸡蛋、生番茄和两罐军用午餐肉向水库中心划去。水库中心有个小荒岛，九个女孩唱了一支歌又一支歌地渐渐靠拢了它。快登陆时，橡皮舟的气漏了大半出去。耿荻和四个年长的女孩下水游泳，把剩在船上的四个年幼女孩往岛上推。

野餐时大家都脱下外衣顶在头上晒。身上只穿背心裤衩。耿荻仍穿着她那身学生蓝；湿透水的衣服显得又厚又重。李淡云的身体已是个小妇人，也只能是一副"谁看谁负责"的坦然态度了。每个夏天，这群女孩都对别人和自己的身体有一番新发现。开始大家对彼此身体的变化不动声色，不久便相互指指点点起来。一个说：快看，跟两小馍似的！另一个就说：那也比你好——跟蚊子叮了两个包似的！一个说：讨厌！往哪儿摸？一个便说：大家看耶，这丫头的肉就往这儿长！……

女孩们相互攻击，动手动脚，耿荻傻乎乎地只是笑。她学生服的风纪扣都未解开，脸焐得通红。李淡云说："耿荻你不脱了衣服凉快凉快？"

耿荻说："我挺凉快的。"

三三说："凉快什么？我都闻到你身上的馊味了。"

耿荻白她一眼，说："我愿意。"

蔻蔻说："脱了吧，我们都脱啦。"

穗子见耿荻用一把电工刀在切一块午餐肉，然后用刀尖把它送到嘴里。她觉得耿荻的刀抖了一下。

李淡云说："就是啊，你一人焐得严严实实，看起来好奇怪。"

三三说："这样吧——穗子、蔻蔻，你俩脱光，耿荻就会脱啦。"

穗子反抗道："凭什么我们脱光啊？"

三三突然翻脸，说："你们谁不脱谁滚蛋。本来就不爱带你们出来。哼，有什么怕的？老子就不怕。"说着她英勇地扒下了自己身上稀烂的汗背心。怕脱，就证明身上有见不得人的东西。说时迟那时快，她的三角裤衩也落到了脚脖子。三三站起来，做了个"他是大春"的芭蕾舞动作，腿一掀。虽然全是女孩，三三那闪电般的青春生理解剖，还是显得惊心动魄。她们突然意识到，原来那是如此神秘莫测，层次丰繁，幽深晦暗的东西。

三三得意地叉着腰，对耿荻说："我都给你看了，你也得给我看。"

耿荻还是不紧不慢把肉切成薄薄一片，用刀尖送到嘴里，说："三三你别现眼了，你姐姐羞得要跳水了。"

"耿荻你为什么不脱？"三三简直急疯了。

"为什么不脱？这还不简单？"耿荻站起身，个子比三三高半头，"因为我身上全是见不得人的东西。"

三三瞪着她，她也瞪着三三。三三突然"咯咯"笑起来，说她全明白了。大家问她明白什么了。三三仍是狐狸似的眯细眼笑，说反正她全明白了。三三一边笑，一边还用眼去比量耿荻，不怀好意极了。

再看耿荻时，大家发现她有点心虚，虽然嘴里还占着三三上风："我警告你三三，再这么下流，我就不跟你客气了。"

事后大家都背着耿荻问三三，她到底明白了什么。三三收起她一贯的胡闹态度，对女孩们低声说："耿荻可能是个男的。"

女孩们"哇"的一声，吓得搂成一团。这时李淡云已去了淮北，"拖鞋大队"基本上归耿荻领导。三三这个太邪的推断，使她们感到命在旦夕。

三三要她们好好想一想，有谁见过耿荻尿尿？耿荻领她们去军区大院的澡堂洗大池，曾几何时她自己加入过她们的嬉水？问她，她不屑地撇撇嘴，说大池里浮一层人油，打死她她也不下去。再说她家有自己的锅炉，什么时候乐意，什么时候洗，何苦要图大澡堂的"白洗"？听听这解释也没错，但三三认为疑团正在于此。"对了，我想起来了！"蔻蔻一副毛骨悚然的眼神，口气也像讲恐怖故事。"那天晚上我一个人去艺校上课，穗子你记得吧？你那天骗老师说你拉肚子，叫我帮你请假？后来我叫耿荻陪我去了。高老师上一会课，叫我自己先练习，她回家看看她孩子。耿荻就来帮我下腰，手把我抱得好紧。动作早做完了，她就是不放手。……"

三三马上问，耿荻的手碰到蔻蔻的要害没有。蔻蔻让一阵猛烈的羞辱呛住，半天才点点头，说好像碰到了。蔻蔻是个小美人儿，十二岁就常有男孩吹她的口哨。她和穗子一同做艺校舞蹈班的旁听生，尽管硬胳膊硬腿大板腰，仍是迷死了老师们。大家问后来呢？蔻蔻说后来耿荻请她去她家住一晚。大家问："蔻蔻你去了？"蔻蔻说："……嗯。"大家又问："耿荻家什么样？"蔻蔻说："很大，耿荻一人住间大屋，墙上挂了她两个姐姐的照片，都是当兵的。"三三见大家乱跑题，严肃阴沉地瞪着蔻蔻，说："你肯定让耿荻摸快活了吧？"蔻蔻的脸顿时变了，说："你妈×三三，你才巴不得让人摸呢！岔多开也没人摸！"

三三这时心思全在大是大非上，对蔻蔻的冲犯也只在心里马虎地记一笔账。她问蔻蔻看见耿荻脱衣服没有。蔻蔻想了一会，说耿荻在屋里搭了个行军床，两个人吃了好多炒花生，吃得眼睛都睁不开了。三三追问，"你没看见耿荻脱衣服，对吧？"蔻蔻使劲地想："耿荻去刷牙，刷了好久，等她回屋来，我好像已经睡着了。"三三说："哦，你睡着了呀。"她又鬼灵精怪地一笑，看看"拖鞋大队"的全体女孩。意思是：想象一下吧——这个小美人儿落在了人家手里，又是半夜，又是睡成了一只死猪。

她们约好当晚一定设法让耿荻露馅。耿荻八点钟准时到达"拖鞋大队"的秘密据点——作家协会办公楼三层的一个女厕所。耿荻一手转着她的自行车钥匙，一手拎着个面粉口袋，吹着"唱上一支心中的歌儿献给亲人金珠玛"的口哨大摇大摆而来。女厕所的门闩死之后，耿荻把面粉口袋递给三三，说："你们自己分吧。"面粉口袋里装着二十多个不合格皮蛋，女孩们磕掉蛋壳上的泥和麸皮，惊喜若狂：二十多个蛋个个不臭，只是每个蛋都是半虚半实，一个蛋壳里只有半个蛋。

耿荻还是那样，脸上带着淡淡的轻蔑，看这群文人之后开荤。她们一个个飞快地往嘴里填着，眼睛却盯着别人的手和嘴，生怕别人吃得比自己快。耿荻无论带什么食物，她们都这样就地解决：在地上铺一张报纸，七八个人围着报纸蹲下，完全是群茹毛饮血的狼崽。耿荻甚至相信一旦食物紧缺的局面恶化，她们也会像狼崽一样自相残杀。耿荻不时带些食物给她们打牙祭，似乎就是怕她们由"反革命狗崽子"变成狼崽。看看这个洞穴吧，可以诱发任何人野性发作——这个早已被禁用的女厕所里，堆满石膏雕塑的残头断肢。女孩们老熟人似的曾将它们介绍给耿荻：这是猎神黛安娜的大奶子，这是大卫王的胸大肌，这是欲望之神萨特尔的山羊身体，这是复仇女妖美杜莎的头发。沿着墙壁悬置一圈木架，上面有两个雷锋头像、四个巨大的刘胡兰面孔，眼珠子大如皮蛋。还有几双青筋暴露的大手，那是陈永贵的。也可能是王铁人的。

眨眼间二十多个皮蛋全进入了她们的消化系统。女孩们这时全在想一个问题：假如把耿荻的真面目揭出来，往后还会有皮蛋吃吗？再往下想，她们在学校和马路上挨了别人欺负，没有耿荻，谁去为她们做主？每次她们把状子告到耿荻那儿，耿荻便上她们学校去，用自行车带着她们招摇几圈。光是她车子的档次和她的气势，就让人明白她是什么来头了。

念起耿荻种种好处，女孩们实际起来。有皮蛋吃，有耿荻又宽又方的肩膀做保护伞，何必非要揭开她的真相呢？尤其冬天来了，她们的父亲全被押到五十里外的农场，原来拮据的收入又多出一项给父亲们添置冬衣、被褥、营养品的开支。耿荻在这个冬天给她们的情谊和援助，更显得珍贵。应该说，她们已把耿荻作为靠山，作为安全的大后方。靠山是雌是雄，又有什么关系。

李淡云在春节前回来了。这是个陌生的李淡云，又黑又粗，留着女流氓式的鬓角，一点儿"海涅"、一会儿"普希金"的痕迹也没了。两帮子男知青为了她打了一仗，双方都有伤亡。李淡云回来是为了镶牙，那场仗也打掉她两颗牙齿。她偷了她母亲的金项链，打算包两颗金牙。她回来就和耿荻相处得亲密无间，三三告诉"拖鞋大队"，说她姐姐和耿荻一天到晚密谈，李淡云抹泪，耿荻长叹。三三刺探，耿荻就轰："去，小家伙懂什么。"

一天清早，耿荻用自行车把李淡云带走了。下午她驮回的李淡云又陌生一层：一张青脸，眼神却哀婉美丽，尤其在看耿荻的时候。不久三三告诉"拖鞋大队"，李淡云造孽不浅，打下一胎四个月的小毛头。大家便找着借口来到李淡云床前，觉得再也不能和她平起平坐，人家已经是超越了巨大羞耻，经过巨大流血牺牲，永别了女孩时代的人了。她们用半是恐惧半是崇拜的眼光看着懒洋洋靠在床上的李淡云，替她倒带血的尿盆，洗带血的裤衩。李淡云的母亲一边端红糖水、细挂面，一边说："井盖了盖子麻绳总找得到一根吧？不行你们大家借包老鼠药给她，省我点红糖挂面。"李淡云回道："是人家耿荻送我的挂面！"她母亲冷笑一声说："光荣啊，做个破鞋还吃营养伙食，补好再出去作怪啊！"

等到她妈发现她的金项链变成了李淡云的两颗牙，便不再手软。她用鸡毛掸子把李淡云好好抽一遍，便请耿荻带她走。耿荻把李淡云接到她姐姐一个同学家住了一个月。李淡云康复之后，"拖鞋大队"设宴欢送她回乡下。她们还是老伎俩，用八角钱买十个锅贴的筹签，再用刀仔细剥开筹签的表层。筹签是马粪纸做的，两面盖着饭馆的红印。剥开的筹签和新的马粪纸胶合，再涂一点红印泥，浸上菜油和锅灰，在晚上使用，完全混得过去。这样一个筹签就成了两个，她们半买半劫地备足了晚宴。报纸推开，锅贴也分成九份，大家吸溜着口水等着耿荻。李淡云说，这次多亏了耿荻。大家都说那可不是，天大地大不如耿荻恩情大。

"就算耿荻是个男的，我也认了。"三三突然来一句。

穗子说:"耿荻要真是男的怎么办?"

蔻蔻古怪地笑笑。李淡云耷拉着眼皮,心里有数的样子。

三三指着李淡云:"你肯定知道,耿荻是不是男的!一开始你就知道!我早就发现你们俩眉来眼去!"

"放你的屁。"李淡云不屑地说,看也不看她妹妹一眼。她现在是见过世面的人了,懒得和三三这个十三岁的黄毛丫头一般见识。

"她是耿荻的帮凶。"三三指着她姐姐对大家说,"她帮着耿荻打进'拖鞋大队',帮耿荻隐藏下来。真阴险啊,我们光屁股、尿尿、洗澡都让人家看去了!还让人家摸了呢!"

"你少煽动,李逸云。"李淡云说,还是懒得细说分晓:"吃醋就说吃醋——不就是人家送我的挂面红糖没你份吗?"

"你巴不得耿荻是个男的!"

"我是巴不得。她要真是男的,我就跟她好了!可惜天下没那么好的男的!"李淡云以一种饱受创伤的过来人口气感慨道。

穗子虽然年幼,但她发现李淡云不光是赌气。李淡云眼里含着不无美好的痴心妄想,尽管嗓音笑容都纯粹属于一个女流氓。

"怎么样?果然不出我所料吧?"三三对大家说,"我们全上了李淡云和耿荻的当了!"

李淡云哼哼地笑,说:"李逸云你有种扒了耿荻裤子嘛,这半年你偷吃偷喝也吃胖了,多几个爪牙不怕扒不了一条裤子。"三三说:"你还别激老子,老子扒猫皮扒兔子皮都是老手,军管会孙代表女儿的裤子,我也扒过几回。"李淡云说:"好,李逸云,你今晚要不扒耿荻的裤子,我们全体扒你的。"她转脸问大家同意不同意。大家说同意。堕了胎的李淡云似乎成了她们的长辈,对她都有些敢怒不敢言。

耿荻一进来就发现气氛异样。她把一面粉口袋大枣搁在报纸上,便解开棉袄扣子。她发现所有眼睛都往她解开的袄襟内部看。她撕一张报纸,垫在地上,两腿一盘,坐定了。这时她发现所有眼睛转了方向,全朝她裤裆方向来了。

大家在听李淡云讲农村的事,一面用手指剥开大枣,若有蛀虫和虫卵,就搓一搓,或用筷子刮一刮,再放进嘴里。李淡云说打架打得最凶的两个男知青本来要判刑的,结果,突然被军队篮球队带走了。女孩们都说,当兵多好啊,扔的次品皮蛋、蛀虫枣子也够我们吃的。于是大家便问耿荻:

"耿荻你两个姐姐当兵，你干嘛不当兵去？"

耿荻把嘴一撇，肩一扛，答复全在里头了。

"耿荻舍不得你呀，蔻蔻。"三三说。

耿荻白牙一龇，对蔻蔻笑笑。

"耿荻你到底为什么不当兵？"女孩们追问道。

耿荻说："这还用问？"细眼眯得更细，几乎是调戏的表情，"我走了你们怎么办？"说完她立刻哈哈大笑，马上否定了她刚才酸溜溜的戏言。

李淡云说："三三，你不是发现了重大疑点吗？说出来给耿荻听听。"

三三只是剥枣里的蛀虫，假装没听见。

耿荻却并不问什么重大发现。她也用心地对付枣里乌黑的虫卵，把它们清除在报纸上。大家都静默下来，不时有人飞快地看一眼耿荻，她的蓝裤子、蓝棉袄从来没像此刻这样难以看透。

"我就知道你孬货一堆。"李淡云激将三三。其实李淡云眼下的心情非常复杂，希望三三和耿荻交锋，打出个水落石出，又怕一架打下来，真相是大白了，可脸也撕破了，她们就永远得罪了一个最难得的朋友。耿荻是怎样来的？耿荻是在一个城市的人都朝她们白眼时来的。

"孬货也比烂货强。"三三说。

耿荻牙疼似的咂一下嘴。

李淡云也不知道她究竟希望耿荻是男的，还是女的。她说："耿荻，三三说你……"三三一只拖鞋"啪"地砸在李淡云肩上。二话不说，李淡云已把那只拖鞋拍了回去，拍在三三额头上。耿荻马上立在两姐妹中间，一手按住一个脏话四溅，涕泪横飞的音乐家后代。

大家呆呆立在石膏大腿、石膏胸脯之间，看耿荻不偏不颇的拉架。一年多下来，耿荻拉架已拉得很好。加上她原本有手劲，动作张弛自如，很快把李淡云推到萨特尔的山羊身子后面。她一再警告大虾一般动弹的三三："再动我，我伤了你筋骨啊！"三三被捺在黛安娜肥大的胸脯之间。耿荻声音低八度："我真伤你啦。"

三三虽然仍在朝李淡云跳脚，动作却一点点小下去。耿荻毫不费力地一个手扼住她，另一个手腾出来捡跌烂的刘胡兰面孔。耿荻看上去力大、度大，完全是个对女孩们既惯使又小瞧的大男子。

这时有人在门外吼道："里面什么人？"

大家一下子张大了嘴。她们全听出门外的人是孙代表。她们只听孙代表讲过一次话，但把他的口音刻骨铭心地记住了。那是军管会刚进驻作家协会的第二天，所有"反动作家、画家"的子女被集中到食堂。一个英俊和蔼的中年解放军走上去，管大家叫"孩子们！"他告诉"孩子们"自己姓孙，是军管会的负责人。在部队大家叫他"孙教导员"，孩子们叫他"孙叔叔"就可以了。孩子们从来没有见过这么浑身正气的叔叔，简直就是他们心目中的战斗英雄。孙代表要孩子们放心，只要他们与反动的父亲们划清界限，揭发父亲们的反动言行，祖国和人民决不亏待他们。

一个孩子问："揭发我爸什么呢？"

孙代表想了想说："比如说，你爸偷听敌台。"散会之后，孩子们看着孙代表雄赳赳的背影相互安慰："我爸就是真的偷听敌台，我也决不揭发。"

这时孙代表在门外喊话："你们不出来，我要派兵来砸门啦！"

"拖鞋大队"明白孙代表光杆一个，手下两个兵春节回乡了。她们搬了大卫王的中段和美杜莎的上半身，抵在门上。耿荻用手势叫大家千万别乱，她和李淡云正拆下一寸厚的隔板，打算用它抵门。

"不要藏了，我已经看见你们了！"孙代表说。他面孔贴在匙孔上，鼻子挤得扁平，往熄了灯的女厕所窥视。

现在推过来的是人面羊身的萨特尔，穗子和蔻蔻骑坐到它雄厚的背上。

"好，不出来就不出来吧。我可以给你们父亲罪加一等。谁让他们指使自己儿子捣乱破坏啊！？……"

耿荻咧开嘴无声地仰天大笑。所有女孩都张牙舞爪地狂喜：这个笨蛋孙代表做得多低级？露马脚了吧？

"不然，就是你们的父亲教你们在里面偷听敌台！"

女孩们还是手舞足蹈，心想，你爱说什么说什么吧。父亲们反正早已成了"不齿于人类的臭狗屎"，处境还能再往哪儿坏？

等她们静下来，发现孙代表早已走了。耿荻拉一下门，说："完蛋了，那家伙把门从外面闩住了。"

直到第二天清早，孙代表才回来。他看见一摊浑浊液体从门缝下流出来，便同情地问，女厕所马桶全堵死了吧？不如把那些牛鬼蛇神石膏像做尿罐，反正那个"特嫌"雕塑家早跳楼了。

双方又对峙一天，孙代表告诉她们，昨晚他只不过用了根铁丝闩的门，那玩意太不结实，今晚他换了根拇指粗的火通条，绝对保证大家安全。说完他便告辞回家睡觉了。

他一走，女孩们做的头一件事就是尿尿。半袋蛀虫枣子已吃完，到后来她们连虫卵也不清理了，直接扔进嘴里嚼。剩下的就只有自来水了。耿获说只要喝水就死不了。至少七天之内都能喘气。大家就不停地喝水，然后不停地尿尿，把所有的雪白石膏像底层都泡成了黄色。

四个马桶隔间的门都被钉住，耿获每次都得从门上方翻进去。女孩们蹲在地上看她翻，矫健是没错的，不过毕竟不省事。这样麻烦自己，必有不可告人的秘密。耿获的第二条长腿一蹬地，人已骑在门框上了。她无意间发现蹲在地上的八个女孩全把脸仰向她。黑暗中十六只黑洞洞的眼睛组成黑色的火力网，将她牢牢锁定。她感觉到她们伺机已久，等的就是这一刻。

"耿获你干嘛呀？"她们中一个声音问道。

她回答了一句，但那阵致命的狼狈感使她马上忘了她回答了什么。

"撒谎吧？你每回说拉肚子，我们都听见你不过是小便。"

她们中另一个声音说道。耿获想，果真中了她们的埋伏。原来这群女孩也是这"怀疑一切"大时代的一部分。耿获骑坐在两米高的门框上，看她们整齐划一地站起来，站在比例悬殊的巨大白色雕塑之间。

耿获一贯的态度回来了。她爱理不理地笑笑，说："关你们什么事——我拉不拉肚子？"

"你干嘛非爬那么高，费那么大劲翻进去呢？"

"这你都不知道？"耿获又一笑，"我要脸呐。"

女孩们稍愣又问："你怕什么？！都是女的！"

耿获不理睬她们了，一条腿极有弹性地着陆于干涸的马桶。

所有女孩在外面屏了呼吸，听着里面的每一响动。耿获说："真文雅啊——大文人的千金们！"

"反革命大文人的千金。"她们隔一扇堵死的门纠正她道。

最终还是靠了耿获的长腿，捅开门上方一块木板，伸手出去拨下火通条，大家才突了围。孙代表到最后也不知道与他顽抗了两夜一天的都是谁。

端午节那天"拖鞋大队"全体逃学，背着各种食品去看她们的父亲。路程有五十华里，她们仍是五辆自行车，轮流骑，也轮流被人驮。每辆车把上都挂着大大小小的网兜，里面盛着过期羊肉罐头和各种残次食品。她们把过期猪板油用小火熬炼，炼出的油居然也白花花的，再撒些盐和花椒，香得命都没了。根据各自父亲不同的刁钻癖好，她们还挖地三尺地弄到一些精致物件，比如穗子爸曾经只用蓝吉利剃须刀，蔻蔻爸只用纯细棉的手纸，三三爸每顿饭后必喝一口白兰地助消化，绿痕爸只用"友谊牌"冷霜。穗子带得最多的，是她爸需要的姜茶。穗子爸有胃气痛，一年到头离不了姜茶。

太阳滚烫，女孩们开始骂穗子，自己不会骑车，还带那么多东西。耿荻说："真是一帮小女人，整天计较小破事。穗子，来，坐我车上。"

自从那次女厕所抗战，耿荻索性就是一副小爷儿姿态，常常说女孩们头发长、见识短、鸡零狗碎、胸无大志。

耿荻骑得比其他女孩快，不久便和大家拉开了距离。

穗子发现耿荻是个很懂体贴的人，过一点儿小坎都提醒她坐稳，大下坡时还叫穗子抱紧她的腰。穗子觉得自己心跳得有些超速：这个耿荻要是个男孩该多么可爱。她想或许所有人都和她一样，暗暗爱着一个有可能是男孩的耿荻。她们阴谋加阳谋，不断伺机要揭下耿荻的伪装，其实就是想如愿以偿。

穗子突然发现自己的手在摸耿荻的辫子。没有这两个辫子，事情就一点也不荒谬了。

"耿荻，谁给你梳的辫子？"

耿荻笑了，说："你怎么知道不是我自己梳的？"

"这种反花你的手得反过来编才行。"

"原来你一点不傻呀！"她又是那样仰天大笑，"是我家老阿姨给我梳的。我从小就是她给梳头。她不准我妈给我剪头。"

穗子不响了。她在想，或许耿将军家风独特，为了什么封建迷信的秘密原因把个小子扮成闺女了，但穗子还是觉得这太离奇了。三三发动的这场"大怀疑"运动，大概是一场大冤枉。她知道耿荻和大家拉开距离之后，三三就要正式布置了。原先耿荻不参加她们这次探亲，说你们是探望你们的爹啊，又不是我爹，我去算谁？大家说，去吧去吧，你不想见我们这些著名的反革命爹呀？不想看看他们脱胎换骨之后嘴脸还丑恶不丑恶？耿荻答应同行时，哪里会想到一张天罗地网已悄悄张开。

穗子真想告诉耿荻，你逃吧，现在逃还来得及。但她绝不能背叛"拖鞋大队"。穗子已背叛了老外公，她已经只剩"拖鞋大队"这点患难友情了。耿荻的车下了坡，三三她们的车刚刚上到坡顶。她们在商量今晚宿营时如何剥去耿荻的"伪装"，耿荻没有退路，没有出路，只能决一雌雄。七双手将会捺牢她，然后好戏就登场了。穗子看见四辆自行车正交头接耳。三三会说："这年头什么伪装都有。穗子外公多像老红军啊，结果是个老白匪！……"

到农场时已是下午。远远就看见一群父亲排成一列长队伍，正传着巨大土坯。蔻蔻爸站在队列外，戴顶草帽，一辆独轮车过来，他便往车里添几锹土。

女孩们找了块稍凉快的地方坐下来，一声不响地看着这支由父亲们组成的晦暗阴沉的队伍。已是夏季了，父亲们还穿着深色肮脏的冬天衣服。穗子爸是一件深灰呢子中山装，两个胳膊肘在破洞里忽隐忽现。三三爸穿的是件绸面丝棉袄，丝棉从无数小孔露头。只有蔻蔻爸的装束合时宜：一身浅蓝劳动布工装。

"蔻蔻，你爸爸没戴白袖章！"

蔻蔻仔细看，立刻慌了。她爸怎么忽略了这么大的事，把写有"封、资、修画家"的白袖章给忘了？

女孩们就这样坐着，看着，偶尔说一句："我爸脚有点瘸。""我爸瘦多了。""我爸直咳嗽，别是犯肺病……"

耿荻坐在她们身边，嘴里叼一根狗尾巴草。她从来没见过她们如此安静、娴雅，充满诗意。

工作休息时间到了。女孩们向工场中的父亲们走去。耿荻一个人坐在原处，望着远处的父女相会。没有她想象的欢笑，最多是父亲伸手摸摸女儿的脑袋，拉拉她们的辫子。然后女孩们把夏天的衣服和礼品交给了父亲们，便朝耿荻这边走来，耿荻完全不认识她们了，她们沉默并凝重，忘却了世间一切鸡零狗碎的破事，全是一副优美的灰冷情调。耿荻想，这大概是她们的真面目了。

傍晚时分，女孩们去父亲们的营房看他们开晚饭。一件出乎她们意料的事发生了。所有的父亲捧着女儿们刚送到的"高级物品"低头站在伙房门口。这个农场有上千人，大多数来自文化界和文艺界。人们出入芦席围成的伙房，都停下了脚看女孩父亲们手上捧的纯棉细手纸、小瓶白兰地、友谊搽脸霜、姜茶和蓝吉利刮脸刀。从远处听不见父亲们在念叨什么，但女孩们明白他们一定在悔罪。一定在说："我生活作风糜烂，把资产阶级的奢侈品带进了劳动改造的艰苦环境……"

大家全站住了。站了一会，全哭起来。

耿荻发现她们的哭也跟平时不同了。是一种很深的哭泣，完全没有声响，只有滂沱而下的眼泪。耿荻知道她们心痛而愧疚，因为她们别出心裁的礼物，父亲们必得如此当众羞辱自己。

晚上女孩们去父亲们的营房坐了一会。营房就是巨大的芦席棚，里面搭了一百多张铺板。父女们简单地交换了一些消息，当着一百多人，连拍拍脑袋、拉拉辫子的亲热也省去了。

耿荻等在门外井台上。她已经看够了，不愿再看父女们的离别。她坐在井台的青石台阶上，嘴里吹着"二小放牛"，见女孩们鱼贯走出芦席棚，蔻蔻远远落在后面。大家顾不上留神蔻蔻的反常，只感到气息奄奄的疲乏。

所有芦席大棚的灯都熄了，"拖鞋大队"还坐在井台上。"白来一趟。"三三干巴巴地说。两个多钟头，她们第一次开口。"那么远，白来了。"三三又说。

"大家说都是你的馊主意，三三，要是不带那些'高级物品'，就没事了。"

三三不反驳。过一会她说："也不知谁爸爸打得头？"

"肯定是绿痕爸。"

"凭什么肯定是我爸！"

"你爸最想脱胎换骨呗。"

"你爸呢？吃'忆苦饭'糠团子吃个没够，还直说好吃！"

"说不定是穗子爸带的头。穗子爸一打就招。"

"你爸才一打就招！"

"肯定是穗子爸想挣个好表现，主动把一百多包姜茶交上去，装得特诚恳，说：我过去的资产阶级生活方式影响了我的孩子……"

"三三你少诬蔑我爸！你爸才这么孬种呢！"

"我爸才不会把那瓶白兰地主动交上去呢！肯定是谁爸出卖他的！……"三三怒吼道，"我捡碎玻璃卖的钱，给他买那一小瓶酒，你要了他老命他也不会主动交出去！就是你们那些爸，假积极、装革命，想洗心革面！"

三三这下子打击面太宽了。女孩们一致指着她鼻尖，说你爸想捞政治资本，把家里的麻将牌、电唱机当着红卫兵的面砸掉了。结果怎么样？还是挨了红卫兵的一顿牛皮带，腰子差点打烂！……

三三突然一伸手，指住站在一边的蔻蔻："是蔻蔻的爸！是蔻蔻爸主动交代！……”

蔻蔻一声不吱，手到处抓着身上的蚊子包。

原来是这样。原来蔻蔻爸头一个引火烧身，把女儿五十里路云和月带来的东西供了出去。看来她们的父亲被改造得相当好，不但善于叛卖别人，更善于叛卖自己。

当晚大家取消了野营计划，星夜赶路回家。路上蔻蔻一人骑车，既没人驮她，也没人让她驮。耿荻完全理解女孩们对蔻蔻的孤立，也认为蔻蔻爸这一记干得缺点人情味，背叛自己也罢了，怎么可以背叛自己的女儿？以使得所有父亲背叛自己女儿，狠狠伤女儿们的心？这时蔻蔻的车贴上来，希望能和耿荻默默就伴。穗子坐在货架上，见蔻蔻越贴越近，忽然向地上极响地啐一口唾沫。

所有女孩都开始了，你啐了我啐。蔻蔻减速了。不久，黑暗的乡间公路上，蔻蔻就剩了个依稀的小影子。

“蔻蔻可能在哭。”

“哭死才好。”

“会不会碰上坏人？”

“碰上活该。”

“要是蔻蔻现在喊救命我们救不救？”

“不救！”

“真不救？”

大家心齐口齐，大声说：“不救！！”

蔻蔻爸的脱胎换骨、重新做人提前完成了。不久女孩们看见他爬在高高的脚手架上画毛主席像。他先指挥一群艺校美术班的学生在一堵高十米的墙上打格子，然后他自己开始在那些格子上爬，看上去像个巨大的四脚蛇。女孩们还见蔻蔻提着一个带襻的饭盒，把饭给她爸送到现场。他爸连吃饭也表现得十分英勇，把蔻蔻送来的饭盒用根绳子吊上去，在高处吃起来。所有女孩便坐在砖堆上看，边看边咬耳朵，然后“轰”的一声大笑，笑得蔻蔻人都矮一截。

她们说其实蔻蔻爸在高空吃饭是怕人家看见他饭盒里有青椒炒子鸡、黄豆蒸板鸭、熘肝尖或炒腰花。她们能想象到的美味，反正都在蔻蔻爸的饭盒里。英勇地叛卖了自己，对着“革命左派”说“我不是人，我该死”，把自己糟蹋个够，总算有了成效，蔻蔻爸工资解冻，蔻蔻妈也不必一早上菜市抢八分钱一斤的猪骨头了。蔻蔻去学校，也没人往她课桌上抹浓痰了。总之，蔻蔻爸的尊严人格光荣就义，换回了蔻蔻一家的好伙食，在女孩们看来，也算值。

女孩们看见蔻蔻被笑得浑身芒刺，简直乐疯了。蔻蔻爸却什么也察觉不到，在高高的脚手架上细嚼慢咽。蔻蔻爸原先一头卷毛，为了接近工农兵形象而剃秃了。

蔻蔻仰脸喊："爸，快点啊！"

"啊……啊。"爸加快速度。他唯唯诺诺惯了，对女儿也谦虚谨慎。

女孩们在蔻蔻拎着脏饭盒向回走时，终于找出了她的茬儿。

"站住！"

蔻蔻回头，见叫她的是绿痕和穗子。三三目前以军师自居，凡事不动声色。耿荻已和"拖鞋大队"有些疏远，李淡云即使回来，也很少参加"拖鞋大队"的活动。

穗子说："不准你穿我们的拖鞋。"

蔻蔻马上去看自己的脚。那双又脏又旧的红色海绵拖鞋的确是这个集体开除她之前和大家一块购置的。那是一批处理货品，五角钱一双，每双都是一顺拐的两只左脚。

"脱下来。"绿痕说。

蔻蔻看着六个女孩。从幼儿园到中学，她没跟她们分开过。

所有女孩都说："脱下来。"

蔻蔻美丽的脸在女孩们眼里变得很丑，这一点她自己明白。女孩们在蔻蔻眼里变得很优越，这一点女孩们更清楚。

"那你们要我穿什么回家呀？"蔻蔻虫鸣似的说。

"打赤脚。"三三说。

"……有碎碗碴子。"

"那我们不管。"

"太阳晒得洋灰地好烫！"蔻蔻说。

大家愣一会，全哈哈大笑起来。觉得这个蔻蔻真可怜，什么时候了，还跟咱们发嗲。蔻蔻看见耿荻的笑被每个人模仿得很好，这种笑一出来，真是壮胆壮声势啊。

蔻蔻打着赤脚，一步一个灼痛地走了。她的父亲就在头顶，她却没有向他求援。女孩们看着走远的蔻蔻，心里说，好样的蔻蔻，被逐也是光荣被逐，毕竟是"拖鞋大队"的前优秀队员。

但很快发现蔻蔻还是死皮赖脸穿着那双"一顺左"红拖鞋。她们又警告她几次，一次比一次效果差。最后一次蔻蔻居然说她是"拖鞋独立大队"。

女孩们偷出家里的废铜烂铁，父亲的旧稿纸，母亲的铜粉盒、铜鞋拔、银领花、银胸针，到废品收购站去卖。然后她们去百货公司，买了八双白色透明拖鞋。八双里包括李淡云和耿荻，虽然耿荻永远一双蓝回力。她们这样做当然是为了拉拢耿荻和李淡云，彻底孤立蔻蔻。

不久蔻蔻也穿起了一模一样的白色透明拖鞋。和上回不同的是，这回怎样骂她，对她扬拳头吐唾沫她也不脱了。僵持了一个月，女孩们又换一种拖鞋。她们穿着新拖鞋"夸嗒夸嗒"在作家协会响亮地走，招摇地扭，看蔻蔻这回怎么模仿。拖鞋底是她们从军区澡堂偷回的木拖板，钉的襻子是她们自己用毛线织的。就算你蔻蔻也有贼胆去偷木拖板，毛线你绝对找不到同样的。那是三三和穗子从自己毛衣毛裤上拆的线，橘黄通明，桃红绝艳，几十米开外，就能看见有声有色的"拖鞋大队"了。

蔻蔻这下垮了。她对着耿荻哭诉女孩们种种残忍行径，只因为她爸的过——她爸太想画画了，哪怕画毛主席像都行。耿荻却说："不用理她们。你不是还有我吗？"

蔻蔻看着耿荻。是啊，还有耿荻呢。耿荻这样的朋友一个顶十个。十个人也救不了李淡云，耿荻却单枪匹马把"现行反革命"李淡云救了。李淡云被提拔为公社广播站的广播员，一天早上在大喇叭里祝完毛主席万寿无疆后，又祝已是死有余辜的林副主席永远健康。两个民兵立刻把她绑下，关押起来。耿荻带着省军管会的介绍信赶到时，民兵们正要给李淡云动刑。耿荻最后使了钱才把李淡云接回了省城。

耿荻把"拖鞋大队"的六个女孩招集到女厕所，在地上铺好报纸，从蓝学生装的口袋里掏出两把巧克力。女孩们瞪着五光十色的锡箔纸包着的巧克力，简直就是在瞪一掬珠宝。她们剥开糖纸，仪式般的咬了一口。耿荻看她们相互递了个眼色，意思是：巧克力是真货。久违的香甜在口中化开，女孩们深感离这样的味觉文明已太远了。

耿荻说"拖鞋大队"势单力薄，绝不应该分裂。女孩们说，自从清除了蔻蔻，大家空前的团结。耿荻说你们不要忘了，正是别人排斥你们、孤立你们，才使你们最初那样友爱；那时矛盾冲突也有，但总在格斗或争吵中很快解决。女孩们说，那可不同，那都是人民内部矛盾。耿荻问，难道蔻蔻成敌人了？女孩们说，看看她爸！得意忘形了！跟孙代表拍肩打背，晚上乘凉还坐一块打"拱猪"呢！蔻蔻妈也不是个东西，教孙代表那个蠢丫头弹起钢琴来了！三三的钢琴给抄家抄走了，孙代表凭什么敢动那些查封的"抄家物资"！

到了晚上十点，耿荻烦了，说行行行，都是些难养的小女子，我算领教了。她站起身，拍拍屁股，对女孩们一摆下巴："回见了。"女孩们黯然神伤地坐在报纸上，明白耿荻对她们有多失望。

再看见耿荻是秋天了。耿荻的车后座上常常坐着蔻蔻。蔻蔻穿着合身的"的确良"女军装，比一棵小白菜心还馋人。每看见"拖鞋大队"在作家协会门口坐成一排，一派笑傲江湖的潇洒，蔻蔻就眼皮一垂心碎肠断的样子。耿荻似乎什么也没意识到，大巴掌扬扬，白牙一龇，笑道："向娘子军战士们致敬！"她仍是优越感十足，英气勃勃，一副"狗不和鸡斗、男不和女斗"的高姿态。

女孩们说："看上去耿荻和蔻蔻就是梁山伯与祝英台。"她们浑话归浑话，心里却酸楚得很。她们每个人都认为自己对耿荻的确喜爱超过其他人，也认为耿荻该对自己偏些心。除了耿荻那对辫子虚假之外，耿荻是她们遇到的最真诚一个人。因为一个蔻蔻，耿荻已不可逆转地在远离她们。

这天三三在课堂被老师罚了站。三三在门外站了一会，见蔻蔻也被罚了出来。三三当然不知道，蔻蔻存心惹祸，以得到这一罚。

一分钟后，蔻蔻说："我爸又被你爸揭发了，昨晚给带回农场了。"

三三一句话也没有。

"你爸揭发我爸在农场画了两个女看守的裸体。"

三三奇怪了，问道："女看守把衣服给你爸脱了？"

"不用脱我爸也画得。穿再多衣服我爸一眼就能看出她们光着腚什么样。我爸一向就那样。"

两个人沉默一会，三三开口了。她说："你现在和耿荻成死党了。"

蔻蔻沉默着。

"你不是常去耿荻家住吗？"

"……耿荻家离舞蹈班近。"

"我又没别的意思，你急着辩解什么呀？"

"我没辩解啊！"

"看你急的，我又没说你和耿荻在搞鬼！"

蔻蔻真想咬三三一口。不过现在"拖鞋大队"是三三主事，蔻蔻若想回到集体怀抱必须忍受三三。一共才离开集体三个月，蔻蔻觉得像半辈子。她想死了和女孩们四处游击的生活，装鬼吓工宣队军代表的崽子们，撕毁攻击父亲们的大字报，往"革命左派"老婆们晒的衣服上放毛毛虫，或者齐声大唱充满下流暗语的歌谣。那是多么令蔻蔻神往的一段日子。共同的屈辱和共同的荣耀一样，让女孩们自尊，甚至自大。

"告诉你一个绝对秘密。"蔻蔻向三三凑近一步，"你不准告诉任何人。"

"我保证不告诉。"三三已闻得到蔻蔻嘴里发酵的奶糖气味，"说啊！"

"你肯定要告诉你姐！"

"去你妈的，李淡云一年才回来三次！"

"你肯定会告诉穗子！"

"穗子考上军队文工团了，快走了！"三三说，"滚蛋，你别告诉我了，我不想听了。"

三三把脸转向大操场。雨刚过，操场上密密麻麻布满几千个脚印。

蔻蔻嘴巴贴在三三耳根上，连她蛀虫的牙，她家常吃的猪油蒸霉豆腐，三三都嗅得到。蔻蔻告诉三三，她翻过耿荻的床头柜，发现所有的长衬裤全是男式。还有什么是男式？三三问。

蔻蔻说：还有衬衫、背心，全是军队男兵的！

三三思考一会，问蔻蔻："耿荻肯定摸了你吧？"

蔻蔻脸涨得通红，说："三三你个骚流氓！"

"你们俩睡一个床吧？毙了我我都不相信。"三三说。

"你不相信什么！？"

"你说我不相信什么？"三三坏笑着。

"你爱信不信！"蔻蔻叫起来。

老师的脸伸出来，看看这两个"反革命女狗崽"在门外造什么孽。"罚站都不安生？跟你们反动老子一样，死不改悔！"

放学后老师让三三和蔻蔻继续站在那里。又下雨了，蔻蔻拿出伞，看看英勇不屈的三三，决定也英勇不屈地挨淋。

"三三……"

三三像什么也没听见。

"三三，我告诉你……"

三三仍是什么也听不见的样子。

"三三，你听我说嘛……"蔻蔻崩溃了。

三三说："你不告诉我我也知道——耿荻是个男的。"

尾 声

后来的事是穗子当兵后从女孩们的信上读到的。

蔻蔻终于坦白，说耿荻摸过她。蔻蔻一坦白，"拖鞋大队"立刻宽恕了她，并发给她一双红黄带子的木拖板。那是冬天了，蔻蔻也不嫌冷，"夸嗒夸嗒"地穿着鲜亮刺目的木拖板跟着女孩们吵闹地四处走动。

一切都置好了，她们让蔻蔻去请耿荻。耿荻突然戴起眼镜来了，好像近视得还不轻。进了女厕所，耿荻拿出两把大白兔奶糖。她奇怪了，发现女孩们的没出息馋相荡然无存。

"哟，今天怎么了？拒腐蚀永不沾啊。"耿荻感觉到气氛不对，却仍有侥幸，打着她平素大大咧咧的哈哈。

"耿荻，你不要笑。"绿痕说。

耿荻说："呵，呵！"她仰天大笑。

女孩们都喝："不准笑！"

耿荻的军人血液热起来："我笑了，又怎么样？"

"再笑一个看。"三三说。

耿荻发现情况越来越不妙。

"干什么？你们找死啊！？"她两根粗大的眉毛绷成一条线。

"你欺负了蔻蔻。"三三说。

耿荻大吃一惊。"我欺负蔻蔻？"她看着蔻蔻："蔻蔻，我欺负过你？"

蔻蔻一点也不敢看耿荻，支吾道："嗯……"

"你怎么这样不讲良心，蔻蔻？我怎么欺负你了？"耿荻的目光逼着蔻蔻抬头，和她交锋。蔻蔻却死不抬头嘟哝着说耿荻就是欺负了她。嘟哝着，她猛烈抽泣起来，脸埋在两个膝头上，哭成抽搐的一团。

耿荻伸手去推蔻蔻的肩，蔻蔻甩开她。耿荻又去扒蔻蔻的脸，说："姜蔻蔻，你可是晓得冤枉是怎么回事。你们的父亲更知道冤枉是怎么回事。蔻蔻，你胆敢抬起头看着我说我欺负你，我任打任罚。"

蔻蔻头埋得更深，泼喊泼闹起来："你就是欺负我了！你把我骗到你家，就想欺负我！……"

耿荻站在那里，脸上的笑可怕起来。蔻蔻又拔高一个调哭喊："你趁我睡着就动手动脚！……"大家只听"嗵嗵"两声，耿荻四十码的回力鞋已在蔻蔻身上两次着陆。

"小贱人。"耿荻说道，细眼也不睬蔻蔻地扭头便走。

预先摆好的陈永贵几双大手"哗啦啦"朝耿荻倾塌下来。耿荻明白中了圈套，正要夺门而逃，悬拴在门上的"美杜莎"突然坠落，砸在耿荻头上。

耿荻看看地上的血滴：五！六！七八九……顿时几十滴、上百滴……不久，浸透尿液的地上，汪起一层血。她的血。

女孩们狞笑着，围上来，撕开她洁净的学生蓝伪装。

穗子读到此处闭上眼睛。那是个军营的礼拜天，同寝室的女兵仅穿着三角裤和胸罩坐在地上吃西瓜。一会一阵笑，一笑便笑成一团。

信的结尾非常唐突。女孩们告诉穗子，扒下耿荻的男式衬衫和背心，男式外裤和衬裤，发现耿荻是个地道的女的。风华正茂、全须全尾……

白麻雀

　　她拿了解溲的工具就往帐篷外面跑。刚降过露水，草地一股腥气。她跑了五分钟，一头扎进一人高的黑刺巴丛，才开始用小洋镐刨坑。"女子牧马班"的女娃们就在帐篷边上刨坑，说万一碰上男人，就用洗脸帕子把脸蒙上，只要不给他看见脸，天下屁股都一样。可她不行，胀得多慌都得找片林子或草丛。

　　坑刨了一尺来深，她开始用小洋锹出土。一个月一次的"办公"，坑得挖深些。不然牧马班的两条狗会把脏纸拱出来，到处拖，才要臊死人。

　　她骑着坑蹲下，才顾上四处打量，看看有没有狼或者豺狗打她埋伏。就在她蹲着的一会工夫，天亮透了。牧马班的女娃儿们说，小萧排长跟我们做野人时间长了，就学会屙野屎了，恐怕那时候回成都进军区的高级茅房，倒不会屙了。

　　女娃子们叫萧穗子"小萧排长"。发现她比她们最年轻的还小半岁，就叫她"青沟子排长"（意指小孩屁股上才有块青）。她们知道她天天巴望离开这里，回到有高级茅房的城里去。她在这里体验生活，也让她们烦得很，每个人都要假装讲卫生，再渴都要用珍贵的水来洗脚。好处也是有的，因为她是场部的客人，军马场每隔一天派人送一条羊腿或一桶牛血旺，有时还送洋葱、莲花白。女娃子们一餐能吃一桶牛血旺煮洋葱。

黑刺巴一阵响动，大颗的露水冰冷地落下来。萧穗子猛地回头，没见什么，又蹲回原状。苦就苦在这里，一有风吹草动，前面腿蹲得多麻多酸也白搭。她想，学牧马班吃脏手指捻的面条、脏巴掌拍的饺子皮都不难，难的是吃完之后眼下这一步。

这回她明明听见了响动。出帐篷太急，只顾拿镐和锹，偏偏忘了"五四"手枪。只要"响动"往前一扑，她连裤子都来不及提。她不动声色地蹲着向一侧挪步，手指去够扔在一米外的洋镐。"响动"却在朝另一侧挪步。她庆幸刚才是白蹲一场，不然步骤会复杂许多。她一手束皮带，一手把镐锋调整成拼刺状态。跳舞蹈的"青沟子排长"军事素养差得很，扎个白刃战架势还是有模样的。

她瞪着"响动"。

"响动"也瞪回来。这时远远地传来狗叫。跟夜牧回来的狗正往这里跑。萧穗子缓过一口气，咽一口唾沫，转脸叫两个狗的名字。等她回过头，手里武器坠落到地上：对面的黑刺巴深处，出来一个脸庞。萧穗子十八岁的小半生中，从未见过比它更可怖的脸，颜色就是隔夜的牛血旺。

事后牧马班说"青沟子排长"叫得比狗还响。大家提着"三八"老套筒跑出来，以为狼在撕她。女娃儿们很快把一个人从狗的纠缠下解救出来，绑上绳子。

萧穗子这才看清被牧马班捆绑的是个女人。又厚又长的长发蒙着灰垢，乌蒙蒙的毫无光泽。她两个眼珠子让陈牛血旺的紫红色衬得又白又鼓，成了庙前的门神。

牧马班和她用藏语对话。萧穗子大致明白她们在问她，上次丢掉的两双尼龙袜，是不是她偷去了。她一面否认，一面瞪着萧穗子。女娃儿中的一个告诉萧穗子，藏族女人爱美的就用热牛血涂脸，保护皮肤。她们也试过，效果不错，可惜热牛血太稀罕。

她们问她是否偷过马料。马料是黄豆渣做的，烤一烤人也爱吃。

她不否认了，咧着嘴笑，一张笑成了两排鲜粉色牙床和一堆白牙，萧穗子赶紧不看她了。不看她还是感觉她的两只眼珠子瞪着她的脸，她军装的红领章，她八成新的黑皮卫官靴。萧穗子想，"瞪"不光是眼睛的活动，

"瞪"就是她这样：鼻尖、两个鼻孔、一嘴牙以及整个思维共同形成的凝聚力；"瞪"是这凝聚力向你的连续发射。难怪在黑刺巴丛里，没见她人就感到了她的"瞪"。

她忽然说起汉语来。腔调和用词有点奇怪，但是相当达意的汉语。她承认她在牧马班附近埋伏不少天了，靠马料果腹。回答时她两只黑毛茸茸的眼在小萧排长身上眨着，眨得她直痒。终于她说："解放军好白哟！"

审出的结果，是她想当文艺兵。牧马班女娃儿憋住一脸坏笑，问她想去扫场子呢，还是搬板凳。一个说："那，这位小萧排长缺个提夜壶的，你去不去提？"

萧穗子踢那女娃儿一脚。

大家还没笑完，就听一声："索尼呀啦哎！"她唱了。

简直不能叫唱，就是歌声的一个轰然爆炸。

女娃们一块去瞅萧穗子，想知道她对这歌声的评估。萧穗子却没反应，只是瞪着这个女藏胞：没有姓名，没有年龄，没有来由，却有一条石破天惊的歌喉。第一个感觉是她嗓音的结实，一口长音吼出去，直直往上跑，快到"降B"了，还有宽裕，还远远扯不紧撕不碎。说它优美有些文不对题，但它非常独特。萧穗子虽然不太懂声乐，却明白这条嗓子是宝贝。

当天傍晚，她写了张便条请送羊腿的人带回场部。她让在场部搜集音乐资料的两个同事尽快来牧马班。她说她发现了一个"才旦卓玛"①。

一连几天，场部没有一点音讯回来。两个同伴中有一个是声乐指导，叫王林凤。王林凤到军马场不光采风，也想选拔几名藏族演员。

萧穗子等不及了，一天跟在场部的牛车后面，骑了两小时的马，回到场部。王林凤高原反应，靠在床上给场部演出队的歌手们考试，听了萧穗子激动的报告，无力的手指朝一群藏族考生划了划，说："能歌善舞的民族嘛，拉出来谁都能唱两嗓子。稀奇什么？"

她把王林凤煽动了一晚上，最后王林凤妥协了，答应再加一场考试。

回到牧点，萧穗子把"才旦卓玛"叫到帐篷里，想给她一点台风训练。她不断地说："手别老去搔鼻子，脚不要乱踢，站就站稳。眼睛看着我，不要往上翻。"她发现她的手习惯了赶马蝇子，有没有蝇子都在鼻子周围搔着。她也发现她的脚必须去踢泥土，一个高音上去，脚尖必定踢出一个

①　才旦卓玛：西藏著名女歌唱家。

泥坑。

萧穗子把她往场部带的时候，她脸上的牛血成了斑驳的陈年老漆，手指一抠就抠下一块。抠出来的一片片皮肉色泽果然不错，细腻得很。萧穗子用自己的香皂给她好好搓一遍脸，原来也是五官端正，浓眉大眼的。身材是没办法的；一天两天减不下分量去。好在她个头高大，看上去她不能叫肥胖，应该叫魁梧。

萧穗子一路叮嘱她，要好好唱给王林凤王老师听。王老师五十多岁了，唱的歌比你讲的话还多。王老师收你了，解放军就收你了，所以你不要瞪王老师，老师胆小。

但是萧穗子马上发现她交代的都白交代了。她进了门就开始挨个瞪人，先瞪王老师，马上觉得王老师没什么瞪头，又去瞪娇小美丽的兵痞子何小蓉。她想这个卷头发扎出两个小绒球的乖乖女兵只有十来岁吧？小蓉平时脸皮很厚，这时也给她瞪成了大红脸，为自己解围地说："看啥子吗？我当兵的时候你还夹尿布。"

大家各找了个地方坐下，王林凤拿出一个大笔记本，问说："名字叫什么呀？"王老师在装慈祥的时候样子十分阴森。

她看一眼王老师，嘴巴动了动。

王老师说："什么呀？白麻雀？"

她说："斑麻雀。"

"你名字叫白麻雀？"

她更正："斑麻雀。""雀"是不准确的四川音，发成了"Qiu"。

王林凤转头问小蓉："藏族有这名字？"

小蓉说要不怎么是藏族呢。她把王林凤的笔记本夺下来，叫斑麻雀自己写个名字。她一笔一画写下三个大字，大家一认，明白了，是"斑玛措"。这一带挺普遍的藏族名字，萧穗子向他们解释。她发现王林凤对她做了个苦脸微笑，虽然浅淡，意思却清清楚楚：她爱叫什么叫什么，反正她名字上不了正册。

现在就剩斑玛措一个人站在四张床中间。她一站把屋子、床、脸盆架全站小了。王老师也给斑玛措的比例弄得小小的，两只小白手搁在笔记本的黑封皮上。

"开始吧。"王老师说。他已经想结束了。

斑玛措的紫红藏袍缠在腰上，像是整个人站在一个巨大包裹中。包裹散发出油腻的体嗅，热腾腾地噎人喉咙。

王老师左一遍"开始"，右一遍"开始"，斑玛措就只是站着，神情一片空白，整个人空空的一个音符也没有。

萧穗子说："唉，今天早上你不还唱得好好的？快唱啊！"

她张一下嘴，似乎自己也没料到嘴里空无一物，惊讶地愣住了。但她那一张嘴使大家都提起气来，王老师的鼻孔撑得圆溜溜的。

她却蒙着脸蹲下了。萧穗子跳起来，要上去踢她似的。

王老师慢慢朝萧穗子闭一下眼，手向外扫两下。萧穗子急坏了，说她们练了好几天的歌，斑玛措唱得绝了。

"我们听听啊。"小蓉风凉地说，她早就没了兴趣，一直在用发卡掏耳朵。

王老师说："再不唱就不能唱了哦，熄灯号音一响，就不准出声了。"

斑玛措慢慢站起来，本来又红又亮的脸，红得发紫了。萧穗子一直在猜，她蒙住脸在做什么。现在发现她一直在两个手掌下面笑。王老师满脸无所谓，她唱不唱这作风已让他倒尽胃口。

王老师说："我看今天我们就考到这里。"他摸出烟盒，掏出打火机。

斑玛措这时倒站得笔直笔直。萧穗子求情说唱个短的，两三句词的，王老师若听着对劲，再往下唱。她急忙回头对斑玛措说，唱最短的那个，一共几句"索尼呀啦"，熄灯前准唱完了。

屋子里又一次静下来。尽管静得焦躁敷衍，总还是静的。小蓉掏耳朵掏得销魂，早不在乎这屋里发生什么。

斑玛措站是站出点样子了，脖子也有了，腰里的袍子也不是一大堆了，可就是没有歌出来。怎么逼也一声不吱。随便萧穗子怎么威胁利诱，她只是那么站着。

熄灯号终于响了。

斑玛措脸上的空白顿时退去，取而代之的是一阵觉醒，似乎意识到她这一错就错过了一生。

王林凤早上起床前听见了萧穗子向他形容的歌声。他承认这形容基本准确，也不算太外行。声音是好声音，少见的本钱。他判断歌是从篮球场外的山坡上传来的，惊人的音量、音域。咬字舌头有点大，不碍事，一训练就好了。他在几个滑音上皱起眉，他不喜欢她的花腔，近似羊叫。不过这也不难纠正，高音太漂亮了，海阔天宽，一点不让你捏紧拳头。位置是野位置，应该可以调整，位置找得更好些她还能唱高一个调。

他在被窝里兴奋得出了汗。然后爬起来，拿了桌上的老花镜和笔记本，回到被窝里。一想，应该为自己泡杯好茶，又是背心裤衩地去翻茶叶。再回到被窝，他觉得茶和烟的味道从来没这么好过。本钱好，主要是本钱太好了！

王林凤在"斑玛措"三个四仰八叉的大字后面画了一排惊叹号。

当天他向何小蓉布置，去向军马场被服科借一套新军装，一件白衬衫，要让斑玛措马上出落成一个文艺女兵。

萧穗子和小蓉把斑玛措带到军马场大浴池洗澡。场里女牧工少，所以她们三人泡池子泡了足有一上午。小蓉两只袖珍手蛮得很，给把斑玛措搓澡搓得一身火红。斑玛措像头任人宰割的牛，叫坐着就坐，叫趴着就趴。小蓉咬牙切齿地说："搓掉了一层'斑玛措'，又搓掉一层'斑玛措'……这个'斑玛措'咋还是这么一大坨？"

萧穗子就笑。她开始担心小蓉这种俏皮太恶毒，斑玛措的自尊心会受不了，不过一会她就发现她的担心多余。斑玛措乖乖的，有一点羞涩，那是因为她觉得自己成了小蓉的一份重活儿。

然后小蓉舒舒臂，展展腰，长出一口气说："看嘛，硬是搓小了一圈。"

斑玛措此刻坐在池子边的水泥长凳上，水齐她胸。小蓉站在齐腰深的热水里喘气，喘得夸张，胸脯前进一下，后退一下。斑玛措小心翼翼伸出一个指尖，伸向小蓉。穗子和小蓉不知她要干什么，那尖指轻轻触在小蓉身上。

小蓉痒得一抽身，笑起来，斑玛措郑重地说："好白哟，好像白瓷碗碗哟！"小蓉才不吃亏，嘻嘻哈哈要把斑玛措那一摸找回来。水面浮一层奶脂般的老垢，却不妨碍她们疯。天下女娃洗澡总是很疯。二十八岁的共产党员何小蓉一疯就疯成了十来岁，两个圆而翘的小乳房直颠。萧穗子想，以为穿着衣裳的小蓉漂亮的人们，应该看看此刻的小蓉，否则错过得太多了。

小蓉和斑玛措你掐我一下，我捏你一把，从高兴玩到半恼。小蓉翻脸地捂住自己的右胸，说斑玛措下手没轻重，挤牛奶的劲也用上来了。穗子便猛和稀泥，说小蓉先往斑玛措小肚子上踢的，然后捺着斑玛措的头给小蓉鞠躬道歉。

小蓉生气没长性，爬上池子就开始猛抒情了。小蓉唱歌和她外形很像，小号女高音，极漂亮，尤其在澡堂子里唱，一个个音符圆溜溜地到处滚动，撒了一把珠子似的。斑玛措赤裸着伟岸的身体瞪着她，自惭形秽起来。然后她瞪着小蓉把毛巾拧成一股，嘴里叼着梳子，两手拉住毛巾的两端，"劈劈啪啪"地打着头发上的水珠。小蓉简直给她看成了一出大戏。

启程回成都的早晨，场长乘自己的吉普来了。他脸色很难看，说场部一个科长遭一个知青报复，大腿中了一发"三八"枪弹，他的吉普要送伤员去成都动手术，因此文工团一行人就不必搭乘长途汽车了。

一打开车门，钻出刺鼻的血腥和碘酒气味。人勉强塞进去了，行李却怎么装怎么多出来。三个人的眼睛都看着斑玛措的牛皮口袋。王老师首长似的说："轻一轻装，啊？当兵打仗要甩掉包袱嘛。"

斑玛措不懂什么叫"轻轻装"，仍把牛皮口袋抱在怀里。小蓉上来捏捏牛皮口袋："什么东西呀？我当兵的时候一双老百姓的袜子都没往部队带。"

斑玛措这下明白了，抱着口袋往后一挪。

小蓉想，好了，民族矛盾就此开始。她把下巴一抬，说："打开。"

打开的牛皮口袋让大家看不出所以然。里面什么都有；什么都不齐全。几只小孩的靴子，上面镶的图案已掉的差不多了，几块皮毛，一些卵石，断了柄的梳子，旧藏袍，节日穿的彩色普毡，家织的羊毛线。

小蓉的表情在说，明明是一堆垃圾嘛，但她嘴里的词还是用得很当心。她告诉斑玛措新兵从里到外必须新，连裤衩都要穿军用裤衩，所以一般不允许新兵带太多行李。

斑玛措站在渐渐升高的太阳里，特号的新军装闪着绿光，军帽在箱子里压了多年，此刻成了扁扁一片，挂在她一大堆头发上。看上去衣服不是她自己的，整个人都不是她自己的了。

三个人都想，把这么个斑玛措带回文工团，可不大拿得出手。

这时斑玛措说话了。她说口袋里不是她自己的东西，是别人送她的礼物，这些东西是她从小到大的收藏，现在象征她本人，让她带到异乡去。她把这话讲了好几遍，三个文工团员才陆续明白。他们想，这是一个动不动就以物寄情的民族，可以不嫌麻烦地背着这么沉重的象征。

车里的伤号牛吼一声，说："车子死球了？咋个不动吗？"

王老师把自己背包带解下来，将斑玛措的牛皮口袋绑到车顶上，吉普总算上了路。

一路上斑玛措很高兴，给她吃什么她都"哦呀，哦呀"地接过去。问她是不是这一带的大美人，是不是让不少小伙子心碎过，她都嘴咧得大大的"哦呀"。问她为什么不嫁，她说她才不会嫁。三个汉人来劲了，问小伙子们是不是军马场的牧工。她又是"哦呀"，脸上却鄙薄得很。小蓉说，噢，晓得了，你要嫁个骑兵团的排长！

斑玛措一下子不笑了，一种美丽的羞涩浮在她眼里。原来她也有汉人女人的羞颜。

场部礼堂的白墙马上要看不见了，一个骑马的人从墙后跑出来。汉人们说，该不是追我们的吧？斑玛措说："狗日的。"才几天，她和小蓉一样张口"狗日"闭口"老子"。不过斑玛措刚才这声"狗日"说得甜蜜蜜的。

公路很烂，弯弯也多，那匹短腿马居然追近了。汉人们从后窗看，见灰土大雾里挺出一个飞毛好汉，把马往死里打。司机就怕没人和他赛跑，杀出这名骑手，他马上换了副好精神，车子开得乘风破浪，颠得伤号直叫："再给老子补一枪算喽！要痛死老子哟！"

马四条粗壮短腿拉成一条线，肚皮都要擦地了。在车上坡前，人和马终于追上来。斑玛措两只大拳头直捶腿，又是叫，又是笑，捶着捶着，捶到旁边的瘸科长腿上了。瘸科长一胳膊肘回来，嘴里荤得厉害。斑玛措正做骑手的拉拉队，根本不在意自己被骂成了什么。

骑手已和吉普平行，突然一马鞭抽过来，差点打烂车篷的旧帆布。车里的人全在座上一蹦，缩紧脖子。

司机咬牙切齿哼着"我们的队伍向太阳"，把车耍成一条大龙，企图把一人一马整下公路。

又是几马鞭抽在吉普上，吉普给他打成一面鼓。四只马蹄子在公路崖边上飞檐走壁，靠外面的两个蹄子几乎是悬空地跑。王老师真做首长了，命令司机立刻停车。而司机野惯了，哪里会理睬这样一个只会唱歌的首长。

斑玛措摇下车窗，车里车外喊起话来。不久，喊话中带出呜咽，车里车外是两张泪涟涟的脸。

吉普车里所有的汉人都装着没听见也没看见。

山路陡起来，马渐渐慢了。斑玛措又喊了一阵。骑手在公路尽头跳下马，马和人都站得眼巴巴的。

汉人们不好意思地静了一阵，才问斑玛措两人刚才在喊什么。回答说是两人吵了一架，因为说好在长途汽车站为斑玛措送行的，而她不守信，竟坐了吉普偷偷跑了。

汉人们便有些明白，那个好汉可能就是送了斑玛措一堆沉重象征的人。

在刷经寺吃了午餐之后，司机背着伤号去上茅房。一上上了半小时。文工团几个人坐在吉普里打盹，被一阵人马杂乱声先后惊醒。往窗外一看，停车的篮球场四周站了上百人，有的是两人合骑一匹马。

斑玛措推开门滚身下车。

人"哗"的一声，立刻旋成了一个漩涡，斑玛措是中心。萧穗子和小蓉惊叹说："看来斑玛措真是这一带的才旦卓玛。"王老师说："可不是吗，就差向她献哈达了！"

正说着十多条哈达果真捧了出来，套在斑玛措的脖子上。

然后就听斑玛措唱起来。很奇怪，她嗓音不是一贯的嗓音了，是低回喑哑的，每个句子都滑向她音域的最低限，终于低不下去而化为一声叹息。

萧穗子推推王老师，王老师转过一张伤心的脸，笑笑说："完全不同的音色，是吧？看来她潜力特别大。"

斑玛措披着一堆白哈达回到汉人们中间，怅然若失得很，却没再去理会向她招手的人群。到了傍晚，她缓过来一些，才对汉人们解释下午是怎么回事。为她送行的人原先等在长途车站外的公路上，发现她已离去，便追赶到刷经寺。

这时他们停在一段塌方的公路边，等着藏族民工抢救路面。瘸科长伤痛得厉害，止疼片也止不住他嘴里越来越丑的话。王老师非常生气，对两个女兵嘟哝军马场的军人哪里还是"我军"？是土匪！领那么多高原补助费，又不缺肉吃，还对知青那么恶，遭报复活该！他们都宁愿到公路上淋毛毛雨，也不在车里听瘸科长暖和的脏话。

三个女娃儿上到一处高坡，在湿淋淋的灌木后面解了溲。斑玛措心情全还了阳，裤子没束上就"索尼呀啦"起来。

何小蓉也开始唱。珠圆玉润的小高音一出口就化在雨雾里，她自己也没料到音量会这样小。

她找台阶下似的，手拍拍萧穗子的脑壳，说："唱嘛，唱起暖和！"萧穗子一张口更意外了，平常也能唱两句的她，此刻根本就没有声音。荒野里唱歌就得有三分马嘶三分牛吼才行。

从坡上跑下来，发现二十多个藏族民工都杵着工具站在那里。其中一个说了句藏语。汉人们不懂却听懂那句子里夹了"斑玛措"三个字。

斑玛措走过去，把他们接见一遍，再转回来时，有一点伟人感觉了。她告诉汉人们，民工们一听她唱歌，就知道必是斑玛措无疑了。

汉人们想，这地方收音机收不到广播，出了个斑玛措自然也就给传得很神。不过他们对斑玛措的名望还是有些吃惊，甚至有点嫉妒。只有王老师想到，藏胞们把斑玛措瞒住，没推荐她到场部参加考试，是为了把她留给他们自己。

斑玛措跟着三个汉人走进文工团院子的这天，是成都最热的一个夏天中午。几个分队在院子里集合，听副政委骂人。副政委干瘦一张脸，骂起人来漆黑漆黑。假如谁说"听副政委训话喽"，他便说："训啥子话？我就是要骂人！"

副政委正骂一些男兵女兵演出的时候不老实，躲到天幕后面亲嘴，口腔卫生都不讲。王老师领着斑玛措走进大门，后面是何小蓉和萧穗子。毒日当头，挨惯骂的男兵女兵此刻给晒得万分沉痛，从军帽阴影下看着三个军人夹了个高大壮硕的形影走来。那形影驮一个口袋，毛发飞张，腿有些罗圈，走在玲珑小巧的何小蓉旁边，像一匹穿了绿军服的大骆驼。

副政委背对大门，不知背后发生了什么，只觉得所有兵们都奇怪地振奋起来，不是给骂舒服了就是给晒舒服了。他想，皮是真厚啊，娃娃们！一个女兵开始咬了一个男兵的耳朵，脚也疯起来了，一个踢一个踹。副政委刚要喊他俩的名字，男兵指指他身后。他这才回过头去看，然后说："王林凤你招的新兵呢？"

王老师一愣，自信心接着就崩溃了。他指着斑玛措说："不好招，这一个还是跑很多牧点找到的。"

副政委是政治老手，马上官样文章地笑了，说欢迎欢迎，我们团里从此有了一位藏族战友了！大家想这下他给打了岔，不会让他们继续晒太阳了。副政委却手一挥，请王老师一行入列。

又是十来分钟，副政委讲伙房泔水桶里的包子皮。他说可怜这些包子，内膛给掏得干干净净，皮囊给丢在臭泔水里。他看见面前一排排眼睛都黑洞洞的对准他，仇恨已顶上膛来。但副政委想，你还有脸恨我？我迎着太阳光，让你们这些小龟儿多少有点阴凉。他每次折磨他们就演壮烈的苦肉计，若下雨他便自己淋着，让他们站在避雨处，若是暴晒，他也是一个人顶个太阳。副政委坚信别人义不容辞地吃苦，是因为他自己吃的苦永远比你多一点。这时他眼睛扫向那个被王林凤带来的藏族女性，她站在队伍末尾，嘴唇上一圈汗珠，粗壮的脖子水淋淋的。副政委现在骂的是把军裤改为阿飞裤的女兵。又是五分钟，他看见藏族女娃站得不对，既不是立正也不是稍息，再细看，见她面前的洋灰地面上有几滴汗珠。副政委想，这帮娃娃们今天沾了她的光，不然他还有五个重大主题要骂呢。

不仅不笑，她完全是局外的，像站在一边看人类马戏的温敦的牦牛，两只大黑眼珠毫不懂得他们的企图，但不去懂得已先原谅了他们。值勤分队长喊了声"解散"。队伍稀松得神速，各种调笑同时已冒出来，只有斑玛措还盯着自己的影子站在原地，何小蓉和萧穗子拎着她的牛皮口袋往宿舍方向走。走了一阵，发现她没跟上来，再回头，见她蹲下了，两手抱头，从来是无形无状的军帽落在地上，军装的背后整个湿透，汗渍一直延到屁股上面。叫了她一声，什么反应也没有。然后她便"哇"地呕吐起来。

诊断结果是中暑。几天之后斑玛措还是两手抱头，告诉小蓉她脑壳痛，什么都让她脑壳痛，密密麻麻的人，到处吵闹的乐器，三十几度的潮闷炎热，司务长腿上的黑毛。司务长整天穿着男舞蹈演员的练功小裤衩管理伙食，露着两条黑毛腿到处发送避暑饮料，斑玛措一见他就把眼紧闭。几个领导都让家属给她煮小灶，蛋花汤面端到她床前，她满脸都是恶心。

一天夜里，有人在洗衣台上看见斑玛措，她躺在半张单人床大的青石板上四仰八叉地睡了。把她叫醒，说青石板太阴湿，怕她往身上惹病。她一手抹着睡出来的口水，一面大发脾气，说她瞌睡七八天了，苦热睡不着，刚在这里睡个凉快觉，就来烦她。她说的话有一小半藏语，手上动作狂乱，各个窗口的灯很快都亮了。

王林凤一撮灰白头发竖在空中，对人们说斑玛措从来没出过高原，生平第一次受这样的炎热，也容人家有个"盆地反应"时间。他拿了一张草席让斑玛措垫上睡，斑玛措试了试，不领情地把席子扒下来，一扔。

接下去，斑玛措就把洗衣台占领了，睡在那儿，吃也在那儿。吃是不吃什么的，一天只啃些黄瓜、西红柿，啃完到水龙头下去冲冲手，冲着冲着把两个胳膊也冲进去，最后索性把头和脸都塞到水池里。家属们来洗衣服洗菜，她就盘腿坐着呆看，半天眨一眨眼，半天再抬手掸一掸爬行在脸上身上的苍蝇。蚊子叮了她一身包，她只是两个脚交错蹭一蹭，动作和她眼睛一样无神。

王老师急得向几位领导保证，这个斑玛措绝不是他招来的那个斑玛措。那是个浑身活力的"小才旦卓玛"，铁打的一个身坯一条嗓子，绝不这么瘟。副政委说盆地反应他可以谅解，但睡洗衣台成什么话？一个女娃无遮拦地在外面过夜出了事呢？王老师说他们藏族夜牧都这么睡。副政委说民族习惯我们可以尊重，不过也不能特殊化得成了阿尔巴尼亚外宾吧？

最后是何小蓉把斑玛措弄回屋去了。人们发现斑玛措在何小蓉面前特别乖。小蓉走到洗衣台，伸手拉她，嘴上说，好生起来，我拉不动你。斑玛措把她手一推，自己起来，跟她回室去了。

在斑玛措回到床上睡觉的那天夜里，一场暴风雨来了，气温一下降了十来度。早晨院里涨了水，把各角落里塞的破烂都漂了出来，断裂的弹板，"娘子军"用的海绵步枪和大刀片，油漆剥落的"毛主席语录"牌。

所有人都为不必练功而喜出望外。斑玛措满院子蹚脏水，拿着被风刮断的树枝挑起水上漂的练功鞋、塑料花、搪瓷碗、死耗子，自己跟自己"哦呀"，自己跟自己咯咯地笑。白衬衫被雨淋透，两个黑乳头顶了出来。萧穗子打了把伞跟在她后面追，到大门口才把她追上。萧穗子用力一窝下巴颏，眼睛盯着她胸口说："还跑呢，看你什么露出来了？"斑玛措看看自己，又马上抬头看穗子，不明白露错了什么。

但她的狂喜心情多少受了点打击，一脸寻思地跟萧穗子走回去了。

雨下了一个星期，之后就有点秋天的意思了。雨后的斑玛措瘦了，白了，头发也剪了，学小蓉也扎出两个绒球来。新军装的僵硬消失了，帽子也不再是一张绿烙饼，嘴损的男兵说："原来斑玛措是个女娃儿！"

新年之前，王林凤都把斑玛措当秘密武器藏着。他把其他演员的上课时间缩短了，每天上午的课时都给斑玛措。他要斑玛措一手摸肚子，一手拢耳朵，"咪"一声"吗"一声地吊嗓。斑玛措记着出声便忘了喘气，找着气流就忘了发声，忽而发现王老师和自己的姿态都很丑陋，一个音发到半截便笑垮在地上。斑玛措的笑不能叫"一阵笑"、"几声笑"；斑玛措的笑是"一摊笑"，她偌大个身躯顷刻间会哈哈哈地坍塌成一摊或一堆，然后无论什么样的地面都任她翻滚踢蹬。王老师的老婆总是唠叨王老师，要他盯住斑玛措，别让她地上滚完又去坐床沿。她不仅在王老师的地板上滚，偶尔也在院子里滚，落着鸡粪、扔着烂菜皮、毛豆壳、长着棕色潮苔、爬着西瓜虫的水泥院子让她滚成了风吹草低见牛羊的大草地。

而斑玛措的哭却内敛而沉潜。有回她早晨出操没看见小蓉，便跑到舞蹈队，跟在萧穗子后面完成了操练。穗子告诉她，何小蓉探家去了。当天晚上她坐在小蓉铺上等，认为熄灯之前一定会把探家的小蓉等回来。

熄了灯很久，她六神无主地找到萧穗子，问小蓉的家在哪里。穗子问她要干嘛。她两眼空空，嘴半张着，像是给铁石心肠的家长撇在陌生城市的孩子。穗子从床上起来得急，绒衣也没顾上披，匆匆劝她，小蓉年年有一个月假期探望野战军的丈夫，但小蓉特别革命，从来是两个礼拜就归队。

斑玛措这时眼睛不空了，死盯住穗子。穗子问她怎么了。她却反问："分队长结了婚的呀？"她声音和吐字听上去都奇怪，几乎是痛苦的。不止痛苦，是心碎。

接下去，更奇怪的事发生了。

穗子看着两颗硕圆的大泪珠从斑玛措眼角滚出来，在蛛网笼罩的灯光下，成了镶在她脸颊上的两粒玛瑙。

穗子怕起来，说："你可以给何队长打电话嘛，实在想她你还可以去看她，她丈夫的野战军离这只有一小时的路。"

而穗子的每句劝慰都让斑玛措往后退一步，猛烈摇摇头。她哽咽着说："分队长怎么结婚了呢，她为什么结婚了呢？"

穗子说："人家何小蓉是连级军官，二十八岁，她不结婚谁结婚？"

斑玛措压抑自己，但穗子看见委屈就在她的强力压迫之下猛烈哆嗦。眼泪真多啊，汩汩地冒，一会在草绿军装上洇出更深的绿。绿色下不再是原始的魁伟身材，小蓉已经精心雕刻了它。两个月前小蓉把最大号码的乳罩买来，叫斑玛措脱光上衣，替她往身上戴。一个喊："一二三！"另一个就吸气憋气，反复许多回，纽扣和襟眼总没希望碰头。小蓉咬牙切齿地说："狗日一身'手抓肉'！"斑玛措便不行了，翻跟斗打把式地笑，把小蓉地上的浮尘全部笑干净了。小蓉最后帮她系上了纽襟，到前面一看，发现一边一个半圆还露在外面，只好用手去塞。斑玛措低下头，看小蓉两只白嫩细小、狠毒有力的手终于把她自由惯了的乳房严实地囤了起来。从此斑玛措身上那草原般粗莽浑厚的起伏消失了，浮现起都市的尖锐轮廓。

"去睡觉吧，都快十二点了。"穗子的牙微微地磕出响声。

斑玛措用手掌把鼻子朝上一抹，动作果断。一种遭人背叛、化悲痛为力量的果断。

"明天让总机帮你要个长途，给小蓉打个电话。"穗子说。

"不打！"斑玛措大声说。穗子给她如此之凶的声气唬了一跳。再来看她的面孔，那野蛮是一目了然的。穗子想，让她爱戴是很美好的，让她仇恨也很可怕。而爱和恨之间，就隔一层泪水。

何小蓉刚回到宿舍就听谁在院子里喊，说斑玛措在厨房打架。小蓉跑到食堂，从打饭的窗口听见斑玛措在里面咆哮。门从里面闩上了，炊事班长陈太宽和司务长抓着菜脑壳、莴笋根当武器，朝斑玛措投掷。何小蓉的小高音都叫得起了毛，斑玛措一点也听不见，手里拎着一大桶剩菜汤，打算往对手头上泼。炊事班的菜汤是用炒完菜的刷锅水做的，里面扔上粉丝和海带丝，再撒些肥肉片和切碎的老菜帮，从来没有销路。斑玛措一桶菜汤已泼出，马上又从锅里舀几大瓢滚热的，还往里加一勺熟油辣子。

"斑玛措，你给老子开开门！"小蓉在拍着窗玻璃，巴掌心拍得血红。

离窗一步，就是虎背熊腰的斑玛措，把半桶菜汤在头上抡成个热腾腾的圆圈。小蓉想起来了，斑玛措抡套马索准头极好。果然铅桶在斑玛措头顶飞旋了几圈后，便朝陈太宽而去。幸亏斑玛措没起杀心，桶只打在陈太宽脑袋上方的墙上，鲜红的熟油辣子一条条淋下来，乍看也是血肉横飞的。

副政委带着半脸午睡跑来，见斑玛措一身披挂着海带、粉丝、蛋花，汤汁顺着她的辫梢湍急地流，一边红领章上巴一片肥肉。小蓉两手捺住她，用身体把她抵在大米箱上。

司务长一面用洁白的手帕擦脸上的菜叶，一面说斑玛措如何挑的事：她跑进伙房自己动手舀了半饭盆猪油渣，陈太宽阻拦，就把她给得罪了。

斑玛措大声说："他们骂我！"

何小蓉瞪她一眼，她静下来，呼呼喘气。小蓉扫一眼副政委正在黑下去的脸，解释说斑玛措不习惯汉人的伙食，什么芹菜肉丝、豆腐肉末在她看就不算肉菜。长到十八岁，她是吃肉喝奶的……

陈太宽尖起嗓子笑道："谁个不想吃肉喝奶？把她高级的！"

小蓉不理他，继续向首长汇报。她说她眼看着斑玛措脸色黄下来，碰上吃韭菜，她一口饭都不吃。

"他们骂我！"斑玛措插嘴，挑起沾了蛋花的浓眉。

司务长说今天的不幸就是韭菜惹的。斑玛措说韭菜肉丝是草，炊事班舅子们把她当牛喂。"炊事班的同志很辛苦，未必他们不想往韭菜里多搁点肉丝。肉不是限量吗？要是大家都像小斑同志这样，非要吃纯肉，还要吃大坨坨的，我工作怎么做，你说是不是，政委？"

小蓉和司务长争，说藏族同胞的肉食定量多一些，炊事班不另为斑玛措煮"坨坨肉"，至少也该让人家吃够自己的定量，不然把她多出来的肉食搁在咱们汉人的大锅饭里，不成了咱们汉人集体占人便宜吗？

副政委把打架双方各打了五十大板，然后说斑玛措的肉食定量给她另算，该多少肉票全数算给人家。她自己想一顿吃一顿吃，想十顿吃十顿吃，平时三顿饭，还在大锅里吃。咱们汉族是大家庭，要有个大气度。说完他转向斑玛措，脸摆成一个好脾气老汉，问道："小斑同志，你看咋样？"

"他们骂我老藏民！"斑玛措又有点捺不住的样子。

副政委说："我不是已经批评他们了吗？"

"我不是'老藏民'！"

小蓉扯住她往外走，嘴里说："对，你不是。"

"我是'民族'！"

小蓉马上说："对，对，是'民族'！"她按她的发音，把"民族"的"族"发成"斑玛措"的"措"。汉人们全懂她尊称自己为"民族"，尤其在这种情况下，连"少数民族"都不能说，谁是"少数"？！

斑玛措的首次登台时间一再延后。王林凤的脸总有点神秘，说要等再成熟一点。原先已安排斑玛措在元旦亮相，服装都定做了，而王林凤在合乐那天变了卦。这样就推迟到了春节。春节演出场次多，独唱演员们都怕嗓子顶不住，要求多一些第二梯队。王林凤几乎被说服，但临场又改了主意，一鸣惊人的架势越扎越大。

王林凤说一个天才歌唱家就怕随随便便当起明星来，早早就唱成油子，埋没了宝贵潜质。上台太早，接受的掌声太多，虚荣心自然长得飞快，那时斑玛措即便是一座金矿，他王林凤也别想再继续开发。而斑玛措在王林凤看，就是一座原始金矿。他把声乐演员们全推给其他声乐教员去指导，时间和精力都腾出来教斑玛措识谱，教她基础乐理和简单的钢琴弹奏。

王林凤家一里一外两间小屋，外屋兼厨房和客厅，盖上钢琴盖子便是写字台。斑玛措一来，王老师两个孩子就得收拾掉琴盖上的所有书本，把写字台恢复成钢琴。

斑玛措开始发声练习，王林凤坐在孩子的上下铺上为她弹琴，同时大声给她指令："注意气息——往下往下！又上去了！位置位置！"为将就斑玛措的理解力，他把语言修改得更形象，一手按着琴键，一手在自己脸上头上比画，五官用力运动，"打哈欠！忘了打哈欠怎么打的！？对对对！这个哈欠打得棒！唉，别真打哈欠啊！"

斑玛措抹一把打哈欠打出的泪水，无所适从地张着嘴。王老师停下琴，不知该拿她怎么办。她从他的表情知道"位置"早跑了，早不知跑哪儿去了。其实她从来不知道王老师最看重的"位置"是什么，只知道她唱到最受罪的时候就得到一句表扬："好的，保持这个位置。"她不懂原先与生俱有的歌唱现在怎么变得如此之难，一张口要记住怎样喘气，怎样摆口形，怎样提升鼻子，怎样持续"打哈欠"，又不能打成真哈欠。十八年岁月，斑玛措有百分之三十是唱着度过的，唱像吃喝、睡觉、行走一样自然，不假思索，唱是大笑和发怒，唱是做白日梦，谁用得着去学笑和做白日梦呢？

"唉唉唉，注意，野嗓子又出来了！"王老师提醒道。他极不舒适地半猫腰坐在上下铺的下铺，前伸的脖子上攀爬着这青紫血管。"不要图亮，好的声音不见得有多亮！"他看一眼迷惘的斑玛措："歇口气再来。"

再来。斑玛措想她曾经那种长嘶的欢乐或许永远失去了。这样一想她就黯然神伤了，嗓子抽紧口子，鼻腔堵得满满的。琴声却耐心地奏着，她只有唱下去，王老师打不得骂不得地爱她，她不能伤他心。音阶一个一个把她往高处带，她无知无觉地"咪"一声"吗"一声，声音像是别人的。

王老师脸上露出老奶奶的微笑，大声说："好一点，保持住。"他搓搓冻疼的手，干燥的手心搓得纸一样响。

斑玛措每回唱得痛苦不堪，王老师准会高兴得搓手搓脸，再把两手猛一分开，比成两把盒子炮。

"大有进步啊——再来！……打哈欠！鼻子上去，上去！……不要鼻子！把鼻子扔脑门上去！……打哈欠，对对对！好极了！不要鼻子！……"

斑玛措觉得自己的歌唱在伸手不见五指的黑暗中瞎撞，只有王老师的提醒是黑暗中伸过来的一只手，有时搭她一把，有时却给她一掴子。

"停！"一掴子冷不丁打过来，"又来了！说了多少遍，不要一唱就由着性子来'哦嗬哦嗬'……"他歪曲地学她，"我不要这个'哦嗬'。刚才多好？怎么忽然就走份儿，顺着野份儿就撒起欢儿来了！再来。"

只得再来。

她怕起王老师来。每天早餐时，她无论胃口多好，只要一想到饭后的声乐课就饱了。坐到餐桌上，她看着男兵女兵们调笑打闹，羡慕得鼻子发酸，她给一个无形的锁链锁着，而他们鸟一样自由。斑玛措的前辈是奴隶，她的歌唱现在做了奴隶。这奴役连她和小蓉一块躺在床上嗑嗑瓜子的乐趣也不放过。连小蓉与她共同洗澡为她搓背的舒服也不放过。曾经她最乐意为小蓉搓澡，她喜欢自己的指尖触在小蓉身上的感觉，小蓉的皮肤总是微凉的，微涩的，又雪白雪白，她喜欢自己粗糙结实的手和小蓉的娇嫩所形成的对比。而这欢乐如今也黯淡了，她常在给小蓉搓澡时失神，不久就听小蓉抱怨给她搓痛了。

王老师脖子上的血管狠狠一挣扭，她嘴里跑了个调。

王老师两臂一垂，快要哭出来。

"咱不怕，小斑，退步是进步的开始。"

斑玛措觉得自己随时会两膝一软，跪地求饶，但她看见王老师更想给她下跪，就忍着唱下去。直唱到王老师也糊涂了，她自己都听不下去的声音，他却说好，从下铺钻出来给她冲白糖开水。

四月底的助民劳动是斑玛措的奴隶大翻身。每天抢插多少秧苗也不累，总笑得一身烂泥。插秧到第三天，装病的就多起来，斑玛措一人包三人的活路，有时一手拽着血淋淋的蚂蟥就唱起来。她自然是把王老师教她的"位置""气息"全数还给了王老师，去唱的又是娘胎里出来的那条野嗓子了，只是在捆绑许久后越发的张牙舞爪。这时她才发现身上的乳罩腹带多狠毒，缚住她草原般深远的呼吸，歌唱不能像从前那样由着性子翻跟斗打把式。

王老师却在另一块田里动了气，认为斑玛措在造他的反。他自言自语，说这怎么行，这是巩固错误！他跳上田埂，一路踩倒不少棵豆苗，跑到斑玛措那块田边。王老师的好脾气荡然无存，指着斑玛措就嚷嚷，说她尽可以自己去野唱，以后不必来上课浪费他的生命。斑玛措眼睛看着水田，自己庞大的身影畏缩了，蚂蟥留的洞开始作痒作痛。王老师又说："小斑我是为你好，我课上给你纠正一个错误，你课下轻轻松松就可以复辟，你说我们俩这样拧着干有没有意思。"

斑玛措知错地沉默着。

王老师把巴掌拍得很响地说："欢迎我们小斑同志唱歌，让她把这半年的声乐训练成绩跟大家汇报汇报！"

斑玛措这一刻心里恶狠狠的。她想跳起来对王老师说，我恨死你了！斑玛措是从一个最懂善恶、最知恩图报的古老民族来的，她知道王老师是绝不该恨的，恨王老师是造孽。但她这一刻就是管不住自己，就是恨这个两个鸡脚杆，脖子上攀着古老青筋，一给人鼓励就把手指比成双枪的王老师。

王老师的两个食指对准斑玛措，一再鼓励。斑玛措却低低弯下腰，埋头插秧。王老师在田埂上跟着她往前走，她就一直不直腰。已经很累很乏，斑玛措却觉得比王老师教她唱歌的那种累好到天外去。

斑玛措的首次登台亮相，成了全团人的一桩大事。王林凤吊起了人们奇馋的胃口，连从来不过问周围任何事的首席小提琴毕奇都在早餐时对斑玛措凑了句趣，说祝小斑当晚一鸣惊人。

下午两点，何小蓉开始给斑玛措化妆，三点，发型师给她试头饰，四点，服装员把五件袍子全挂在带轮的服装架上推出来，让斑玛措一件件试。涂了个樱桃小嘴，画成大丹凤眼长柳叶眉的斑玛措嘴唇微微翘起，吸溜吸溜得像给辣椒辣辣伤了，眼睛动作也是新的，抬不动大黑眼皮似的，目光从半垂的睫毛下打个弯伸上来，就有了一点暗送秋波的意思。

女舞蹈二分队的女兵一块跑来看热闹，发现斑玛措抹白了脸和脖子，也是娇滴滴一个美人。

萧穗子见她任人宰割的样子，忍不住笑起来。她也笑一下，又怕把一张画出的脸笑坏，马上收住，手去摸头，摸颈子，指头也开出了兰花。

何小蓉和服装员各拉着板带的一头，拦腰给斑玛措缠上。板带是练跟斗用的，有半尺宽，中间一段行纳成了牛皮。斑玛措的腰在板带下细下去，小蓉仍咬着牙关说："狗日斑玛措，你平常咋穿裤儿的？腰杆都莫得你皮带拴在哪儿？这下好了，有地方拴裤儿了。"

王林凤最紧张，嘱咐斑玛措晚饭少吃，俗话说"饱吹饿喝"，可又不能不吃，不吃没中气。他一会抱怨妆化得不够好，一会又说服饰颜色不对。再按他的意思调整一遍，斑玛措已两眼发直，被折腾傻了。"傻"这状态让她一直带到舞台中央。离她三米左右，是乐队，音乐奏起来。她还是觉得舞台上站的不是她斑玛措，是这个被板带、胸罩、腹带扎得硬邦邦的木偶。

斑玛措珠光宝气地哑在舞台上，过门已奏了两遍。

王老师在大幕边上捶胸顿足，手上抓个铃鼓，恨不得朝浓妆艳抹的呆头鹅砸过去。铃鼓的响声奏效了，斑玛措从站立的休克中清醒。台下隐约的黑脑袋浮现出来，上千个黑脑袋，她浑身汗毛乍然立起，但她毕竟开始唱了。

这回更不能叫唱，是歌声的一个核爆炸。

男兵女兵们全挤在侧幕边上，看着斑玛措忽然向天幕转过身，把脊梁以及脊梁上一排大别针给了观众。那些大别针是为了把她的坎肩收窄而临时别上去的，等于让观众看到了她的幕后机关。观众大声议论起来，开始鼓倒掌喝倒彩。他们给各种各样的演出做观众，从来没这样被得罪过，听唱歌却只配看个别满大别针的脊梁。

天幕画的是若尔盖草地。斑玛措对着它，又唱得牛吼马嘶。她微挺着肚子，两肩耸起，每"哦嗬"一下头就往后一仰，膝盖也跟着一屈，完全是个赶牛群下山来的牧女。

观众静下来。他们是老奸巨猾的观众，马上认识到这歌声的独到。他们被斑玛措的音量吓坏了，不借助麦克风也灌满场子，胀痛人的耳朵。歌自有它的优美，只是过分浓郁稠厚，人们觉得难以消化。他们听惯了洋泾浜藏歌，正如他们习惯去欣赏一切杂交串种的东西，交响乐《沙家浜》，钢琴伴唱《红灯记》。

斑玛措这下可为自己做了回主，唱得心舒肺展，回肠荡气。她把歌重复了三遍，不顾后果地拖长腔，加滑音，解痒止痛地狠狠"哦嗬"，下来你枪毙她，她也不在乎，只要让她把绑了八九个月的歌统统松绑，放飞。

当然是把王林凤老师的所有教诲勾销了。王老师瘦弱地站在大幕边，听着她歌声中自己浪费掉的生命，听着她的"哦嗬，哦嗬"冲刷掉他灌输的乐谱、节拍。

何小蓉和萧穗子也感到斑玛措临阵起义颇伤感情。她们一个教舞步，一个教台风，也搭进去不少午睡。见斑玛措下台来，何小蓉一声"龟儿"就闯上去拦在斑玛措面前说，你个龟儿把老子脸丢完了！

斑玛措又是个木偶了，两眼直瞪瞪的。足有两三分钟，她才说出话来。她说："那么多脑壳，黑漆麻麻的，比牦牛还多！"

副政委注意的是另一件事。他记得斑玛措的那首歌是根据一首藏语歌填的词，曲调也让创作组的两个作曲加了工，准确地说是把原始调子文明了一下。但斑玛措在台上唱的都是原先的藏语歌词。他问斑玛措原词是什么意思，听了斑玛措粗粗的译文，他想日先人的这不是要我犯大过吗？歌词是吊膀子的意思，还吊得怪色情！只要观众里有一个像他这样政治觉悟高的，文工团就要关大门，他规定斑玛措以后独唱一律唱《北京的金山上》和《翻身农奴把歌唱》。

王林凤却什么也没说。到第二天开早饭时间，他在食堂里找到斑玛措，说小斑你稀饭就不要喝了，我家属给你煮了胖大海蜂蜜茶。他下巴温和地一摆，叫斑玛措跟他回家。

斑玛措头天晚上挨了一晚上数落，今早本来想去卫生室骗病假条，罢唱几天。一早起来，她谁也不理，拿出满身对抗劲头。她只盼着王老师也上来给她劈头盖脸一通骂，她就当场撕下领章，帽徽，搭长途车回草原去。

她憋屈够了，她什么也不稀罕。

她却乖乖地跟着王老师回了家。乖乖地又上起课来。于是她更加恨王老师，她的对抗劲头那么势不可当，却在王老师这儿碰个软钉子，窝窝囊囊地化解了。她不明白自己是怎么了，魔鬼附体似的，又一手按腹一手拢耳地开始找那永远也找不着的"位置"。

她一边唱一边想，我明天一定把他惹急。急得他的一双食指真成了枪筒子，一左一右地对准我的太阳穴。

一天天过去，斑玛措一天天盼望王老师训她。可王老师越来越慈爱，眼睛眍成了两个窟窿，窟窿底部，斑玛措看见她父亲的眼睛朝她看来。那个她从来没见过的父亲。

六月的一个星期天，斑玛措第一次骑自行车上街。因为她不参加演出和排练，时间比其他兵们富裕，所以男兵女兵爱差她去街上买东西，寄信。跑不过来，大家就教她学骑自行车。斑玛措很猛，让人扶她上了车就冲到大街上，她这才想起还没学过下车。她只好一路上叫住行人，扶她上下。解放军在这个城市还有不错的人缘，所以斑玛措不费劲就把车骑到了人民商场。

晚点名之前斑玛措回来了，自行车却由一个小伙子为她推着。另一个小伙子和斑玛措打打闹闹，藏语听都听得出狎昵来。斑玛措大拇指一点，说："我的老乡。"

三个人进了斑玛措的宿舍，关上门。有人跑去找何小蓉，说分队长，你手下带了男的在宿舍喝酒呢。

小蓉敲开门，见三个人都坐在地板上。不是坐，是半躺。斑玛措站起来，把门掩得只剩个缝，对分队长说，民族学院的。小蓉说，男男女女在宿舍喝酒，你狗日当兵当腻了吧？斑玛措说，我老乡啊！民族学院的！小蓉一点情面也不留，说民族学院的到民族学院去喝！斑玛措脸通红，牙根子搓动几下。小蓉说哎哟，你想锤老子呀？斑玛措使劲甩上门，向她的同胞表示她没被这个娇小精致的汉人长官吓住。但十分钟以后，她便找了个借口把两个藏族老乡送走了。

从此斑玛措有了串门的地方。一天她回到宿舍便翻找那个牛皮口袋。从里面摸了一串念珠出来，往床上盘腿一坐，开始念经。同屋的人都嘀咕，说斑玛措最近作什么怪，所有的藏族习性都回来了：早餐不吃馒头，自己捏糌粑，裤带上也别上了小腰刀，手指上的银戒指也出来了。晚上学中央文件她人是来了，嘴巴仍是一片忙乱，只是不出声罢了。问她念的什么经，她说她没有念经，是念咒，咒那个今天偷走她三丈布票五十元钱的偷儿。民族学院的老乡请她物色一件袍料，要灯草绒。灯草绒一到货就抢光。她就是在抢购时遭窃的。她说她把偷儿咒得好惨，三丈布票五十元钱就给他扯布做祭帐了。她又快活起来，又笑得满地打扫卫生。

小蓉说："迷信是反动的，晓得不？"

小蓉看不起谁，谁就觉得自己在她眼里是一泡屎。此刻斑玛措就觉得她被小蓉看成了一泡屎。

小蓉又说："这身国防绿我看你是穿腻了。一年兵还没当到头，男朋友都耍起了。狗日还耍两个！还骗老子！老乡——日喀则的都是你老乡啊？"

斑玛措从地上站起来，正要往椅子上坐，小蓉拖住她，手狠狠抽打她身上的灰尘。

小蓉打着说着："当兵的耍朋友犯军法，你狗日晓得不？"

"你狗日自己结婚了呢？！"斑玛措吼道，一扬臂打开小蓉的手。

小蓉刚想说什么，一下子傻了：斑玛措两个眼睛鼓着两大泡泪水。那声吼像无意中吐出了她心里最深的隐痛，斑玛措自己也傻了。小蓉听萧穗子说她去丈夫部队探亲斑玛措哭了，她当时是感动的，现在她依然感动，却觉出一点不祥。一个人把另一个人看得这样重，总是有点不祥。

第二天副政委找斑玛措谈话，说耍朋友是不能乱耍的，要等到小斑你军装上挂起四个兜，才耍得。解放军里头，藏汉一家，藏汉平等，我抓政治，不能只抓汉族娃娃的男女作风吧？

斑玛措明白了，她必须和两位"老乡"断绝来往。

她礼拜日晚上没有归队参加晚点名。熄灯号响过很久，她才回到寝室。何小蓉在她帐子里坐着，手里一把手电筒，在斑玛措进门时就把光柱指在她脸上。

"去民族学院了？"

"晓得还问。"

"喝酒了？"

"喝安逸喽！"

"狗日两个男娃子耍你一个？"

"哪个说的？我一个人耍五个男娃子！"

手电光圈狠狠地盯着她，一寸一寸地打量她。斑玛措毫无窘色，浑身自在。她那骑马人的腿已彻底恢复了原形，两膝松松地形成轻微罗圈。她不管小蓉的手电光怎样盯她，她照样解衣脱帽，倒水擦身。小蓉在光圈里看见的斑玛措又是原先的庞然大物，迈着草原牧人晃晃悠悠的大步，一举一动都那么粗大剽悍，屋里的床、桌子、椅子，马上显出比例谬误来。

第二天斑玛措拿出酥油炸果请女兵们吃。女兵们个个嘴馋，碰到奶油和白糖做的点心，马上哄抢。有人想到何分队长没来，便留出一份。这时小蓉在窗外吹排练哨，被女兵们叫过来，她对那几颗酥油炸果吸吸鼻子，平整的一张脸马上皱成了糖包子。她说谁吃这么臭的东西？闻一下就把我昨晚的饭吐出来了！

然后她吹着哨轻盈地走去。

女兵们见斑玛措脸色死白。她的深色脸庞白起来十分触目惊心，然后就听见一个完全不同的斑玛措说："老子要杀她。老子要掐死她。"小股的浓白口沫，从她口角溢出来。

王林凤主动要求把斑玛措的独唱拿出来，放在首长审查的一台新节目里。"八一"建军节，首长们照例要看一场演出，文工团也照例在演出后敲首长竹杠、讨经费、讨招兵名额、讨猪肉鸡蛋补助。所以这场演出比哪一场都关键。首长总要求看看新演员。王林凤认为斑玛措这两个月进步很大，水平也稳定了。选定的歌目是《翻身农奴把歌唱》和《共产党来了苦变甜》。

帮斑玛措化妆的是萧穗子。何小蓉和斑玛措已结下深仇大恨，互相说话都得通过第三者转达。王老师指导萧穗子的笔触，主张这回把斑玛措画得个性些，粗犷些。一面指导化妆，他一面帮她复习动作、表情，哪里要手抚心房，哪里要挥臂向前，哪里要皱眉，哪里微笑。斑玛措一一领受，不时点头。到晚餐时间，王老师舒口长气，彻底放心了。

大幕雍容地缓缓上升，露出丰饶的水草地，红柳林，白的云，蓝的天以及斑玛措。乐队这次不上台，在乐池里做溪流，林涛，雄风万里。

首长们相互打听，这个美丽高大丰硕的藏族女子叫什么。"叫斑玛措。"团长说。"白麻雀？"一个首长乐了，声音特别大。

乐池里指挥棒抬起。不是小民乐队，而是交响乐团。长笛出来了，然后是四把圆号：风吹草低，遍地牛羊。

斑玛措的脚猛跺几下，嘴里出来一句完全不相干的调子。乐池里一片混乱，七七八八地静下来。只听斑玛措一人又蹦又跳又唱。也很难算作唱，一些地方是吆喝，一些地方是喊叫。低下来时又是喃喃低语，再低，便是呻吟。歌声是狂喜的、泼辣的，舞蹈把地板上的灰尘跺得半人高，一个首长给呛得大咳起来。她唱得高兴，还抽空打个唿哨，不一会，腰带也挣断了，松快的斑玛措感到了彻底的舒服。她想这下可好，看我怎么惹翻王老师的好脾气。让你"位置位置"，让你慈祥关爱，斑玛措统不认了。几个月来斑玛措对王老师窝窝囊囊的屈从，此刻全部清算。她在王老师夸她进步时就一直预谋，要在此刻全面报复。

斑玛措边打转边扫视侧幕边一张张惊的面孔。汉人的面孔。让你们看看翻身农奴怎样把歌唱。

有人叫落幕，有人叫别落。幕伸伸头，缩缩头地落下来。

斑玛措站在舞台中央。她知道第一个走向她的是谁。果然，是副政委。她先发制人，扭头便说她要求退伍。

所有的人都没想到斑玛措会想退伍。她家乡多苦啊，她该是铁了心要当一辈子兵的人。

演出结束一个首长说话了。说人家还没唱完呢，你大幕就落下了。人家唱得多好，那才带劲！

斑玛措以为自己的阴谋得逞了，可以回草原了，听这首长如此热烈的表扬，她知道所有努力可能又白搭了。

王林凤把斑玛措叫到礼堂后面的儿童乐园，问她是不是真想回草原。斑玛措看王老师一眼，竟没有说话。她想不通自己是怎么回事，一看见王老师轻微作痛的眼神就乖下来。对王老师，她不知自己是太怕了，还是太恨了，她在这小老头面前总是反常，准备好的伤人的话到嘴边就变了。

王林凤又说假如斑玛措不是在胡闹，而是真的不习惯城市生活，他可以帮她讲两句话，争取一个病残退伍。不过可惜了，小老头顿一会说："今晚你安了心要胡闹，不过你反而找到了位置。只要再巩固巩固，你就是个优秀的独唱演员。"

斑玛措老老实实听他说，原以为自己会抢白他：我听到"位置"就要吐！却没有。她想这么好欺负的小老头，在他面前，她怎么就是个翻不了身的农奴呢？

王老师说："我真为你高兴。"他背对着她，点上香烟。

斑玛措偷偷瞟他一眼，见他的肩动得有点异样。

"王老师。"她哑声叫道。

王老师还是背对着她，一大口一大口抽烟。

斑玛措从水泥台阶上跳下来，走到他旁边。他果真在流泪。她在心里对自己说，他们汉人就是这样，动不动流眼泪，男的女的眼泪都多。他们汉人的眼泪是收买人心的，她老乡这样说。但斑玛措劝不住自己，自己为王老师的眼泪肠根子都疼。

王老师把她哭得好慌，也好窘。等了一会，王老师好些了，她想说王老师，我笨得屙牛屎，唱不好，你就到领导那儿为我说个情，把我当个狗屁放了吧！（她从复员老兵那儿学来的俏皮话）但话一出口，却成了"王老师，那我就不走了。"

斑玛措又恢复了正常的声乐训练。女兵们发现她动作、步伐、神态很快变得秀气起来，吃水果也会在下巴下接一块小手绢。最大的变化是她突然染上了洁癖，每天洗头洗澡。有人偶尔在浴室里碰见她，见她用把尼龙板刷浑身上下地刷，刷得皮肤通红，轻度灼伤似的。女兵们在几个月之后说，斑玛措硬是把皮肤给刷白了。现在她穿一件黑毛衣，额前留一蓬刘海，辫子别在脑后，生人头一眼已看不出她是个藏族女娃了。

中午她总是搬个凳子坐在院里晾洗净的头发，有时碰到怀了身孕的小蓉便把头扭开。两人的反目一直持续，从小蓉怀孕到分娩。小蓉坐完月子回来的那天，把两个红鸡蛋塞在斑玛措手里，娇嗔地斜她一眼。斑玛措满脸涨红。

何分队长回来是领队下连演出的。她为刚满月的儿子订了牛奶，就扔给了丈夫的父母。满嘴"龟儿、狗日"的何小蓉在大节上总是出手漂亮。

下连队演出是每年初冬的任务。冬天开始，部队进入冬训，常常有大型军事演习。从总体上看，文工团的演出队是军事演习的一部分。

让斑玛措唱《翻身农奴把歌唱》是王林凤的主意，但他马上发现她唱得平庸，观众反应也平平。他认为斑玛措主要是欠缺舞台经验，不懂得施展魅力，她的大眼睛要像何小蓉那样一上台就变成一千瓦，还带钩，那一定比何小蓉还牵魂摄魄。领导们也觉得斑玛措的独唱不到火候，便取消了她的演出。王林凤让两位音乐创作员专门为斑玛措写歌，根据她的嗓音特色和音域设计曲调，又找来萧穗子，逐句地帮她理解歌词。歌词和曲调对斑玛措来说显然太复杂了，她听着穗子口若悬河地分析、发挥，麻木的面孔后面是疯转的脑筋，但仍捕捉不住一个实在的意思。根本不像"桃树把你的心偷去了，酥油灯点的是我的心"那样明白。

萧穗子认为斑玛措的理解力差劲是因为汉语水平低。她开始给她上文化课，每天学两句毛主席诗词。行军队列里，穗子把生词写在一张纸上，贴在背包上，斑玛措跟在她后面念"横、横、竖、横……"到一个大宿营地，穗子总给她测验，她回回不及格。但她非常卖力，抓笔的手指掐得死紧，指甲都掐白了。

演出队每晚演出，斑玛措比所有人都忙。灯光组抓她的差装灯拆灯，服装组支她抬箱子，道具组也使唤她递道具。她做这类杂事很灵，体力又好，天天落表扬，于是积极得要命，主动找更多、更重的杂事。男兵们乐得省力气，让斑玛措一人扛地毯；她弓着身，上半身和地面成平行线，一大卷地毯顺着她脊背直拖到地面，步子跌撞而沉重，一个地道的农奴形象。

这天晚上何小蓉在独唱前被奶水涨得哭起来。女兵们全冲着她两个明晃晃硬邦邦的乳房傻眼，胆大的上去挤了两把，一滴奶也不出来。小蓉的吸乳器丢在上一个宿营地，还没顾上买新的，这时她对束手无策的女兵们说："狗日结啥子婚嘛，都是男的快活女的死受！"她两个巴掌在乳房上乱打，脸上的脂粉被泪水和成了五彩稀泥。

这时斑玛措气喘吁吁地出现在做女更衣室的帐篷口。她的破军装撕下了个半个肩，脸上头上全是灰垢。小蓉一抬头，奇怪地安静下来。斑玛措看着小蓉，又去看那对随时要爆炸的乳房，慢慢走过来。小蓉和她尚在冷战，双方都不知道怎样和解。小蓉此刻看着她，眼泪还是很多，却只是默默地流了。她明白牧畜出生的斑玛措了解雌性生物此刻的痛苦。这一群女兵中，唯有她是了解这痛苦的。她什么也不必跟她解释，她全了解。也唯有她，真正在为痛苦的她做伴。不知怎么一来，小蓉把头抵在了斑玛措的小腹上，用力摩擦。

斑玛措抱起小蓉，把她重又安置在椅子上。然后她跪下来，手里抓住一个茶杯，泼出去剩茶。她的手轻轻在小蓉的乳房上摸着，紫色血管疼痛得微微鼓凸出来。娇小美丽的小蓉，却有着庞大不美的乳房，天下哺乳期女人的乳房，乳头周围一圈粗大的颗粒，乳头顶尖上布满怪状的纹路。斑玛措的手老练地挤动，顺着乳脉，一下一下地。小蓉的痛苦立刻缓解下去，她累了一样微垂下眼帘。乳汁不畅快地流出来。斑玛措对小蓉说："恐怕不行，挤不出来。"

小蓉看着她，由她全权负责那样看着她。

斑玛措跪得更低些，屁股坐在两个脚跟上。

然后所有人都猛一提气：斑玛措的头埋进了小蓉怀里，嘴巴衔住了小蓉的乳头。她吸了几口，将吸出的乳汁吐在茶杯里。那里艳黄的乳汁，惹得女兵们一阵反胃。小蓉深深地呻吟一声，下巴略扬起来，眼睛全合上了。斑玛措的手轻轻按摩着那只乳房，逐渐地，它不再是一触即爆的危险模样了。

女兵们觉得眼前的场面既壮丽又恐怖，并且也有点无法看透的怪异。这种怪异似乎和性有关，引起她们隐秘的兴奋和罪过感。

小蓉的下唇和上唇松开，松弛到极限，头向后靠，眼睛也松弛极了。

斑玛措站起身后，足有三秒钟，小蓉才睁开眼。她谢了斑玛措，又向女兵们说："斑玛措今天是舍己救人。"斑玛措说："我救啥子人？老子乘机营养一下。"她哈哈哈乐了，女兵们全乐，都知道小蓉和斑玛措彻底和解了。

一路上都没买着吸奶器，小蓉就每天三次让斑玛措替她吸奶。她对女兵们说斑玛措吸奶比吸奶器好多了，一点都不痛。男兵们说斑玛措真划得来，天天加餐，好滋补哟！还不要奶票。

第二年五月，又到了首长审查节目的时候。这台演出大多数是歌颂华主席的，原先为斑玛措谱曲作词的创作员舍不得把好好一首歌扔掉重写，便把"毛主席请尝我的青稞酒"，改成了"华主席"。团长觉得不妥，副政委说这叫政治投机主义。创作员却说华主席是毛主席指定的接班人，毛主席尝过的酒，华主席当然该尝尝。俱乐部给周总理、朱老总做的花圈，不是也给毛主席用了吗，就换了换挽联上的名字。再说写首好歌也不容易，光教斑玛措理解歌词就教了半年，重写也来不及啊！

文工团领导同意先拿这首歌凑合，等首长审查过，讨来了经费再说。

斑玛措这回是百分之百照着小蓉的风格演唱的。表情规规矩矩地做，像全中国所有女独唱演员那样含情脉脉，两眼顾盼，手随眼波，丁字步站得前挺胸后撅腚，手势是"阳光""春风""雨露"，嘴里有词眼里更有词，就像三步之外站着笑眯眯的华主席。谢幕也谢得标准，含蓄领颔，微撇脚步。人们想不愧跟萧穗子学了一年多文化课，看着就文化多了。人们却不去想，这样一个歌手团里有几十名，全国有几十万。

只有那位曾夸过斑玛措的首长大不满意。他说这个女娃娃大大退步了！唱得一点也不好听！

王老师气愤地瞪了那位首长一眼。这是演出后的会议，主要创作人员留下来听首长们的意见。

另一个首长也发言了，说斑玛措笨手笨脚的，做起动作像安着人家的胳膊腿。

第三位首长干脆说拿掉这个独唱。

王老师心想，你们就听得懂低级军官左嗓子叫操令，你们懂什么声乐？！

几个首长都说斑玛措唱得远不如一年前。

王老师清了清喉咙，站起身说："这位藏族女兵基础差了些，连文化课都是现补的。不过如果再训练一阵，相信会有大的突破。"他说着说着，心里忽然害怕起来，万一不突破呢？他也觉出斑玛措目前的歌唱缺了点什么，但又想不出到底缺的是什么。这是王老师第一次对斑玛措是不是座金矿发生怀疑。

年底文工团决定让斑玛措退伍。王林凤大发脾气，说斑玛措若走他也不干。闹到最后王林凤还是得干下去，而斑玛措被淘汰了。

副政委打算找斑玛措谈话，王林凤说最好叫小蓉或穗子先跟她吹吹风。

萧穗子想，斑玛措一年前闹着要回草原，这下可成全她了。她在院子里见斑玛措骑车进了大门，一手握车把，一手拿着一叠报纸。她还是热衷于打杂，否则要被过分的健康憋出病似的。斑玛措的皮肤真给她的大板刷刷去了暗色，现在比谁都滋润。腰身也束得有棱有角，胸罩、腹带的尺码直线收缩，现在不穿这副盔甲她倒是浑身不舒服。她把车把调得低低的，座位拔得很高，车闸也翻向外侧，于是她骑车时腰、背、臀划出一条十分婀娜的曲线（它在多年后被叫成性感）。街上人把时尚、风流的女痞子叫"超妹儿"，斑玛措骑车的样儿是很"超"的。

她见萧穗子叫她，便来了大偏后腿，脚绷出个芭蕾尖儿来，在空中划了半圈，这才下来。一招一式都透出她的自信和自如，她已经没有脱离草原的痛苦。岂止不痛苦，她活得挺舒服了。

她摘下军帽搧风。军帽里垫的报纸露了出来，斑玛措学小蓉用报纸衬军帽，偷偷过大檐帽的瘾。她穿军装的风格也是小蓉的，领口摊得很低，里面蓝色拉链练功衬衫开出一块大三角，露出脖子底部那个甜美柔弱的窝窝。

萧穗子说："斑玛措，现在让你回草原你可能不习惯了。"

斑玛措眼神一紧。

萧穗子马上把这个表情突变抓住了。她改用胡聊的口气说，她倒挺想去一趟草原，要是斑玛措跟她一块回去该多棒。斑玛措知道萧穗子成了舞蹈创作员，便说："你要去我的弟娃儿可以当你向导。"

极善于听话听音的穗子明白了，这个斑玛措已不是一年前的斑玛措。一年里，她已经剪断了她和草原之间的脐带。谁都不可能知道，那最后的剪断有多难，有多血淋淋。

萧穗子实在讲不出口：斑玛措，文工团要缩编，你被淘汰了。大家公认你没有什么前途，你得把名额让给有前途的。

文工团给谁标上了"没前途"，谁的局面就死定了。穗子怎么说得出口呢？

于是换了何分队长。何小蓉要提拔成教导员，军阶将是营级，在斑玛措面前，她仍是个"营级小女娃"。她把斑玛措带到抄手铺，买了四碗红油抄手。两人边吃便讲些其他女兵的闲话。小蓉趁斑玛措快活便说："喂，老斑。"她们要好得互称"老斑""老何"。小蓉说："老斑我听说你要退伍？"斑玛措一大口抄手从嘴里滚出来，像是刚刚意识到它有多烫多辣。

"听哪个鼻子说的？"

小蓉装着吊儿郎当，说斑玛措要走还向她保密。

斑玛措慢慢眨巴着眼睛，一个接一个地把抄手夹起，送进嘴里，一下一下嚼着，不辣也不咸，温吞吞地咽下去。她把小蓉的抄手也吃完后说："狗日敢把老子复员，老子杀了他。"

消失很久的旷野气息又出来了，斑玛措眉宇间有了一点凶残。

"谁处理老子的？！"她瞪着小蓉，目光是散的。

"龟儿凶啥子么凶？你不是闹麻了要脱军装吗？"小蓉使劲扎起架势，要把她镇住。

"老子不想走了！"

小蓉哑口无言。她突然觉得这帮汉人不是东西，把人家弄个夹生，就一脚把人家踹回去了。

"哪个要我走，叫哪个来跟我说话。老子非宰了他。"

何分队长到各个领导那里为斑玛措游说，撒娇，耍嘴皮，统统枉然。

领导们说精简数目那么大，又不是单冲斑玛措来的。小蓉说斑玛措打定主意不走，是很难把她弄走的，自从抄手铺谈话以来，她的情绪很危险，说不定会出什么伤人或自伤的事。年年老兵复员，都有人拿冲锋枪"吐噜"当官的，还有的干脆下药让全连队死干净。斑玛措是藏族，一旦做了谁的仇人，很难预料会发生什么。

王林凤每天来看看斑玛措，劝她不要绝食，不要躺在床上以免把好好的身子骨躺软了。

斑玛措只有一句对着天花板说的话："我不走。"

在她的"不走"期间，她的退伍手续已办妥。何小蓉把不多的一笔退伍费装在她舍不得用的香港货小钱包里，悄悄塞进斑玛措的行李。行李一共是一床棉被，四套军装，一套棉衣和绒衣，再加上几件练功衫。小蓉打被包打得漂亮，乍一看斑玛措的行李不是解甲归田，而是随队开发。她说："老斑，不走就不走吧。现在要看你表现，假如你龟儿跟我出差一趟表现好，你就留下继续吃一月三十七斤的军粮，拿八块七毛五军饷。"

斑玛措"咕咚"一下跳下床，问去哪里出差。

小蓉说"上去"一趟。

文工团常有人去若尔盖军马场，一说"上去"，大家便明白是"上"哪儿去。已经是何教导员的小蓉哄骗斑玛措说，她此去要找点红军当年过草地的民歌素材，斑玛措是责无旁贷的向导。

斑玛措看看已打好的背包，这才猛来了一阵两眼昏黑的饥饿。她两手支撑在写字台上，站在那里傻笑。她没想到会有这样的美事，单独和小蓉逛草原。斑玛措傻笑着，站着，瘫痪在她与小蓉的美好情谊中。

斑玛措不知道汉人们心眼子很多，胆子又小，在稍感对她歉疚时相互说，这下安全喽，老斑不会上哪儿抄杆冲锋枪来"吐噜"我们了；把她骗上路是不大地道，不过也是莫得办法的。

何教导员会把所有退伍文件交到军马场，再由军马场为文工团收拾残局。军马场不时镇压知青起义，镇压个把退伍军人不就是逗你玩玩。

大雪封了路，长途汽车一天才走一百公里，临时决定宿在骑兵团一营。一营长曾是小蓉丈夫的部下，把唯一一间首长客房拿出来款待小蓉。那是一间土坯大屋，中间搁了张土到家的雕花大床。往上一坐，发现床垫是席梦思，给不知多少首长压松了，一躺一个坑。

两天行车，斑玛措染了咳嗽，夜里咳得席梦思上蹿下跳，把上面的两个女兵抛起扔下。小蓉比斑玛措轻五十斤，斑玛措躺出的席梦思坑比她的要深许多，自然也就形成了小蓉在上坡斑玛措在谷底的地势。随着咳嗽，小蓉势不可挡地一下一下往谷底滚去。开始她还扒拉着往上爬，睡在斑玛措压出的坑里腰疼，也有些怪诞。但很快她放弃了挣扎。困乏是原因之一，主要是外面风吼得太凶猛，雪从门缝下钻进来，冻结了室内的气温，咳得热气腾腾的斑玛措使小蓉感到安全、温暖。她缩在席梦思的巢穴里沉沉睡去。到第二天早上，她发现斑玛措把她紧紧搂着，下巴抵在她前额上。

何教导员没有动。过了一会，她发现自己哭了。

何教导员不知道斑玛措和她谁更疼谁，谁更舍不得谁。

把斑玛措的档案袋悄悄交到军马场，何小蓉就准备瞅个机会逃跑了。她给斑玛措写了一封信，与那个香港货小钱包一块，搁在斑玛措的背包里。

军马场部的招待所房里生着巨大的炉子。斑玛措一早醒来，见小蓉把火捅得很旺，并在上面烤了四个馒头。她不知她那醒来前，小蓉一直在看她。万箭穿心地看。她更不知道小蓉在看她时想，这个藏族女娃待她的好，要好过所有的人。这两夜小蓉总是睡在斑玛措被窝里。斑玛措的洁癖在棉被上都嗅得出来，是洗衣粉，太阳，洗澡药皂的混合清香。斑玛措咳得更凶了，体温也有些烫。但这都好。

小蓉以为在她醒来前就能脱身。昨晚她强迫她吃了大剂量的感冒药。不料她却醒了。小蓉哪里知道斑玛措早醒了，天不亮就醒了。没有彻底被物质文明社会同化的人往往有着动物的感应。像嗅觉、像触觉、像汗毛孔的一次超常扩张。她像鹿一样感应到了不幸，像母牛一样对这不幸感到不安却无奈。

但她不知她到底感应到了什么。

她醒来之后手臂里躺的小蓉还在安睡，这个三十岁的营级小女娃娃。她的手指轻轻摸着她耳边卷曲的头发，小女娃的胎毛。摸着摸着，她哭了。她还是不去认识那越来越清晰的预感：小蓉这次是把她押送回乡的。

何小蓉在斑玛措起床时手伸出去找什么支撑。当她意识到支撑她的是烧红的烟筒时已晚了，她的手掌一阵青烟，屋里腾起一股焦臭。小蓉没有惨叫，只是用另一只手握住伤手，坐在地板上。她抬起头，见斑玛措端着一茶缸雪进来，倒在灼伤上。两人都不说话，都看着灼伤。

看了很久。

　　小蓉和斑玛措并排坐在长途汽车座位上，肮脏的玻璃窗外是呆板的冬景。小蓉打定主意在下一个宿营点甩下斑玛措。而宿了两夜，斑玛措分分秒秒跟着她照应她的伤手，替她拎包、开门、解裤带、挤牙膏、拧毛巾……

　　第三天，刚出发不久就遇见车祸。三辆运木材的卡车撞成一溜，在狭窄的公路上堆出小半个伐木场，小蓉跳下车，前后望望，两头都是望不到头的车队。她一摸身上，说："糟了老斑，老子把挎包丢了。"斑玛措知道小蓉挎包里装着采集来的曲谱，但她不知道那是小蓉装模作样胡乱记下的几首当地小调。

　　斑玛措说："车开出来最多十里路，我跑一趟吧。"

　　小蓉又看看现场，受伤的司机在路边生起火，向山下伐木连求救。她说等伐木连爬上山来，搬掉木材，恐怕要到下午了。

　　"我在这儿等你。"小蓉说。

　　"我脚杆快当得很。"斑玛措转身要走，又站住，看着娇小的小蓉。白雪映衬下，小蓉的脸居然显得很脏。

　　小蓉给她看得很不自在，心虚得很。她那样看是什么意思呢？明白她的谋划，明白她们缘分尽了？

　　"要解手找个人帮你。"斑玛措嘱咐一句。似乎她站下那么久就是不放心这点。

　　小蓉把斑玛措的背包交给了司机，请他一定交给那位高大的藏族女兵。她给斑玛措的信被牢实地捆在背包带的十字交叉上。

　　然后小蓉步行两里路到了养路道班，求他们用拖拉机送她到山下伐木连。当她搭上伐木连的卡车向成都方向驶去时，她知道斑玛措已读完了她的信。她想象她读信时吃力的样子，眼泪花了她的眼睛。她已成了斑玛措此生最仇恨的一个人。

　　何小蓉成为军区副参谋长夫人时，自己也调到了文化处当了副处长。那是一九八六年。

　　王林凤因为在"文革"前期为军区造反派做出过许多曲，成了他们的红人，因此在一九八〇年代初便灰溜溜转业回了老家。他一次写信告诉小蓉，他收到过阿坝寄来的苹果，又没有投寄者的详细地址和姓名。但他怀疑是斑玛措寄的。

萧穗子因为要写一部小说而再次去若尔盖。她听一位在阿坝做了县委干部的女子牧马班成员说，斑玛措已做了母亲，已有两个孩子。她嫁得还算称心，丈夫是阿坝军分区的一位连长，也是藏族。

不知为什么，穗子没有去找斑玛措。

又是几年过去。何小蓉的丈夫升任了副司令。这天上午她刚要上班，见门岗挡住一个高大的女子和两个孩子。

小蓉看到这又是第一次见到的斑玛措了，只是藏袍崭新。她的眼睛又像从前那样，适应远距离的目标，眼珠也极不活络。她迈着草原人晃晃悠悠的大步走来时，身上已看不出一丝都市以及军队的痕迹。小蓉把她和孩子们请进门，这才发现斑玛措怀里还有一个孩子，四五个月大，脸蛋却已经跟两个大孩子一样肮脏。

斑玛措说她要跟丈夫去青海，以后离小蓉就远了。她不断向两个孩子说着什么，三个人在一张单人沙发上挤成一堆。不，是四个人，小蓉想。四个人坐一张沙发，尽管小蓉家的客厅大得空旷。然后丈夫匆匆穿过客厅，不久就听轿车打火，开走了。

小蓉问斑玛措晚上住在哪里。

斑玛措没听明白似的，上唇一掀。然后她眼睛看看偌大个屋，又去看楼梯口。她原本是想在小蓉家住一阵，和小蓉好好聚一场。

"没地方住，在我这儿凑合一两晚也行。"小蓉马上说。

小蓉叫来阿姨，上了茶，摆了糖果。她看着已走到院子中央的阿姨背影，对斑玛措小声说："刘副参谋长知道你。"

斑玛措愣一下才想到刘副参谋长是小蓉的丈夫。

"不过他不知道我们关系有多深。"她躲开斑玛措的眼睛，笑了一下，"万一他问起来，你就说是一般战友。不要讲你帮我吸奶的事。"

这回斑玛措的愣怔僵在脸上，化不开了。

"他这个人多心得很。"她看着斑玛措。

斑玛措点了点头。两只眼睛又和多年前一样，如同温敦的老牛或老马，看着人类层出不穷的把戏，对他们的企图毫不懂得，但不去懂得已先原谅了他们。

小蓉这才大声向警卫员布置，要他暂时搬楼上客房去住，把他的屋让出来给客人。

第二天早晨小蓉下楼来，发现斑玛措一家已经走了。茶几上搁着一个大纸包，包的是虫草和藏红花。

斑玛措和三个孩子到达丈夫的部队之后，从大儿子的袍子里找出一个微型遥控坦克。她想起它曾经摆在小蓉的客厅，很珍贵地罩在一个玻璃壳子里。小蓉当时说那是丈夫参加军事考察团一个英国将军送他的礼物。斑玛措的大巴掌走在了她意识的前面。等她的意识撵上来，儿子已倒在了地上，鼻血糊了一脸。她和小蓉的一场情意刹那间使她过电一般的疯狂起来，朝着儿子追杀过去，两只靴子轮流往那七岁的脊梁、肩膀、屁股、头颅上落，屋子里小型冬宰似的充满各种调门的惨叫。

打到她自己也奄奄一息了，她坐下来，看着地板上一动不动的儿子。三个孩子都一动不动，一声不出，最小的那个在一分钟前哭碎了最后一点嗓音。

门外，一个男人的皮靴声近来。也是晃晃悠悠的草原步伐。斑玛措坐在地板上身体一缩，心想怎么这么快就到了他下班的时间。

非洲掠影三篇

行 路 难

一到尼日利亚就发现行路难。国家政府收纳了人民的税务，却连公共交通设施都不提供。这个首都城市最常见的交通工具就是"奥卡达"，意思是"摩托计程车"。奥卡达在大街小巷游串，招手即停，迅速贼快，生死由天。司机不戴头盔，顾客当然就更不戴了。阿布贾城市特色为多弯、坡大、石头遍地（这是个出产各种昂贵石料的国家，一堆击碎的铺路石，也是花岗岩。）。一部奥卡达从坡上冲刺下来，遇急弯滑翔而过，灵巧如耍马戏。我从来统计不出每天奥卡达的交通事故率，因为媒体放眼大事，民间对生命似乎也看得很开，乘奥卡达丧生的危险和疟疾、艾滋、上层社会的压榨、警察的"误杀"相比，应该算是最小的。所以奥卡达的危险只对惜命者而言。我出去散步，常看见路口聚着一群人，一打听，都是拦截奥卡达的。奥卡达就稀少了，假如要搭乘它去教堂或回寺，大概会在上帝和真主那里常做不守时、不守纪律的人。

有一次我烧菜烧了一半，发现买来的红辣椒不辣。这是个不辣不美味的菜，做出来也会煞风景。我便和我的女管家希望小姐说："这里买辣椒像是摸彩，不切开来不知是辣还是不辣。"的确如此，当你需要不辣的辣椒时，常常也会事与愿违。卖辣椒的小贩们很会察言观色，两句话的交流，他就能断定你是想买哪种，断定出你想买辣的，他见风使舵，告诉你他的辣椒如何之辣。奇怪的是本地辣椒从外形和气味上很难判断它的滋味，除非你有着本地的采购经验，如希望小姐。过了二十多分钟，希望小姐拿出一包红辣椒，放在洗菜池里。我问她哪里找来的，她说她刚去了一次市场。市场离我家开车得半小时，她二十多分钟已经满载而归。我问她怎么来去得如此神速，她笑着跳到一边，大声说："你不让我乘奥卡达，但你看看，它有多快！"有时碰到堵车，奥卡达便到人行道上去开，大车进不去的路，对奥卡达畅通，除了丧生之险，奥卡达一身美德。

再一看希望小姐的装束，我又不解了，她穿一条长裙，很难骑坐在奥卡达后面。她避开直接回答，说："坐惯了就好了。"非洲女子的裙子十分典雅，全都长及脚踝，从腰到膝是紧裹的，只在膝盖以下散放开来，形状像美人鱼的尾巴。这个国家食物紧缺，没有发胖之忧，女孩子们都苗条秀丽，穿上长裙，优点更被强调出来。当然，她们穿长裙也有宗教上的原因。街上从来看不见超短裙或短裤，我们这些休闲装到处穿的人，一定会被她们看做不够检点，有伤风化。可长裙子如何骑坐奥卡达，对我来说它始终是个谜。大街上的奥卡达来如风去如电，很难看清女子们解决长裙的麻烦，处理腿与裙、裙与座的关系。

上了大街，一有奥卡达的声响远远传来，我便站下来等。有一次碰巧看到一个年轻姑娘，头上顶个大塑料盆，盆里装满冰块和鲜鱼，站在街边等奥卡达。我牵着爱犬可利亚，站在她身后。这出表演会是高难度的，她即便人上了车，鱼怎么上车？我很有耐心地陪她等车，有些居心不良，看好戏的感觉。

终于从通往高尔夫球场的土路上飞车而来一辆奥卡达。土路口横拦一块大木牌，几乎封锁了进与出，上面的字写道"私人地产，禁止一切车辆、行人、牲口通过"。但从来没见这段警语生过效，大家照样自由穿行，尤其奥卡达，畅通无阻。人还得小心翼翼从木牌旁边穿过，奥卡达杂耍似的一溜边就过来了。停得也漂亮，眨眼间已停在卖鱼女子身边。两人悄声抬价杀价，交易达成，卖鱼女子一提溜长裙，紧箍在大腿上的那一截被提高到臀部，膝盖下如喇叭花的裙摆便到了大腿上，不知怎么腿向后一偏，如同稳坐马鞍一样骑在了后座上。她做这一套动作只用一只手，另一只手还得扶住头顶上的小型水产商店，看上去不轻，有二三十斤的鱼再加冰块。

我为他们"双人飞车加顶盆"的绝技给镇住了，目送他们向无路灯的大街驶去。那个卖鱼女子双手大撒把，头顶上还有辎重，两腿被长裙约束，真是惊险至极！一百米外是大街，奥卡达车身偏斜，转过弯去，前后配合之默契，仿佛经多次排演。司机的身体与乘客在转那个急弯时，形成的完美平衡让我目瞪口呆。这动作需要多彻底的信赖才能完成？首先乘客得完全信赖司机，让他为她的性命负责，再是司机信赖乘客的顶盆技术，万一失重，破坏了他的平衡，也会人仰车翻。既然都无法信赖这个腐败无能的政府，大家只能把信赖给予萍水相逢的陌生人。

另一天的清晨，我看见一个女孩顶着一锅煮熟的玉米乘坐在奥卡达后面，刚下过雨，地上一洼洼积水，奥卡达左右绕着水洼舞大龙，从锅里冒出的水蒸气很是温暖香甜，逶迤一路。还有更绝的：两个女子想分担一份车费，招了一部奥卡达，司机面有难色，又不甘心放过这笔生意，让她们各自添一点钱，便叫她们上车。毕竟已经是晚上八点，生意清淡下去。我马上站下来，想看"三人飞车"怎样进行。两个女子全穿长裙，这个难度就够了。我看第一个女子右腿曲起，先跪在后座上，腿再从座位另一边伸下去，两腿踩到前面的杠子上。第二个女子把自己硬挤进几英寸的空座，身体紧紧靠在前面女子背上。三个人合成了一个人，车子照样灵巧如燕。

听我们司机说，一个奥卡达司机每月可以挣三四万尼拉。算一算他至少可以养三个孩子，租一处不错的住房，孩子也上得起学。我们的司机挣的还不及一个奥卡达司机。问他为什么不买部摩托车，也做奥卡达生意，他回答买不起车。只要买得起车，就等于保障了小康生活。乘奥卡达便宜，再穷的人都乘得起，所以生意一跑就很旺。

虽然奥卡达不安全，但它填补了政府公共交通的空白。邻近阿布贾的一个州极其贫穷，州政府为创造就业机会进口了五千辆摩托车，低价卖出来。不过五千辆上了奥卡达牌照的摩托车很快在那个州消失，在阿布贾浮现。阿布贾车费高，雇车的人也多，所以他们开着故乡政府为他们创造的就业机会，直奔首都。

还有一次我看见一个女人乘坐奥卡达，前面抱个婴儿，后面背带里背着一个一岁左右的孩子。这是一道奇观。奥卡达飞车表演，看到此，叹为观止。没想到前几天又看到一个更绝的：坐在后面的男乘客带了一件巨大的行李，有一立方米的体积，包裹在中国流动人口常用的尼龙市场包里。这种包很可能起源于中国大陆，极其牢固，分量又轻，盛装量大，盛行在做服装买卖、进城找活干的流动人口中。它们一律白底、红蓝条为饰，便宜耐用。在尼日利亚，这种包也流行得很，各种小贩，流浪者，邻国的偷渡客都用。有一度加纳经济萧条，而尼日利亚的经济还不像当今这么惨淡，大批加纳人偷越国境，来尼日利亚谋生。加纳人都是带着这种包过来的。那一阵这种包在尼日利亚被叫做"加纳人必滚蛋包"。我看见的奥卡达乘客便是用的这种包，不过比一般的大许多。看上去他是个卖民间织物的小贩；把织品从民间收搜上来，到大都市走家串户，卖给收藏异国情调工艺品的外国使者。他和奥卡达司机商讨了一个价钱（大概要多付一倍车费），然后自己骑在后座上，把一立方米体积的大包袱搁在司机怀里，他的双手再从司机后腰抄到前面，扶住大包。司机的下巴搁在大包顶上。身子和车把之间，隔着大包袱，好在非洲人体形好，长臂长腿，否则这样的双簧飞车是不可能的。

写到此处，听见墙外小道上奥卡达鸣笛而过。天色极暗，一场热带大雨正在逼近，全城不知积压有多少奥卡达司机和乘客将破雨飞驶，那将更加惊险。我想哪天也惊险一回，乘一次奥卡达，但美国大使馆有禁令，不准它的官员和家属乘任何本地人的车。

古 染 坊

卡诺是尼日利亚的第二大城市，排位仅在拉格斯之下，并且很古老，有一段千年城墙。从中国回到阿布贾，我一下飞机听说一帮朋友要去卡诺，也不顾三十几小时旅途的折磨，拿了几件衣服就跟着上了路。一部中型商务车里坐了七八个人，看来是想以人多壮胆。卡诺在几个月前发生了一场血战，出动了上万基督教徒和穆斯林教徒，牺牲者有几百。而且公路上有土匪出没，有时歹徒装扮成警察，提着卡宾枪，借口搜查逃犯，停不停车都在劫难逃。同路有一位刚从美国来的实习生，说她昨天早晨四点从机场出来，不久就碰上了土匪，幸好有武装警卫押车，闯了过来。我问：那又怎么区别土匪和警察呢？有人回答：没有区别。大家常常在阿布贾的马路上碰到一群警察，荷枪实弹，截下车就把巴掌伸到你鼻子下，说行行好吧，这年头当警察太苦了，午饭钱都挣不来。他们倒不完全是胡扯，政府常常欠发工资，他们的制服费用、摩托车油费、饭钱都得靠他们在马路上劫持车辆；挑到毛病的罚款，找不出茬子的就软硬兼施地伸手，逼人为善。

进了卡诺城就觉得气氛和阿布贾不同，一些地方有"美国人必须走！"的标语。看来是需要靠人多壮胆的。穿过城区，到达王子酒店，门口见一群卖水的人，坐在手推车旁边，车厢里装满巨大的黑色塑料方桶。一桶水花十个尼拉，周围居民就靠这样买水过活。王子酒店是当地的五星级，房间里搁一张大床，剩的空间就只容人侧身横行。我和来瑞都变得多礼起来，动一动就相互咕哝"对不起"。浴室倒是赏心悦目，一片天蓝色，但毛巾只有一块。水是从一个悬吊在浴池上方的大桶里出来的，但并不是你想叫它出它就出；它不出也早有对策，屋角放了个塑料桶，盛了些备用水，请你自己动手。餐厅非常讲究，蜡烛、假花、雪白的台布，至少是美国假日酒店的规格，菜的价格却是伦敦的或巴黎的。当晚是大使馆做东，请当地的几位名流。客人一到场，我吓了一跳，男的一身名牌，女的素雅高贵，让我错觉是在曼哈顿。一路进城时，说到卡诺的富人，谁指着树林深处告诉大家：巨宅豪门，在此地都是隐蔽的。看来客人们都是从那些隐蔽的住处来的。谈话内容也是高尔夫、欧洲和美国。他们是黎巴嫩人，拥有一个工厂，设计和印染非洲的传统花布。

第二天我们到了黎巴嫩人的印染工厂。厂部设在不比一个公寓大多少的店面房里，朝街的一半放了几部计算机，坐着几个工作人员。后面的走廊里陈列了几百种设计布样，一条一条悬挂在架子上。老板的办公室就在走廊拐弯处。没有坐的地方，大家就围着办公桌站着。一会儿，黎巴嫩的早点和咖啡送进来了，我们站着吃喝起来，一面听老板介绍了几种在非洲女人中最盛行的花色，说它们从织到染再到印的一系列工序。一块布的完成，竟需要两个礼拜。可惜工厂很不景气，因为中国人的仿制品冲进了市场。两个礼拜的工序，仿制只需要几小时。老板的悲剧原来和我的同胞有关。

卡诺还有一个古老的染坊，有五百年历史。染坊是一个大院子，地面上布满一个个染坑。染坑有一丈多深，大小相当于中国的水井，只是没有井沿儿。院子里跑着一群群羊羔和孩子，都敏捷地在坑上跳跃。染浆绝大部分是深蓝，相仿于中国民间的印花布颜色。我们小心翼翼地绕着坑走，怕一失足就改了肤色。染浆都很陈，有的有上百年的历史，上面浮着落叶、虫尸、花瓣、纸屑。富有的染匠一家拥有几口染坑，大体上能从染坑里捞足衣食住行。但多数染匠都很贫穷。染匠们坐在坑边，把一块布料浸没在染浆里，然后把它拎起来，在空中待上几秒钟后，再将它浸入水中。这两个动作要重复八九天，一块布才能染成。把布料拎起，为使颜色在氧气的作用下产生化学反应。我以为染布都靠煮，颜色是煮上去的，这儿的染法似乎更古老。美国人看见古老的东西不照相是不行的。于是都找上那个形象最古老的染匠合影。老染匠一下子就把头挡起来，张开没剩几颗牙的嘴，笑着嚷了句什么。翻译告诉我们，他说相不能白照，得给钱！翻译说现在已经够开通了，过去照相是犯忌讳的。我们全傻眼了，问他要多少钱。照一张两百尼拉。一百怎么样？一百就一百。非洲人喜欢漫天要价，你杀价杀得再狠也不伤和气。

穿过染坑，有几间矮房，里面的人是专门给布抛光的。十六个汉子盘腿坐成四排，两人一组，面对面，中间搁着折成四方的布料，两人的木槌就往布料上抡。木槌一头大一头小，有些像中国洗衣的棒槌，只不过粗数倍，也稍短，木料是非洲特有的硬木，木质极硬，木色温润，长年把握在人的手里，它们也都借了人气，透出皮肉般的圆熟来。汉子们全部上身赤裸，黑色的皮肤泡足了汗水，便有了他们手中木槌的质感。我们都上去试了试木槌的分量。好几十磅重的木锤举是举得起来，但落下就狼狈了，砸的东一处西一处。胡乱砸了几下，师傅又返工，整齐密集的捶打形成一排一排波浪形花纹，捶过的地方闪亮如锦缎。非洲不长桑树，养不了蚕，绸缎靠进口，人们都是穿麻和棉，据说这种打上去的绸缎光泽是很经久的。抛光房没有窗，泥墙上溅起木槌的回音，便有一种舞步在里面。十六个人你起我伏，必须十分讲究节奏，否则就会砸在对方的木锤上，或砸到对方的手指。这是个依赖节奏生活的民族，捣木薯、砍香蕉、织布、染布、捶布，都可以成为丛林篝火旁的鼓音，都可以抒发流淌在他们血液中的歌舞。

染坊后面是个居民区，失修的窄街两边，密集地坐落着低矮的房子。门全都大开，磊落地展示着房内的赤贫。大部分人家没有家具，坐就坐在水泥地面上。住宅区的生计似乎也是从染坊里挣来，街上晾晒了许多染出的布料。女人们坐在门口的地上，把白布用针线打起皱褶，皱成一圈圈网形图案，这便是扎染的第一步。她们缝一块布需要一天时间，可以挣两百尼拉。扎染和蜡染的工序和中国很接近，隔着两大洋和一大洲，不知最初是谁向谁取的经。一条街走到了头，我们中的某人指着一块晾在绳子上的扎染布料，随口向一个大嫂打听价钱，她不会英文，表情却极其兴奋，打发一个孩子去叫人。很快一条街的人都来了，大人孩子，男女老少，手里都抱着扎染布料。我们给包围起来，看他们一块一块地展示作品。布料的确很漂亮，但这种供与求的巨大悬殊令人恐怖，一旦买开了头，大概就更难脱身了。几次突围失败后，我们最终买了十多块床单和长条桌布。后面还有人抱着布料跑来，没做上生意的人跟着我们往街外走，不时举一下手里的布料，希望我们中的某人再给他（她）一次机会。由于逃得惶恐，大家都没听清翻译介绍的处理布料方法，似乎是先用盐水泡，然后用醋水，使颜色永驻。

走出染坊大院，看见一只小羊羔，灰褐色，大概刚刚断奶，头上还没有长角。不知为什么，染坊里外都没什么青草，却养了一大群羊。灰褐色的羊羔从地上叼起一根玉米皮，已经干枯，它嚼了嚼，吐出来，味道一定是太差了。但它看看周围，不吃的话连这片玉米皮也没得吃了。它再次叼起玉米皮，一点一点地嚼着，吞了下去。我看不出这只小羊活着的乐趣是什么。正如我很难看出是什么样的信念在支撑染坊里几百年如一日的艰辛生活。但我坚信，毫无乐趣的生命是绝不会延续和繁衍。

回阿布贾的路上，有一个沿公路摆开的集市。停了车大家就从车窗买一些水果、蔬菜、鸡蛋，一个朋友还买了些草药。交易刚刚开始，突然听见一片嘈杂声，往车子的另一边看去，只见一大群人向我们狂奔过来，头上顶着大盆，里面装着冰块冰着的鱼。还有顶着牛肉和羊肉的。苍蝇也来了，司机吼叫："快关窗！"但有的人拿了货还没付钱，有的人付了钱还没拿货。车子一时动不了，渐渐关上的车窗玻璃上满是黑色的面孔，白色的眼睛，粉色的手掌。司机说："他们知道美国人有钱，见了美国人的车就堵上不让走。"车子被围得不见天日，司机连声按着喇叭。再来看看人群已不都是小贩了，许多乞丐正穿过马路拥来，孩子们架着残疾的父母，少女搀扶着瞎眼的老人，我们的车像是舍饭棚，点个卯就有分儿似的。司机一再嘱咐不能给钱，不然车子今天真的动不了了。得了钱的人会去召集更多的老乡来，那就要出乱子了。还是有人扔了些小钱出去。终于突围出来，一群盲人仰着面孔，"目送"我们的车离去。老远了，还看见残疾的人群歪歪斜斜地站在灰尘里。难怪美国人那么容易对自己救世主的角色信以为真。

来瑞拿着买回的蓝色扎染布料去一位裁缝那儿。下一个星期五，是大使馆便装日，他把裁缝做的非洲行头披挂起来。下班之后，他脱下袍子，发现自己的肤色成了蓝的。在染坊逃得太慌，大概把洗布的配方弄错了，反正不是少了盐，就是多了醋。据说头一次的泡洗非常重要，好比冲洗相片的药剂，错了就难改过来。果然如此，后来那身袍子穿一回，人就要蓝一回。

可 利 亚

世界五大洲，可利亚去过三个。不到七岁的狗，它已然是个老江湖倦客。早晨遛它走在阿布贾的街头，它是一副哪儿都逛过的神气，要不是我手里牵的狗链拴在它脖子上，大概就成它遛我了。街口上有个荒弃的楼房，二层楼没有顶，荒草从黑洞洞的窗口伸出来。弃屋里住着四五户人家，大概相当于中国称为"盲流"的一类人。他们有一大群孩子，可利亚一出现在街上，这群孩子就欢呼："快看啊！我们的狗来啦！"他们背上驮着弟妹，或者头上顶着大水桶，一下子跑上来，眼睛看着可利亚，再来看我，希望得到允许能碰一碰它。可利亚却有点儿势利眼，爱答不理的样子，或干脆就跑到一边翻他们家长扔出来的垃圾。孩子的情绪丝毫不受挫伤，跟在我们后面叫："拜拜！可利亚！"一直叫到我们远去。有一次，我带可利亚到几英里外的地方远足，路上碰到两个穿校服的小学生，一男一女，看上去是一对兄妹。他们站下来，瞪着可利亚。我赶紧拉住狗链，怕吓着他们。但两个孩子突然叫道："可利亚！"可利亚居然有这样大的名气，令我大大吃惊。想来那群盲流孩子和这两个孩子同上一个学校，可利亚的名声就那么流传开来。

一路走过许多大使馆的住宅，碰见门卫和杂工们，也都会跟我开玩笑说："把你的狗赏给我吧！"我一来就发现尼日利亚人不用"Give"，而多用"Dash"，似乎是一个不经意、随手一掷的动作。给小费，就是"Dash"几个小钱。若送礼，也是"Dash"。我把一个收音机送给我们的司机，他跟来瑞说我把收音机 dash 给他了。我脑子里不由出现这样的画面：某人把几个铜板随手往身后一抛，镜头切过去：一双手接住这些铜板，镜头上摇：接钱者感恩的脸。我久久玩味这个词，认为应该把它作为"赏"来理解。仅仅一个动词，就把这地方的传统表现出来了。一个多世纪的殖民历史，提炼出这样一个动词。现在满街的人要我把可利亚 dash 给他们。难怪可利亚更加狗仗人势，浑身的优越自在。

三个月后，可利亚不自在了。它常常坐卧不宁，前爪后爪一起开弓，满头满脸，浑身上下地挠痒。我扒开它头上又长又卷曲的毛发检查，发现了我最不想发现的东西。它居然长了癞痢。可利亚没有交上过任何狗朋友，哪儿来的传染途径呢？想必是非洲活力无限的细菌可以空降。从黄页上查到了几位兽医的名字，马上和他们取得了联络。不巧接电话的都是护士小姐，告诉我兽医全出诊去了。一位朋友说最好不要病急乱投医，在阿布贾做任何事都要有熟人推荐。找兽医一定要在外交人员中打听，等谁推荐一位医术医德可靠的。被推荐的兽医叫穆罕默德，一打电话，他也出诊去了。看来此地的兽医服务十分到位，全是行医上门。我说我可以去兽医院，省得医生跑腿。护士小姐口气犹豫起来，但最后还是把地址告诉了我。医院就在很有名的超市旁边，想来兽医院的招牌也不小。

我的司机对阿布贾熟悉至极，再偏僻的门牌，他毫不费劲就能找到。而他开车在超市前面的马路上走了几个来回，仍是找不着这家兽医院。忽然一开窍，他把车拐进了一条小巷。巷子里荒草丛生，荒草上晾着洗干净的衣服。两旁不规则地坐落着一些棚子，挂有饭店、酒吧、发廊的牌子。依照门牌号码往里走，兽医院应该就在小巷深处。路过一家礼品店，是由一个集装箱大货柜改装成的。据说尼日利亚什么都可能在一夜间消失，不知是否包括此类大货柜。它从某个地方一夜间消失了，再从另一个地方一夜间冒出来时，已经成了个礼品店了。等司机把手里的门牌号码和眼前的对照时，我想他这回一定找错了门。一个锈迹斑驳的大货柜，门框上用白漆懒洋洋写了个门牌号码。我在门口探头探脑，门内昏暗中一声喝问传出来："找谁?"一听是个女人，我释然了。我说找一家兽医院。她说："这就是兽医院。"

假如不是顾虑民族礼节，不愿给她难堪，我肯定转身就上车走了。她问我是不是今天约诊的那位，说医生出诊回来，已经等候多时了。一时找不出逃跑的理由，只好把可利亚带下车来。护士小姐请我替可利亚登记，她要为它建立病例案宗。我看看周围，连个座位都没有，只好站着登记。我一面在表格里填写，一面打量这个医院。迎门摆一张旧书桌，上面有一部电话，一个登记簿，相当于美国医院的接待台。靠墙立着两个架子，腿还站不稳，上面陈列的是本地产的各种狗食品。集装箱货柜内的空间本来已经局促，还用一块布帘隔出了另一间屋来，想来里面是医生、手术床、各种医疗器具。布帘早先是白色，眼下的颜色似是而非。帘子一撩，出现了一位面无表情的年轻男子，个子十分瘦小，穿短袖汗衫和牛仔裤。我心里祈祷，这位可别就是穆罕默德医生。小个子一点儿寒暄都没有，指着可利亚问："来了？"我心想，谁来了？我说："您是穆罕默德医生？"他说正是。我发现他眼睛根本不和我对视，只看着可利亚。可利亚给他看得心乱，尾巴在两个后腿间夹没了。他这时看着我了，问道："听说是癫痫？"我又想，谁是癫痫？看来他倒是把我在电话里告诉护士的症状记得颇清。因为大货柜里温度高，他和护士小姐的黑皮肤油亮油亮。

他抱起可利亚，凑着门口的光线，翻看了一下，似乎自己跟自己说："还是打一针吧。"这时从门帘里又出来一个男子，一样的瘦小，面无表情。他们捉起可利亚就要往门帘里面走。我这时顾不上给他们留情面了，说可利亚长到七岁从来没打过针，为什么一定要打针？穆罕默德医生说他不认为可利亚得的是癫痫，而是被它自己抓伤之后感染了。假如打针制止了炎症，就证明不是癫痫。如果不好呢？那就是癫痫。他的逻辑没有错，但怎么听也有点荒谬。我跟着他们往帘子内走，他们想阻止我是妄想。至少我得确保他们用的是一次性针管针头。这个艾滋病猖獗的地方难说没有狗艾滋病。进到里屋，我倒吸一口冷气：里面除了一张长方桌，什么也没了。地面上铺的塑料地板已有多处破洞，破了的地方卷了皮儿，没破的地方染着红药水、紫药水、碘酒、血迹。他们其中一个从抽屉里取出注射包。可利亚预感到处境不妙，锐声叫喊起来。

我问是不是非打针不可。他们不答理我，只是将可利亚按在那张桌上。白色的桌面更不堪目睹，上面布满的各色斑点立刻在我脑子里刺激出一连串恐怖画面。但他们的果敢和毫不解释的态度莫名其妙地镇住了我，我退到了布帘后面，听可利亚的惨嚎拔着高调，最后到达了它的音域极限，戛然而止。我心里想，料理后事吧。

不久默罕默德医生抱着可利亚出来了。我一看，它除了抖跳蚤一样哆嗦，其他无恙。医生说明天若不见好就再来一针。我心里说，你想得美。我问他怎么判断它是否好了呢？他说没有变坏，就是好了。

第二天，我发现可利亚的病症的确没有变坏。第三天，伤口结出一层薄痂。又过了几天，可利亚痊愈了。我不由对那个集装箱大货柜里的医生刮目相看起来。货柜是货柜，不耽误人家在里面治病除痛，救死扶伤。一个月后，收到默罕默德医生的一封信，说可利亚定期检查寄生虫的日子到了。信里没有美国兽医千篇一律的煽情滥情的语言，直统统的一句大实话，听不听在你。此后可利亚在那个大货柜得到各种保健和预防，没有再发生其他不妥。

一天我把它遛到一个门口，从里面蹿出两条狗来。第三条原地不动，只是在两个同伴后面狂叫促战。它们一看就是吃了上顿没下顿的狗，瘦骨嶙峋，身上保留着狗类捕食的敏捷和凶残。两条狗直扑可利亚而来，像当年森林部落突袭外来的殖民者一样。可利亚没经历过真正的民族冲突，它充其量也就跟美国中产阶级的狗们有过一些内部矛盾，吵闹几声，也都是闲来无聊、调侃斗嘴罢了。而它马上就断定这两条瘦狗绝不是同它调侃，它们的进攻带着种族尊严。我一直把可利亚牵了老远，两条狗还紧追其后，一路呐喊。丛林民族擂着战鼓、戴着面具、挺着长矛的冲锋，就这样让外邦人心虚，无论他们多么自视优越。

可利亚比在大货柜的兽医院还胆怯，拉开四条胖腿疯跑，我给它拖在后面，拖成一挂没有舵的货车。按分量，这些狗并不占可利亚多少上风，但它们对自己领土的拼死捍卫态度，使可利亚不战而溃。在此之前，可利亚优哉游哉，享尽做宠物的福分，一点也不反感生命不可承受之轻。现在它从那个不苟言笑的本地兽医和三条好战善战的本地狗身上知道了一点儿好歹。以后我再牵着它往那一带走，离开三条狗的居处还有一大段路时，可利亚就把狗链朝回拽，说什么也不肯前进了。它算是识时务的狗，多少懂得原住民和外来户的关系。虽是简陋寒碜的医院，要活下去还得上人家那儿求助；虽是饥寒交迫的一窝狗，可你人在矮檐下，不得不低头。盲流户的孩子们再碰上可利亚，它也少了几分优越，偶然有某个孩子让它握手、起立，它也不会像当初那样白人家一眼，意思说："看我杂耍？就你也配？"它也会不情愿地从命，给孩子们露两手了。

我们一次又走过那三条狗的地盘，没敢走门前，而是回避到马路那一边。狗还是冲了出来，但少了一条。过了几天，我发现确实只剩了两条狗，第三条消失了。据说尼日利亚人爱吃狗，我怕那条狗消失在大铁锅里了。有时晚上出门，从车窗里看见无路灯的街上亮着煤油灯，旁边支开一个炉子，以各种废纸或树枝作燃料，上面一块铁皮，摊放着几块紫黑的肉。过路人用手直接抓起肉来，论肥评瘦，根据肉的大小给钱。有个美国朋友告诉我，那种摊子上有可能会卖狗肉。尼日利亚的牛肉比美国还贵，人均收入却不到美国的六十分之一。我很想问狗的主人，他们是否把那条狗给吃了。但我意识到，这是什么意思呢？要谴责人家吗？告诉人家吃狗有多野蛮吗？又是一个外来户对原住民的优越态度了。一个挣扎在温饱线的民族自有他们自己的主次，也自有他们的善恶准则。可利亚在我们这儿做宠物，上人家那儿说不定就得做肉，我们不能强求别人把他们的狗也做宠物。可利亚大概直觉里早已认识本地的一切都不好惹，所以它不像刚来时那样牛气了。

小说是作者的一个梦

钱 虹

严歌苓曾在《〈海那边〉台湾版代后记》中说，她自己最怕给自己的小说写后记或前言，因为"好比小说是作者的一个个梦，梦结束了，就结束了。你想把个结束了的梦讲解清楚，用醒着的人的思维逻辑，是办不到的。"

而我这个局外人不这么认为。所以在近两年中，不仅接连给严歌苓编选了她的两部不同题材的小说集；而且在每部集子的后面都写了评论或是"后记"。第一部名为《也是亚当，也是夏娃——严歌苓海外小说精选》，主要选了她以海外留学、移民生活为题材的短篇小说，包括《少女小鱼》、《女房东》、《红罗裙》、《海那边》等曾在海外荣获各种文学奖项的作品。这本《金陵十三钗》是我替严歌苓编选的第二部作品选集。其中，主要选入了她以历史记忆与"文革"记忆为主的中短篇小说。

我与严歌苓因文学而结缘，是在二〇〇四年九月。用哲学大师海德格尔阐释德国古典诗人荷尔德林"人，诗意地栖居"的本原意义作衡量，山东的威海大概是我认为的可称得上是"诗意地栖居"地之一。"第十三届世界华文文学国际学术研讨会"在依山傍海的山东大学威海分校的宾馆内举行。当时卢新华携着他在长江文艺出版社新出的长篇小说《紫禁女》到了。卢新华原是恢复高考后复旦大学一九七七级学生，我则考入华东师范大学求学，与王小鹰、赵丽宏、孙颙、陈丹燕、周佩红等成了年龄参差不齐的同窗学友，他们先后成了上海滩知名作家；而我毕业后却留校读研，走了一条文学批评和学术研究的自甘寂寞的路。卢新华的小说《伤痕》一九七八年夏季在《文汇报》上刊登并就此引发新时期文学的"伤痕文学"思潮时，我们就在班级里和宿舍内展开过辩论，所以和他算是旧友。严歌苓、虹影等海内外知名女作家也来了，我和她俩是新识。她俩的小说风格迥异，她俩的性格也有很大差异。虹影比较热情爽朗，基本上有问必答；严歌苓则矜持而又优雅，看得出来，她不是一个饶舌多话的人，尤其当她觉得你是陌生人时，她更是吐字如金。我和她俩聊的多是小说创作方面的话题。旧雨新知齐聚山东半岛的海滨城市威海，如今回想起来都成了让人回味和怀念的美好记忆。

回到上海不久，就收到了严歌苓自北京邮寄至我家的一包印刷品。打开一看是她在当代世界出版社出版的七卷本《严歌苓文集》，这使我喜出望外。正好当时我在母校华东师范大学指导的几位研究生要进行毕业论文"开题"，研究生之一张洁选择了严歌苓及其小说作为毕业论文选题。我对研究生做学问的要求一直不敢放松，所以每位研究生在写作论文之前，我都会要求他们提供尽可能完整的研究对象的资料目录，才能同意其论文的"开题报告"。张洁就作了一份比较详尽的严歌苓研究资料目录附在"开题报告"后面。而我本人此后就在一边指导研究生撰写和修改论文《严歌苓小说论》的同时，也就在文本细读和掩卷思考中越来越清晰地认识了严歌苓。

如果只允许用一个最简单的汉字来概括严歌苓及其小说创作的话，那这个字就是："变"。严歌苓的"变"常常出乎一般人习以为常的料想和思维定势，就像她所跨越的令人难以捉摸的几个人生阶段那样：上世纪七十年代几乎无人知晓的部队文艺兵；八十年代小有名气的军营作家；九十年代以后声名鹊起的旅美华人作家兼美国外交官夫人。——这就是严歌苓。

早在没出国前她就成了已有知名度的"军营作家"，出版过《绿血》（一九八六）、《一个女兵的悄悄话》（一九八七）、《雌性的草地》（一九八九）三部长篇小说等作品。尤其是《雌性的草地》。这是在作者创作生涯中具有"转折"意义的一部小说。她写了"文革"期间一群生活在几乎与世隔绝的草原军马场的"女子牧马班"知青姑娘们充满宗教般虔诚而又浸透苦难的人生与心灵历程。这是个庄严感与荒诞感相互交织与缠绕的女性（雌性）的故事。书中人物所处的生活环境之恶劣，已到了人类、尤其是女人的生存极限：草原上的烈日、狂风、骤雨、冰雹、沼泽、野兽、土著游牧男人……，随便遇到哪一样，都得拼了性命也未必能保全自己。她们的光荣与梦想听着像是黑色幽默的传奇，看着却动人心魄，叫人潸然泪下。至今想起来仍然充满着一种欲罢不能的阅读的诱惑。

上世纪八十年代中期跟着钱谷融教授攻读研究生时，他常说起文学的"品第"与"品位"问题。这位重申"文学是人学"的著名文艺理论家一再对我强调：好的文艺作品都会有一种打动人心的艺术力量；读一流的文艺作品，你会情不自禁地被它所感动，甚至被震撼。所以，不能令人动情的作品，哪怕作家名气再响，哪怕写作技巧再高，都算不上是文学的"上品"。我想，前人钟嵘写《诗品》，后来司空图又进一步细化为《廿四诗品》，无非也就是给诗（文学作品）分等级和归其类。所以，《雌性的草地》当时就写作技巧而言，虽然还称不上是文学的上乘之作，但它无论是在"文革"后新时期"知青文学"中，还是在八十年代以来中国女性文学形象的画廊中，无疑都已经确立了严歌苓小说的独特风格与审美取向。

之后，严歌苓却来了个"华丽的转身"。三十岁的女作家，选择了赴美留学。从背诵英语的一个个单词，到学习用刀叉吃西餐的生活方式；一面打工刷盘子赚取学费，一面利用"边角料"的点滴时间写作谋生。于是，短篇小说就成了她暂时抛却长篇小说写作奢望的唯一选择。《少女小渔》、《学校中的故事》、《女房东》、《红罗裙》、《海那边》……，这些小说不仅为严歌苓挣到了得以安身立命的稿酬，更使她在台港地区屡屡斩获文学奖项。但这些短篇小说也正如陈思和教授在《严歌苓从精致走向大气》一文中所指出的"虽然很精致，但总是太技巧化，读起来不够大气。"其实严歌苓本人也很明白："短篇小说则不同，麻雀虽小，五脏俱全，有时不等你发挥到淋漓尽致，已经该收场了。也是煞费心机构一回思，挖出一个主题，也是要人物情节地编排一番。尤其语言，那么短小个东西，藏拙的地方都没有。"（〈少女小渔〉台湾版后记）

我以为，严歌苓的"变"中又有着"不变"。那就是对于个体的生命、信仰、理想、自由以及人的天性（包括情欲）受压抑、遭阉割甚至被扼杀的种种现实存在或明显或潜藏的文字揭露与超越故事层面的哲学批判。正如导演陈凯歌在看了她的作品之后所说："她的小说中潜在的，或是隐形的一个关于自由的概念，特别引人注目，我觉得，那就是个人自由。"（转引自《视野》二〇〇九年第十一期）这样的文字揭露与超越故事层面的哲学批判集中体现在严歌苓自"荒诞的庄严"《雌性的草地》以来的"文革"记忆进而引申至民族的历史记忆的诸多作品中。选入本集的多是这一类作品。

《金陵十三钗》以一位南京沦陷期间的女性亲历者的回忆叙述，揭开了抗战期间"国都"南京沦陷惨痛而又悲愤的民族记忆。值得注意的是小说的视角，并非如影片《南京！南京！》那样正面全景式地反映侵华日军惨绝人寰、令人发指的南京大屠杀场景，而是通过一个在美国教堂内读书、生活的豆蔻少女书娟的视角，将南京大屠杀的真实历史作为背景，着重展现了在日军淫威之下，一群被人称作"婊子"、"窑姐"的妓女们，逃入教堂避难最后却慷慨赴死，以牺牲自我的女性之躯为代价，向无耻的侵略者复仇的同时也拯救了比她们更为柔弱、纯洁的"天使"——教堂的女学生。正是这样一种表面上自我（女性）肉体的主动献祭，而实际上却是义无反顾地为所有被强奸、被凌辱的中国女性报一箭之仇的义举，使人不得不对这群曾操贱业、遭人诟病的妓女们，在生命的最后关头将生死置之度外（她们每人身上都藏着利刃）迸发出来的雌性的更是人性的光芒而肃然起敬。赵玉墨、红菱……"金陵十三钗"的悲剧命运与整个中华民族的惨痛悲壮的历史记忆纠结缠绕在一起，令人唏嘘更让人心灵为之震颤。

严歌苓的许多小说都具有这样一种令人唏嘘更让人心灵为之震颤的艺术力量。比如《天浴》，比如《白蛇》。这两篇小说都属于严歌苓小说重要题材的"文革记忆"之作。"文革"是一场突如其来而又无法抗拒的人类文明的浩劫，也是人权、人性、人情、人伦、道德、伦理的史无前例的一种颠覆，一次清算。《白蛇》写的是著名舞蹈家孙丽坤在"文革"中的落难遭遇，作者用虚虚实实的笔触将此演绎成了一部充满了暗示与象征意蕴的关于女性之间的情感支撑与纠葛的心理小说。《天浴》也是这样。这部可归为"知青小说"的作品结局，让人心痛与顿足并重，泪水与愤怒迸溅，如今以取悦读者、娱乐大众为上的时代，能有几部能让人怒形于色、让人痛心疾首的作品？！

于是，读严歌苓的小说，会让你不再心心念念只想着一己的不幸与个人的悲欢。所以，编选她的作品，无论如何都是在做一个个"梦"的解析，一次次情感的探险。只是作为读者，我不知道多产（这主要来自于她数十年如一日的勤奋与执著）的严歌苓，她的下一部作品会"变"怎样的戏法出来。

二〇一〇年三月写于上海